教員採用試験

2026年度版

どこでも！養護教諭試験 要点チェック

次世代教育研究会

TAC出版
TAC PUBLISHING Group

はじめに

学校生活において，他の先生方とはまた異なった親しみも感じられる「保健（室）の先生」。

養護教諭の採用人数は全国的に少ないのが現状ですが，その職務は時代とともに広がり，期待される役割も多岐にわたっています。

児童生徒たちが抱える現代的な健康課題は多様化・複雑化しており，学校の在り方も変化してきています。熱中症など急病に対する応急手当や校内でのけがに対する救急処置といった，保健室の要ともいえる日々の職務はもとより，ときにはいのちに関わる急を要する迅速な判断力や行動力，安心・安全を感じるようなこころのケア，教職員・外部等の専門スタッフ・保護者連携の潤滑油ともなるコミュニケーション性など，緩急織り交ぜた養護教諭ならではの専門性が求められてきているのです。

本書は，教員採用試験養護教諭選考対策のために，専門的な知識にかかわる基礎事項をまとめたコンパクトな要点集です。これらの確認とともに，変化いちじるしい現代に生きる児童生徒たちが，どういった気持ちで学校生活を送っているのか，人生を生きているのか，何が問題なのか，何か訴えてはいないか，などのさまざまな現実場面を想像しながら，自身はなぜ養護教諭になりたいのか，どんな養護教諭を目指しているのか，といった思いの再確認をなされ，熱意を高めつつ，効果的な学習を進められる一助になりましたら幸いです。

読者のみなさまが晴れて合格なさることをこころより願っております。

編者しるす

本書の特長と活用法

●本書の特長

本書は，教員採用試験で問われる養護教諭にかかわる基礎的な語句や事項を厳選し，要点をまとめた１冊である。

１章から９章で基礎的な語句や事項の理解を深め，各章末のチェック問題や巻末の実力確認問題で発展的な問題に挑戦できるようにしている。

※本書の内容は，平成 29 年告示（小学校，中学校），平成 30 年告示（高等学校）の新学習指導要領に準じて作成しています。

本書の活用法

●本書の構成

本書の構成は以下のとおりである。

1 ここに注目！

〔ここに注目！〕では，各 Action において試験で問われやすいポイントや，出題形式などを取り上げている。学習に入る前にまずここを確認し，確実に理解すること。

2 Check!

各〔Check！〕は，その Action の見出しである。見るべき視点を示しているので，Check！の番号にそって学習を進めてみよう。

3 重要語句

試験で問われやすい重要な語句や覚えておきたい事項は赤字で表示している。赤字を優先的に覚え，空欄補充や用語の選択問題の対策に活用しよう。

4 出る度

「でる」スタンプの押された数が多いものほど，試験に出題されやすい項目となる。試験まで時間がなかったり，最終チェックをする場合は，「でる」スタンプが３つ押された項目を確実に答えられるようにしよう。

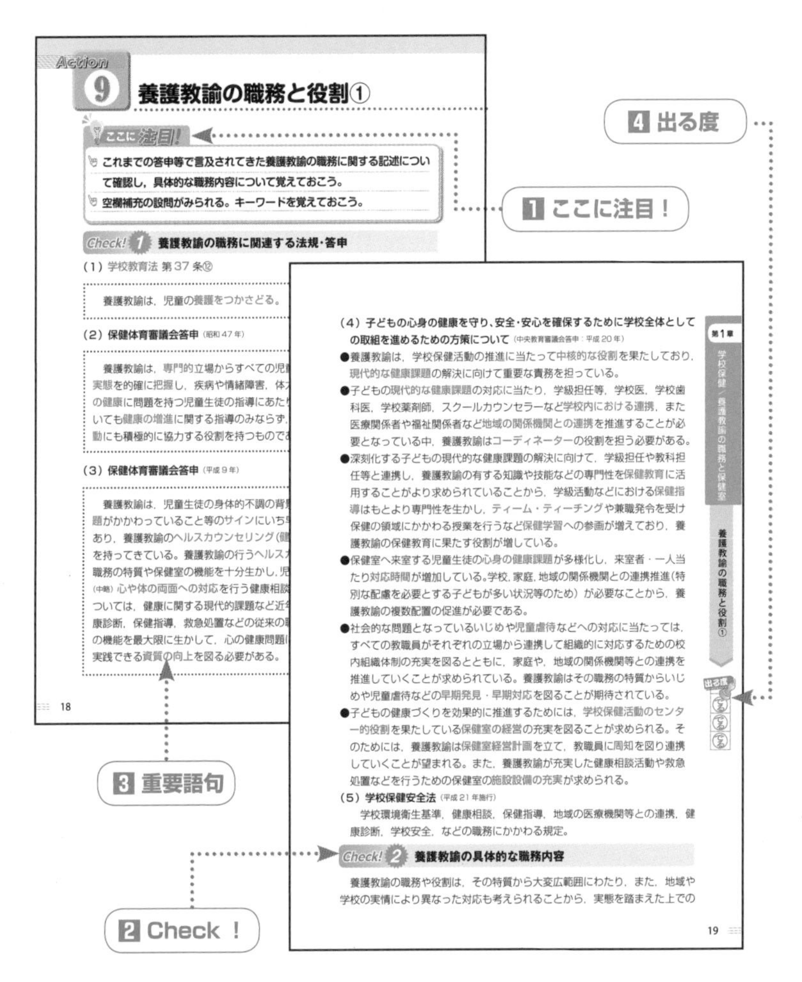

Action 9 養護教諭の職務と役割①

ここに注目！

- これまでの答申等で言及されてきた養護教諭の職務に関する記述について確認し，具体的な職務内容について覚えておこう。
- 空欄補充の設問がみられる。キーワードを覚えておこう。

Check! 1 養護教諭の職務に関連する法規・答申

（1）学校教育法 第37条⑫

養護教諭は，児童の養護をつかさどる。

（2）保健体育審議会答申（昭和47年）

養護教諭は，専門的立場からすべての児[…]実態を的確に把握し，疾病や情緒障害，体[…]の健康に問題を持つ児童生徒の指導にあた[…]いても健康の増進に関する指導のみならず[…]動にも積極的に協力する役割を持つものであ[…]

（3）保健体育審議会答申（平成9年）

養護教諭は，児童生徒の身体的不調の背[…]題がかかわっていること等のサインにいち[…]あり，養護教諭のヘルスカウンセリング（健[…]を持ってきている。養護教諭の行うヘルス[…]職務の特質や保健室の機能を十分生かし，児[…]（中略）心や体の両面への対応を行う健康相談[…]ついては，健康に関する現代的課題など近年[…]康診断，保健指導，救急処置などの従来の[…]の機能を最大限に生かして，心の健康問題[…]実践できる資質の向上を図る必要がある。

（4）子どもの心身の健康を守り，安全・安心を確保するために学校全体としての取組を進めるための方策について（中央教育審議会答申：平成20年）

- 養護教諭は，学校保健活動の推進に当たって中核的な役割を果たしており，現代的な健康課題の解決に向けて重要な責務を担っている。
- 子どもの現代的な健康課題の対応に当たり，学級担任等，学校医，学校歯科医，学校薬剤師，スクールカウンセラーなど学校内における連携，また医療関係者や福祉関係者など地域の関係機関との連携を推進することが必要となっている中，養護教諭はコーディネーターの役割を担う必要がある。
- 深刻化する子どもの現代的な健康課題の解決に向けて，学級担任や教科担任等と連携し，養護教諭の有する知識や技能などの専門性を保健教育に活用することがより求められていることから，学級活動などにおける保健指導はもとより専門性を生かし，ティーム・ティーチングや兼職発令を受け保健の領域にかかわる授業を行うなど保健学習への参画が増えており，養護教諭の保健教育に果たす役割が増している。
- 保健室へ来室する児童生徒の心身の健康課題が多様化し，来室者・一人当たり対応時間が増加している。学校，家庭，地域の関係機関との連携推進（特別な配慮を必要とする子どもが多い状況等のため）が必要なことから，養護教諭の複数配置の促進が必要である。
- 社会的な問題となっているいじめや児童虐待などへの対応に当たっては，すべての教職員がそれぞれの立場から連携して組織的に対応するための校内組織体制の充実を図るとともに，家庭や，地域の関係機関等との連携を推進していくことが求められている。養護教諭はその職務の特質からいじめや児童虐待などの早期発見・早期対応を図ることが期待されている。
- 子どもの健康づくりを効果的に推進するためには，学校保健活動のセンター的役割を果たしている保健室の経営の充実を図ることが求められる。そのためには，養護教諭は保健室経営計画を立て，教職員に周知を図り連携していくことが望まれる。また，養護教諭が充実した健康相談活動や救急処置などを行うための保健室の施設設備の充実が求められる。

（5）学校保健安全法（平成21年施行）

学校環境衛生基準，健康相談，保健指導，地域の医療機関等との連携，健康診断，学校安全，などの職務にかかわる規定。

Check! 2 養護教諭の具体的な職務内容

養護教諭の職務や役割は，その特質から大変広範囲にわたり，また，地域や学校の実情により異なった対応も考えられることから，実態を踏まえた上での

◆チェックテスト

章末にはその章で学んだことが定着したかを確認できるチェックテストがある。解答できなかった問題は関連する項目に戻り，もう一度内容を確認することで，さらに理解を深めることができる。

◆実力確認問題

実力確認問題は，実際の教員採用試験の問題に近い形式で作成した本書のオリジナル問題である。1～9章で学んだことを活かし，学習の締めくくりに解いてみてほしい。

出題傾向と対策

第1章　学校保健／養護教諭の職務と保健室

学校保健の構造や学校保健委員会の実施目的，養護教諭・保健主事の職務と役割，構成メンバーなど出題は基本的なものが目立つ。学校保健安全法，学校教育法といった法的根拠となる各種法令の内容を確実に覚え，一問一答や，空欄補充の出題への対策をしておこう。

第2章　健康相談・メンタルヘルスケア

健康相談の目的や対象者などについて，穴埋めや正誤問題が多いが，例年文部科学省の「教職員のための子どもの健康相談及び保健指導の手引」からの出題が目立つ。キーワードを押さえるとともに，内容を理解しておく必要がある。

また，心のケア，メンタルヘルスについても出題されている。文部科学省の「子どもの心のケアのために―災害や事件・事故発生時を中心に―」等の内容を覚えるとともに，ストレス症状のある子どもへの対応の注意点を押さえておく。加えて，ASD，PTSDについては症状の記述ができるよう準備しておこう。

第3章　健康観察

健康観察の目的，手順，健康観察記録の活用方法についての基本的な出題が多い。文部科学省の「教職員のための子どもの健康観察の方法と問題への対応」の内容と重要なキーワードはしっかり押さえておこう。

第4章　感染症の予防，疾病の予防

児童生徒がり患しやすい感染症については全国各地で出題されている。特に学校感染症の第二種，第三種の疾病についてや，感染症発生時の学校がとるべき措置・対応，出席停止期間の基準については頻出であるため，疾患ごとに整理し，正誤問題や一問一答，選択問題に備えておくことが必要である。

また，糖尿病や腎臓病などの慢性疾患，先天性心疾患，がん，アレルギーを患う児童生徒への対応を問う問題がみられる。

児童生徒等の発育把握など，成長曲線の活用についても理解しておこう。

第5章　救急処置と基礎看護

一次救命処置の手順，AEDの使用に関する穴埋め問題，校内での事件・事故災害発生時の対処，救急及び緊急連絡体制，文部科学省「『生きる力』をはぐくむ学校での安全教育」についてなどの出題がみられる。また，具体的な状況と症状における適切な救急処置を記述させる問題もみられるため，ケースに応じた正しい判断と対処法を覚えておく必要がある。

第6章　養護教諭に必要な専門的知識

各臓器や器官については構造図の空欄補充など基本的な問題が多い。確実に押さえたい部分である。

また，児童虐待については「児童虐待の防止等に関する法律」(児童虐待防止法)，文部科学省の「養護教諭のための児童虐待対応の手引」などに目を通し，内容を理解する必要がある。

令和４年12月に改訂『生徒指導提要』が発出された。生徒指導の新たな構造の捉え方での教職員が協働した校内連携型支援チームの編成，組織的なチーム支援における養護教諭の役割について確認しておこう。チームとしての学校における養護教諭の，専門知識を生かした対応について，どういった活動ができるのか，児童生徒等を取り巻く様々な現代的な健康課題にどう指導できるのか等を意識して，内容の理解をしていくことが必要である。

第7章　学校保健計画と学校安全計画

学校保健安全法の学校安全に関する項目は，各条文の内容やキーワードを覚えるなどの対策をしておこう。

第8章　学校環境衛生基準

学校環境衛生基準においては，換気や温度，照度，プールの水質管理など，判定基準に関する空欄補充や検査方法に関する問題が中心であり，毎年，全国各地で多く出題されている。細かい数字なども確実に覚えておく必要がある。

第9章　健康診断

学校保健安全法施行規則の穴埋めのほか，聴力検査，視力検査などの各種検査の方法や流れ，主な所見名とその症状などを問う問題が多くみられる。

目 次

◇ 第1章 学校保健 / 養護教諭の職務と保健室 ◇

◇ 第2章 健康相談・メンタルヘルスケア ◇

◇ 第3章 健康観察 ◇

◇ 第4章 感染症の予防，疾病の予防 ◇

◇ 第5章　救急処置と基礎看護 ◇

◇ 第6章　養護教諭に必要な専門的知識 ◇

◇ 第7章　学校保健計画と学校安全計画 ◇

◇ 第8章　学校環境衛生基準 ◇

◇ 第9章　健康診断 ◇

※　発達障害にかかわる疾患の名称については，「学習障害→学習症」，「注意欠陥多動性障害→注意欠如多動症」，「自閉症→自閉スペクトラム症」等，呼称されている場合があります。また，「広汎性発達障害」（自閉症，アスペルガー障害等）について，「自閉症スペクトラム障害」と呼称を統合している場合があります（アメリカ精神医学会：DSM-5 より）。動向に留意しましょう。

第１章
学校保健/養護教諭の職務と保健室

学校保健の構造と考え方

- 学校保健の構造と領域の理解を問う空欄補充の出題がみられる。キーワードは，しっかり覚えておこう。
- 中央教育審議会答申，学校保健安全法についてはさまざまな形で問われるので，それぞれ確認し理解を深めておこう。

Check! 1 健康の考え方

●世界保健機関（WHO）による定義

健康とは，肉体的，精神的及び社会的に完全に良好な状態であり，単に疾病または病弱の存在しないことではない。

●ヘルスプロモーション（WHO オタワ憲章 1986 年）

人々が自らの健康とその決定要因をコントロールし，改善することができるようにするプロセス。

●ウェルビーイング (Well-being)（OECD「PISA2015 年調査国際結果報告書」）

生徒が幸福で充実した人生を送るために必要な，心理的，認知的，社会的，身体的な働き (functioning) と潜在能力 (capabilities)。

Check! 2 学校保健の構造と領域

（1）学校保健安全法 第1条

この法律は，学校における児童生徒等及び職員の健康の保持増進を図るため，学校における保健管理に関し必要な事項を定めるとともに，学校における教育活動が安全な環境において実施され，児童生徒等の安全の確保が図られるよう，学校における安全管理に関し必要な事項を定め，もって学校教育の円滑な実施とその成果の確保に資することを目的とする。

（2）学校保健の領域・内容

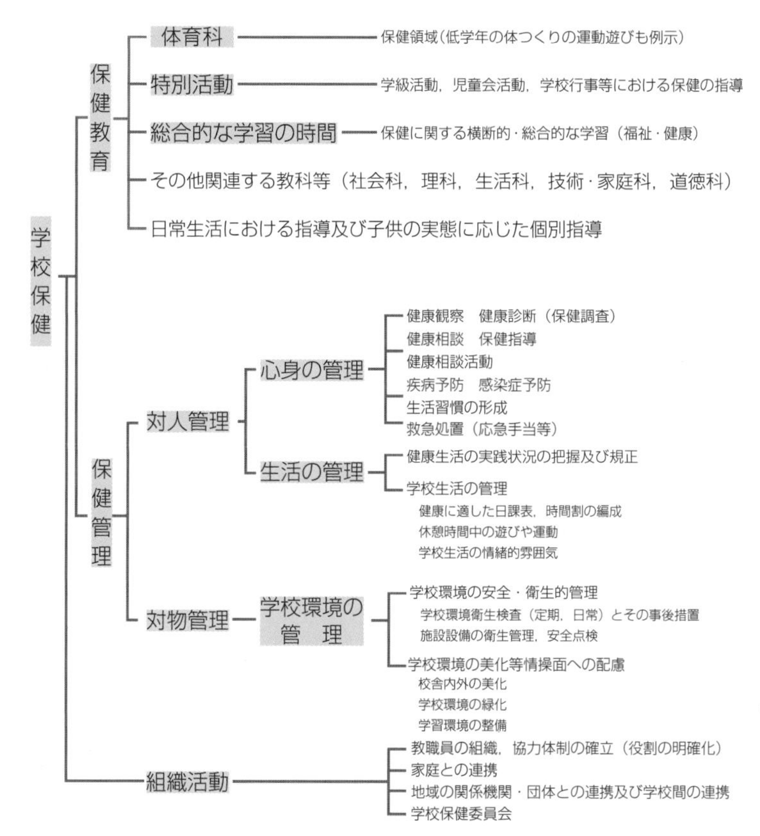
学校保健
保健教育
体育科
保健領域（低学年の体つくりの運動遊びも例示）
特別活動
学級活動，児童会活動，学校行事等における保健の指導
総合的な学習の時間
保健に関する横断的・総合的な学習（福祉・健康）
その他関連する教科等（社会科，理科，生活科，技術・家庭科，道徳科）
日常生活における指導及び子供の実態に応じた個別指導
保健管理
対人管理
心身の管理
健康観察　健康診断（保健調査）
健康相談　保健指導
健康相談活動
疾病予防　感染症予防
生活習慣の形成
救急処置（応急手当等）
生活の管理
健康生活の実践状況の把握及び規正
学校生活の管理
健康に適した日課表，時間割の編成
休憩時間中の遊びや運動
学校生活の情緒的雰囲気
対物管理
学校環境の管理
学校環境の安全・衛生的管理
学校環境衛生検査（定期，日常）とその事後措置
施設設備の衛生管理，安全点検
学校環境の美化等情操面への配慮
校舎内外の美化
学校環境の緑化
学習環境の整備
組織活動
教職員の組織，協力体制の確立（役割の明確化）
家庭との連携
地域の関係機関・団体との連携及び学校間の連携
学校保健委員会

出る度
でる
でる
でる

Action 2 学校保健委員会

- 設置の根拠や必要な理由について理解しておこう。
- 議題の設定，協議内容等については，具体的な資料にも目を通し理解を深めておこう。
- 養護教諭の役割についてしっかり覚えておこう。

Check! 1 学校保健委員会とは

学校保健委員会とは，学校において考えられる健康の問題について研究や協議をして，健康つくりを推進していく組織である。

Check! 2 学校保健委員会の根拠

法的には定められていないが，文部省(文部科学省)の通達等により設置が推奨されている。

●昭和 24 年「中等学校保健計画実施要領（試案)」，昭和 25 年「学校保健計画実施要領」(文部省) が発出され，学校保健委員会の設置が推奨された。

●昭和 33 年「学校保健法および同法施行令等の施行にともなう実施基準について」(文部省体育局長通達) において「学校保健委員会の開催およびその活動についても，学校保健計画に盛り込むべきこと」とされ，計画的な実施が求められた。

●昭和 47 年の文部省保健体育審議会答申においては，「(学校保健計画は) この計画を策定し，それを組織的かつ効果的に実施するためには，学校における健康の問題を研究協議し，それを推進するための学校保健委員会の設置を促進し，その運営の強化を図ることが必要である。」とされた。

●平成９年の保健体育審議会答申では，現代的な健康課題の解決に向けて，学校保健委員会・地域学校保健委員会を活性化し，家庭や地域社会との連携を強化することが求められた。

●平成 20 年中央教育審議会答申「子どもの心身の健康を守り，安全・安心を確保するために学校全体としての取組を進めるための方策について」では，学校保健委員会を通じて，学校内の保健活動の中心として機能するだけでなく，学校，家庭，地域の関係機関などの連携による効果的な学校保健活動を展開することが可能となることから，その活性化を図っていくことが必要とされた。

Check! 3 学校保健委員会の構成の例

校長，副校長，教頭，事務長，主幹教諭，教務主任，保健主事（中心となって運営），養護教諭，生徒指導主事，進路指導主事，保健体育科主任，学年主任，給食主任，栄養教諭（学校栄養職員），児童生徒（保健委員，生徒会役員等），保健部教諭，学校医，学校歯科医，学校薬剤師，保護者（PTA 本部役員，保健委員等），地域の関係機関（保健所，教育委員会，警察署等），など

Check! 4 実施にあたっての手順とポイント

(1) 年間計画に位置づける（Plan-Do-Check-Action）

(2) 組織の構成（議題に応じたメンバーの構成・関係者との調整）

(3) 議題

○できるだけ具体的な課題にする（自校の子どもの健康課題等）。

○議題の決定においては，児童生徒，教職員，保護者，学校医等の意見が反映できるようにする。

(4) 準備：運営案の作成と活用

(5) 当日の運営

○開始時間及び終了時間は厳守する。

○テーマに即したわかりやすい資料提供，協議の焦点を絞る等，活性化の工夫を図る。

(6) 学校保健委員会の事後活動例と評価

○職員会議における報告及び提案，学校保健委員会だより等の発行，全校の児童生徒への学校保健委員会報告会，学級(HR)活動における報告及び協議，評価等。

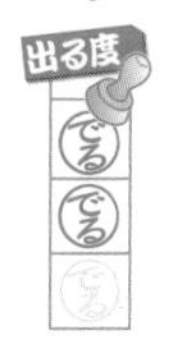

Check! 5 学校保健委員会における養護教諭の役割

●養護教諭は，専門的立場から企画の調整や運営に協力し，円滑に機能できるようにする。

●児童生徒の個別及び集団の健康問題を把握している専門的な立場から，児童生徒たちに「今，何が必要か」などの観点に立って具体的な提言をしたり，保健室にある情報や資料の活用が図れることなどから企画・運営においても積極的な役割を果たす。

Action 3

保健教育

ここに注目！

保健教育の体系や身に付けさせたい資質・能力についての空欄補充問題がみられる。キーワードを覚えておこう。

Check! 1 子供たちに身に付けさせたい資質・能力

保健教育には，子供たちが学習し，生活する場である学校において，**健康で安全な生活**を送ることができるように，そして**生涯**にわたって健康で安全な生活や健全な食生活を送るために必要な**資質・能力**を育み，安全で安心な社会づくりに貢献できるようにすることが求められている。

●「健康・安全・食に関する力」についての資質・能力

ア．様々な**健康課題**，自然災害や事件・事故等の危険性，健康・安全で安心な社会づくりの意義を理解し，健康で安全な生活を実現するために必要な**知識**や**技能**を身に付ける（知識・技能）

イ．自らの健康や安全の状況を適切に**評価**するとともに，必要な**情報**を収集し，健康で安全な生活を実現するために何が必要かを考え，適切に**意思決定**し，それを表す力を身に付ける（**思考力・判断力・表現力**等）

ウ．健康や安全に関する様々な課題に関心を持ち，**主体的**に，**自他**の健康で安全な生活を実現しようとしたり，健康・安全で安心な社会づくりに貢献しようとしたりする**態度**を身に付ける（学びに向かう力・**人間性**等）

健康の大切さ，健康の保持増進に向かう情意や態度等
学びに向かう力　人間性等
どのように学ぶか
（アクティブ・ラーニングの視点からの想像的な学習プロセスの実現）
教科横断的な
カリキュラムマネジメントの実現
法令等
・教育振興基本計画
・健康増進法
・歯科口腔保健の推進に関する法律
・アルコール健康障害対策基本法
・少子化社会対策大綱
・がん対策推進基本計画
・消費者基本計画
知識・技能
健康な生活を送るための基盤となる各教科等の知識・技能
思考力・判断力・表現力等
自らの健康を適切に管理し，改善していく力
健康に係る情報を収集し，意思決定（意志決定）・行動選択していく力　等

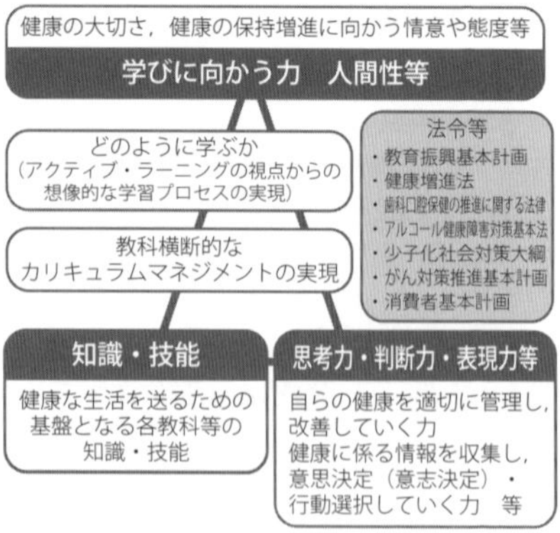

Check! 2 保健教育の目標と位置付け

（1）教育の目的（教育基本法第１条参照）

心身ともに健康な国民の育成は，**教育**の基本的な目標。

（2）保健教育の目標（小学校（中学校）学習指導要領第１章総則第１の２の（３））

- 体育・健康に関する指導のねらい：児童（生徒）の発達の段階を考慮して，学校の教育活動全体を通じて適切に行うことにより，健康で安全な生活と豊かなスポーツライフの実現を目指した教育の充実に努めること
- 健康に関する指導のねらい：児童（生徒）が身近な生活における健康に関する知識を身に付けることや，必要な情報を自ら収集し，適切な意思決定や行動選択を行い，積極的に健康な生活を実践することのできる資質・能力を育成すること。
- 小学校，中学校，高等学校を通じて，学校における保健教育の目標は，生活環境の変化に伴う新たな健康課題を踏まえつつ，児童生徒が積極的に心身の健康の保持増進を図っていく資質・能力を身に付け，生涯を通じて健康・安全で活力ある生活を送るための基礎を培うことである。

(3) 保健教育の位置付け

発育・発達の段階を考慮して，学校の教育活動全体を通じて適切に行う。

Check! 3 保健教育の推進とカリキュラム・マネジメント

- カリキュラム・マネジメント：児童（生徒）や学校，地域の実態を適切に把握し，教育の目的や目標の実現に必要な教育の内容等を教科等横断的な視点で組み立てていくこと，教育課程の実施状況を評価してその改善を図っていくことなどを通して，教育課程に基づき組織的かつ計画的に各学校の教育活動の質の向上を図っていくこと。

○体育科保健領域（保健体育科保健分野），特別活動，総合的な学習の時間など関連する教科等がそれぞれの特質に応じて行われた上で，相互を関連させて指導していく。

○児童（生徒）の発達の特性や教育活動の特性を踏まえて，個々の児童（生徒）が抱える課題を受け止めながら，その解決に向けて，主に個別の会話・面談や言葉がけを通して指導や援助を行うカウンセリングといった個別指導を関連させて，児童の発達を支援する。

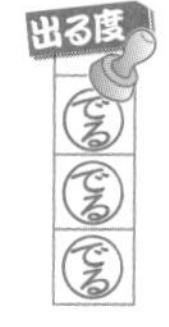

保健教育		
	体育科	保健領域（低学年の体つくりの運動遊びも例示）
	特別活動	学級活動，児童会活動，学校行事等における保健の指導
	総合的な学習の時間	保健に関する横断的・総合的な学習（福祉・健康）
	その他関連する教科等（社会科，理科，生活科，家庭科，道徳科）	
	日常生活における指導及び子供の実態に応じた個別指導	

健康・体育に関する指導

ここに注目！

保健における体系イメージ，内容の系統性の図からの出題が多くみられる。用語を含め，よく確認しておこう。

Check! 1 各教科等の概要と目標

- 小学校体育科保健領域，中学校保健体育科保健分野，高等学校保健体育科「科目保健」の学習は，生涯を通じて自らの**健康**や**環境**を適切に**管理**し，**改善**していくための資質・能力を育成することを目標として学習内容が**体系的**に位置付けられている。
- 小学校，中学校，高等学校において，おおむね同様の内容を**系統的**・**発展的**に学びを深めていくのも保健の特徴である。
- 指導に当たっては，それぞれの**発達の段階**に応じた指導を工夫する。
- 現代の児童生徒の背景には，貧困，虐待，心身障害など様々な事情や**健康課題**が多く存在している。**ヘルスプロモーション**の観点からも，これら多岐にわたる**社会**的決定要因に関わる児童生徒における健康についての**基本的権利**も忘れてはならない。

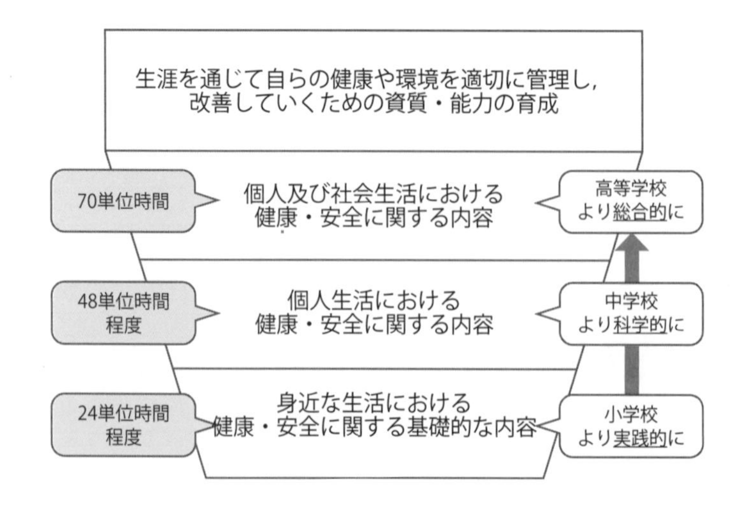

Check! 2 心身の発育・発達等の特性

保健教育では，以下の発育・発達や健康上の特性を踏まえることが重要。

（1）小学生期

●幼児期に始まる**基本的な生活習慣**の確立を図りつつ，さらに健康課題に対しては**自律的**に取り組めることを目指す。

●小学校６年間での児童の**心身の発育**・**発達**は顕著である。指導内容等に対する児童の理解，思考力や判断力などの**学習能力**，児童の健康課題やそれらに対する**対処能力**などは**発達**の段階により異なり，児童の健康課題を解決するためには，**家庭**や**地域**の関わり方も変わってくる。

（2）中学生期

●**心身**が劇的に変化し，それに伴い様々な健康課題も表れる。

●**知的能力**の発達も著しく，生涯にわたり学習する**基盤**が培われる。

（3）高校生期

●**身体**，**生理**面はもちろんのこと，**心身の全面**にわたる発達が急激に進む。

●**親の依存**から離れ，自らの行動は自ら選択決定したいという**独立**や**自律**の要求が中学生より更に高まる。

●**集団の規律**や**社会のルール**に従い，互いに協力しながら各自の責任を果たすことにより，集団や社会が成り立っていることを**客観的**に理解できる。

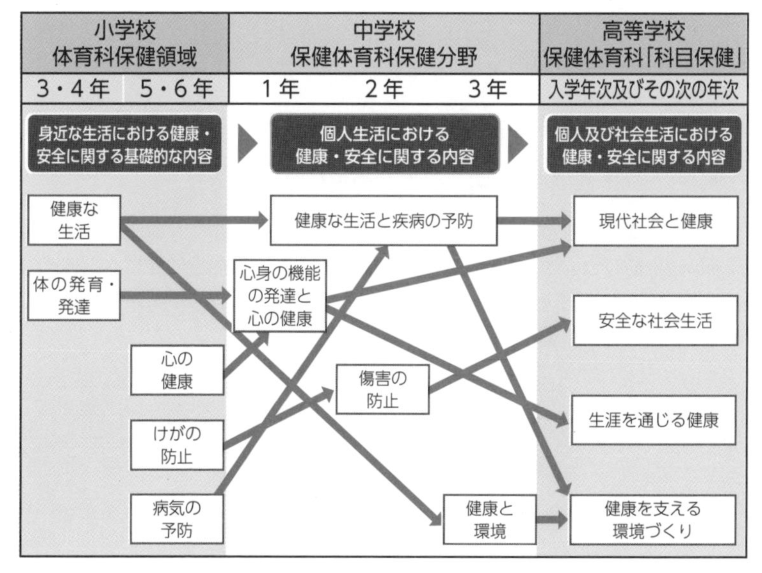

小学校の保健学習

2020年全面実施の新小学校学習指導要領において，各学年での指導時間や，どのような内容を扱うかなどについて具体的に把握しよう。

Check! 1 目標と位置づけ

（1）体育科の目標 [小学校学習指導要領／第2章 各教科／第9節 体育／第1目標]

体育や保健の見方・考え方を働かせ，課題を見付け，その解決に向けた学習過程を通して，心と体を一体として捉え，生涯にわたって心身の健康を保持増進し豊かなスポーツライフを実現するための資質・能力を次のとおり育成することを目指す。

① その特性に応じた各種の運動の行い方及び身近な生活における健康・安全について理解するとともに，基本的な動きや技能を身に付けるようにする。

② 運動や健康についての自己の課題を見付け，その解決に向けて思考し判断するとともに，他者に伝える力を養う。

③ 運動に親しむとともに健康の保持増進と体力の向上を目指し，楽しく明るい生活を営む態度を養う。

（2）位置づけと指導時間

体育科「保健領域」

第3・4学年で8単位時間程度，第5・6学年で16単位時間程度

Check! 2 第3学年～第6学年の保健領域の内容

運動，食事，休養及び睡眠については食育の観点も踏まえ，健康的な生活習慣の形成に結びつくよう，保健領域と運動領域及び学校給食に関する指導との密接な関係を図った指導に配慮すること。

●第3学年の内容：健康な生活

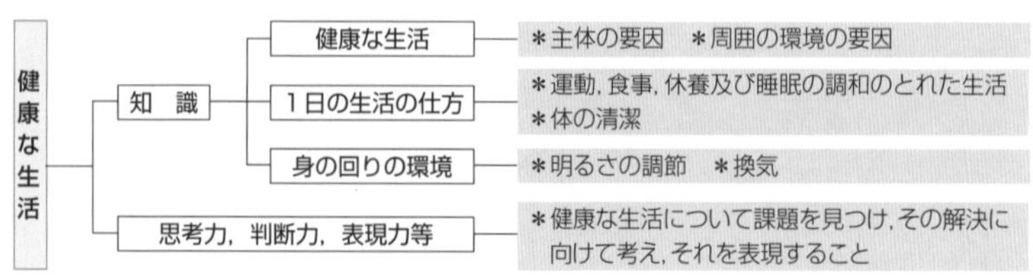

●第４学年の内容：体の発育・発達

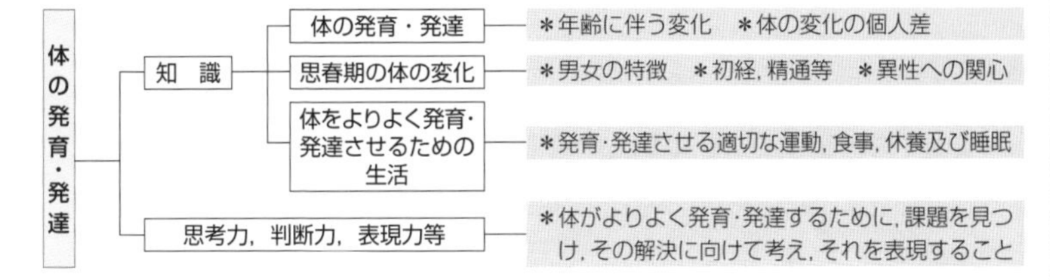

●第５学年の内容：心の健康，けがの防止

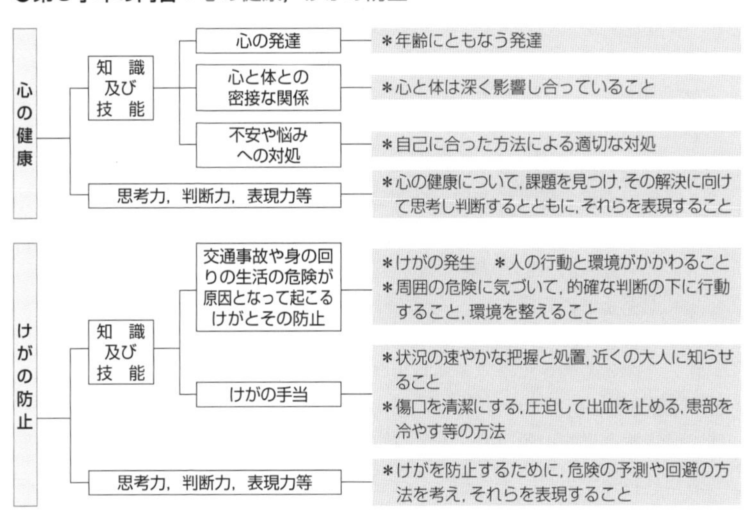

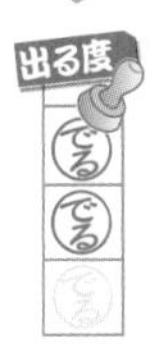

●第６学年の内容：病気の予防

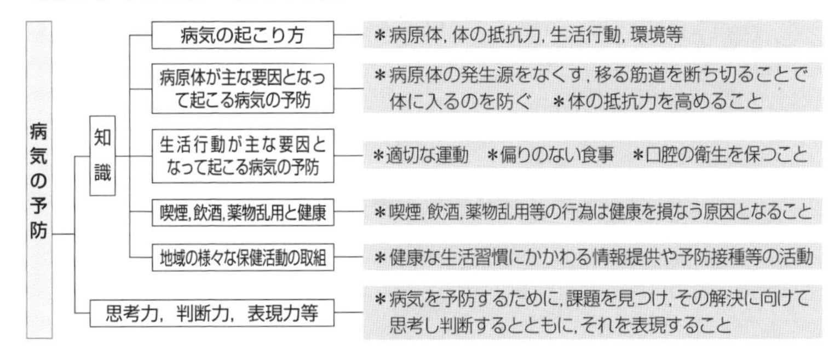

Action 6

中学校の保健学習

ここに注目！

2021 年全面実施の新中学校学習指導要領において，保健分野の目標や，どのような内容を扱うかなどについて具体的に把握しよう。

Check! 1 目標と位置付け

（1）教科の目標 ［中学校学習指導要領 / 第２章 各教科 / 第７節 保健体育 / 第１目標］

体育や保健の見方・考え方を働かせ，課題を発見し，合理的な解決に向けた学習過程を通して，心と体を一体として捉え，生涯にわたって心身の健康を保持増進し豊かなスポーツライフを実現するための資質・能力を次のとおり育成することを目指す。

① 各種の運動の特性に応じた技能等及び個人生活における健康・安全について理解するとともに，基本的な技能を身に付けるようにする。

② 運動や健康についての自他の課題を発見し，合理的な解決に向けて思考し判断するとともに，他者に伝える力を養う。

③ 生涯にわたって運動に親しむとともに健康の保持増進と体力の向上を目指し，明るく豊かな生活を営む態度を養う。

（2）保健分野の目標 ［中学校学習指導要領 / 第２章 各教科 / 第７節 保健体育 / 保健分野 １ 目標］

① 個人生活における健康・安全について理解するとともに，基本的な技能を身に付けるようにする。

② 健康についての自他の課題を発見し，よりよい解決に向けて思考し判断するとともに，他者に伝える力を養う。

③ 生涯を通じて心身の健康の保持増進を目指し，明るく豊かな生活を営む態度を養う。

（3）位置づけと指導時間

保健体育科「保健分野」：３学年間で 48 単位時間程度

Check! 2 第１学年～第３学年の保健分野の内容

⑴では，疾病の回復，食育の観点も踏まえた生活習慣形成，情報機器の使用と健康とのかかわりについて取り扱うことに配慮する。また，薬物等乱用については覚醒剤・大麻等，心身への急性影響・依存症について取り扱うこと。

（1）３学年通じての内容：健康な生活と疾病の予防

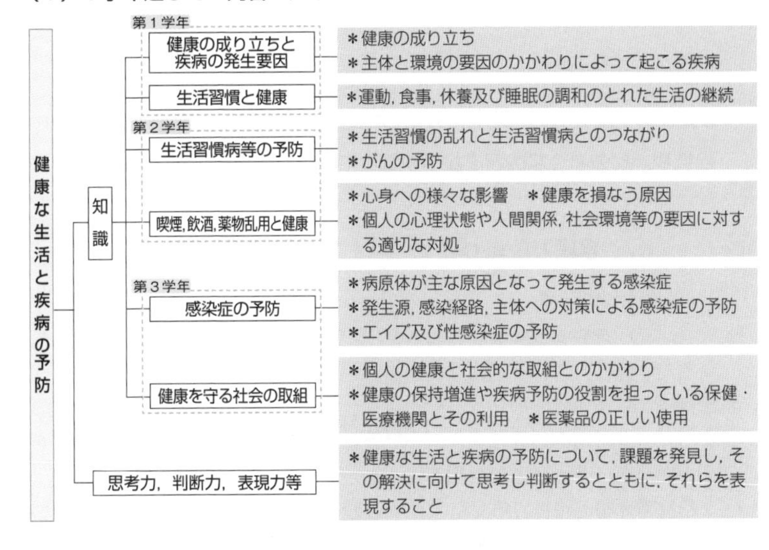

（2）第１学年の内容：心身の機能の発達と心の健康

①知識及び技能……身体機能の発達，生殖に関わる機能の成熟，精神機能の発達と自己形成，欲求やストレスへの対処と心の健康

②思考力，判断力，表現力等……心身機能の発達・心の健康にかかわる事象や情報から課題を発見し，疾病等のリスク軽減や生活の質を高めるための解決方法を考え，適切な方法を選択し，それらを伝え合えるようにする。

（3）第２学年の内容：傷害の防止

①知識及び技能……交通事故や自然災害等による傷害の発生要因，交通事故等による傷害の防止，自然災害による傷害の防止，応急手当の意義と実際

②思考力，判断力，表現力等……傷害の防止にかかわる事象や情報から課題を発見し，自他の危険の予測を基に危険を回避したり，傷害の悪化を防止したりする方法を選択し，それらを伝え合えるようにする。

（4）第３学年の内容：健康と環境

①知識……身体の環境に対する適応能力・至適範囲，飲料水や空気の衛生的管理，生活に伴う廃棄物の衛生的管理

②思考力，判断力，表現力等……健康と環境にかかわる事象や情報から課題を発見し，疾病等のリスク軽減や生活の質を高めるための解決方法を考え，適切な方法を選択し，それらを伝え合えるようにする。

Action 7

高等学校の保健学習

2022年全面実施の新高等学校学習指導要領において，科目「保健」の目標や，どのような内容を扱うかなどについて具体的に把握しよう。

Check! 1 目標と位置づけ

(1) 保健体育科の目標

[高等学校学習指導要領／第2章 各学科に共通する各教科／第6節 保健体育／第1款 目標]

体育や保健の**見方・考え方**を働かせ，課題を発見し，**合理的**，**計画的**な解決に向けた学習過程を通して，**心と体を一体**として捉え，生涯にわたって**心身の健康**を保持増進し豊かなスポーツライフを継続するための資質・能力を次のとおり育成することを目指す。

① 各種の運動の特性に応じた技能等及び社会生活における**健康・安全**について理解するとともに，技能を身に付けるようにする。

② 運動や健康についての**自他**や**社会**の課題を発見し，**合理的**，**計画的**な解決に向けて思考し判断するとともに，**他者に伝える力**を養う。

③ **生涯**にわたって継続して運動に親しむとともに**健康**の保持増進と体力の向上を目指し，明るく豊かで活力ある生活を営む態度を養う。

(2) 科目「保健」の目標

[高等学校学習指導要領／第2章 各学科に共通する各教科／第6節 保健体育／第2款 各教科／第2 保健 1 目標]

保健の**見方・考え方**を働かせ，**合理的**，**計画的**な解決に向けた学習過程を通して，**生涯**を通じて人々が自らの**健康**や**環境**を適切に**管理**し，**改善**していくための資質・能力を次のとおり育成する。

① 個人及び社会生活における**健康・安全**について理解を深めるとともに，技能を身に付けるようにする。

② 健康についての**自他**や**社会**の課題を発見し，**合理的**，**計画的**な解決に向けて思考し判断するとともに，目的や状況に応じて**他者に伝える力**を養う。

③ **生涯**を通じて**自他の健康**の保持増進やそれを支える**環境づくり**を目指し，明るく豊かで活力ある生活を営む態度を養う。

(3) 位置づけと指導時間

保健体育科：科目「保健」

原則として**入学年次**及びその次の年次の2か年にわたり履修：標準単位数2

Check! 2 科目「保健」の内容

(1) 現代社会と健康

①知識……健康の考え方（国民の健康課題，健康の考え方と成り立ち，健康の保持増進のための適切な**意思決定**や**行動選択**と**環境づくり**），現代の**感染症**とその予防，生活習慣病などの予防と回復，**喫煙・飲酒・薬物乱用**と健康，精神疾患の予防と回復（**精神疾患**の特徴，精神疾患への対処）

②思考力，判断力，表現力等……**現代社会と健康**にかかわる事象や情報から課題を発見し，**疾病等のリスク**の軽減，**生活の質**の向上，健康を支える環境づくりなどと，解決方法を関連付けて考え，適切な方法を選択し，それらを**説明すること**ができるようにする。

(2) 安全な社会生活

①知識及び技能……安全な社会づくり(事故の現状と発生要因, 安全な社会の形成, 交通安全), 応急手当(応急手当の意義, 日常的な応急手当, **心肺蘇生法**)

②思考力，判断力，表現力等……**安全な社会生活**にかかわる事象や情報から課題を発見し，**自他や社会の危険**の予測を基に，**危険を回避**したり，**傷害の悪化**を防止したりする方法を選択し，安全な社会の実現に向けてそれらを説明することができるようにする。

(3) 生涯を通じる健康

①知識……生涯の各段階における健康（思春期と健康，結婚生活と健康，加齢と健康），労働と健康（労働災害と健康，働く人の健康の保持増進）

②思考力，判断力，表現力等……**生涯を通じる健康**にかかわる事象や情報から課題を発見し，**疾病等のリスク**の軽減，**生活の質**の向上，健康を支える**環境づくり**などと，解決方法を関連付けて考え，適切な方法を選択し，それらを説明することができるようにする。

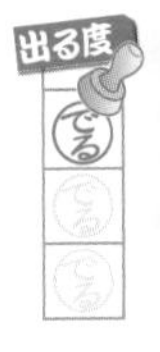

(4) 健康を支える環境づくり

①知識……**環境**と健康（環境の汚染と健康，環境と健康にかかわる対策，環境衛生にかかわる活動），**食品**と健康（食品の安全性，食品衛生にかかわる活動），**保健・医療制度**及び地域の保健・医療機関（我が国の保健・医療制度，地域の保健・医療機関の活用，医薬品の制度とその活用），様々な保健活動や社会的対策，健康に関する**環境づくり**と**社会参加**

②思考力，判断力，表現力等……**健康を支える環境づくり**にかかわる情報から課題を発見し，疾病等のリスクの軽減，生活の質の向上，健康を支える**環境づくり**などと，解決方法を関連付けて考え，適切な**整備**や**活用方法**を選択し，それらを説明することができるようにする。

Action 8

養護教諭の制度の経緯

ここに注目！

- 空欄補充，正誤の出題がみられる。時代背景とともに，養護教諭の制度の変遷について理解を深めキーワードを覚えておこう。
- 養護教諭の複数配置の基準についても，覚えておこう。

Check! 1 時代背景と制度の変遷

明治27（1894）年	日清戦争終戦後，トラコーマが広く蔓延する。
30（1897）年	伝染病予防法制定
31（1898）年	学校医令「公立学校ニ学校医ヲ置クノ件」公布
33（1900）年	岐阜県の小学校に，公費で初の学校看護婦が採用される ※当時流行していたトラコーマに対する洗眼・点眼が主な職務。その後，学校看護婦の設置の奨励を行ったことにより，大正15年には全国で900余名となる。
昭和4（1929）年	「学校看護婦ニ関スル件」公布（文部省訓令） 学校看護婦に関する初の法令。「疾病予防・診療介補消毒，救急処置及診療設備ノ整整並ニ監察ヲ要スル児童ノ保護ニ関スルコト」，「身体検査，学校食事ノ補助ニ関スルコト」，「身体，衣服ノ清潔其ノ他ノ衛生訓練ニ関スルコト」など，主に学校看護婦の職務内容を規定した。
6（1931）年	満州事変 結核対策が学校保健の重点となる。
16（1941）年	国民学校令の制度により，教育職員として養護訓導となる
18（1943）年	国民学校令改正，養護訓導の必置化
20（1945）年	第二次世界大戦の敗戦 児童生徒の間で結核が拡がる。
22（1947）年	教育基本法，学校教育法が制定される。学校教育法により，養護教諭となる。

Check! 2 養護教諭に関する法律

（1）学校教育法

第27条 ②幼稚園には，（略）副園長，主幹教諭，指導教諭，養護教諭，栄養教諭，事務職員，養護助教諭その他必要な職員を置くことができる。

第37条 ①小学校には，校長，教頭，教諭，養護教諭及び事務職員を置かなければならない。
⑫養護教諭は，児童の養護をつかさどる。（中・高・義務教育学校準用）

第60条 ②高等学校には，（略）副校長，主幹教諭，指導教諭，養護教諭，栄養教諭，養護助教諭，（略）その他必要な職員を置くことができる。

第69条 中等教育学校には，校長，教頭，教諭，養護教諭及び事務職員を置かなければならない。

第82条 第27条，第37条，第60条の規定は，特別支援学校に準用する。（抜粋）

附則第7条 小学校，中学校，義務教育学校及び中等教育学校には，第37条（略）及び第69条の規定にかかわらず，当分の間，養護教諭を置かないことができる。

（2）高等学校設置基準（平成16年公布）

第9条 高等学校には，相当数の養護をつかさどる主幹教諭，養護教諭その他の生徒の養護をつかさどる職員を置くよう努めなければならない。

Check! 3 養護教諭の配置

●小・中学校については「公立義務教育諸学校の学級編制及び教職員定数の標準に関する法律」（義務教育学校標準法），高等学校については「公立高等学校の適正配置及び教職員の定数の標準等に関する法律」（高校標準法）により定められている。

●同法律では，養護教諭の配置について小学校，中学校は3学級以上の学校に1人，複数配置については，小学校では児童数851人以上の学校に＋1人，中学校では生徒数801人以上の学校に＋1人配置されることになっている。

Action 9

養護教諭の職務と役割①

ここに注目！

- これまでの答申等で言及されてきた養護教諭の職務に関する記述について確認し，具体的な職務内容について覚えておこう。
- 空欄補充の設問がみられる。キーワードを覚えておこう。

Check! 1 養護教諭の職務に関連する法規・答申

（1）学校教育法 第37条⑫

養護教諭は，児童の養護をつかさどる。

（2）保健体育審議会答申（昭和47年）

養護教諭は，専門的立場からすべての児童・生徒の保健及び環境衛生の実態を的確に把握し，疾病や情緒障害，体力，栄養に関する問題等，心身の健康に問題を持つ児童生徒の指導にあたり，また，健康な児童生徒についても健康の増進に関する指導のみならず，一般教員の行う日常の教育活動にも積極的に協力する役割を持つものである。

（3）保健体育審議会答申（平成9年）

養護教諭は，児童生徒の身体的不調の背景に，いじめなどの心の健康問題がかかわっていること等のサインにいち早く気付くことのできる立場にあり，養護教諭のヘルスカウンセリング（健康相談活動）が一層重要な役割を持ってきている。養護教諭の行うヘルスカウンセリングは，養護教諭の職務の特質や保健室の機能を十分生かし，児童生徒の様々な訴えに対して，（中略）心や体の両面への対応を行う健康相談活動である。（中略）養護教諭については，健康に関する現代的課題など近年の問題状況の変化に伴い，健康診断，保健指導，救急処置などの従来の職務に加えて，専門性と保健室の機能を最大限に生かして，心の健康問題にも対応した健康の保持増進を実践できる資質の向上を図る必要がある。

（4）子どもの心身の健康を守り，安全・安心を確保するために学校全体としての取組を進めるための方策について（中央教育審議会答申：平成20年）

- 養護教諭は，学校保健活動の推進に当たって**中核的な役割**を果たしており，**現代的な健康課題**の解決に向けて重要な責務を担っている。
- 子どもの**現代的な健康課題**の対応に当たり，学級担任等，学校医，学校歯科医，学校薬剤師，スクールカウンセラーなど**学校内における連携**，また医療関係者や福祉関係者など**地域の関係機関との連携**を推進することが必要となっている中，養護教諭は**コーディネーター**の役割を担う必要がある。
- 深刻化する子どもの現代的な健康課題の解決に向けて，学級担任や教科担任等と連携し，養護教諭の有する知識や技能などの専門性を**保健教育**に活用することがより求められていることから，学級活動などにおける**保健指導**はもとより専門性を生かし，**ティーム・ティーチング**や兼職発令を受け保健の領域にかかわる授業を行うなど**保健学習**への参画が増えており，養護教諭の保健教育に果たす役割が増している。
- 保健室へ来室する児童生徒の**心身の健康課題**が多様化し，来室者・一人当たり**対応時間**が増加している。学校，家庭，地域の関係機関との連携推進（特別な配慮を必要とする子どもが多い状況等のため）が必要なことから，養護教諭の複数配置の促進が必要である。
- 社会的な問題となっている**いじめ**や**児童虐待**などへの対応に当たっては，すべての教職員がそれぞれの立場から連携して組織的に対応するための校内組織体制の充実を図るとともに，家庭や，地域の関係機関等との連携を推進していくことが求められている。養護教諭はその職務の特質からいじめや児童虐待などの**早期発見**・**早期対応**を図ることが期待されている。
- 子どもの健康づくりを効果的に推進するためには，**学校保健活動のセンター的役割**を果たしている**保健室の経営**の充実を図ることが求められる。そのためには，養護教諭は**保健室経営計画**を立て，教職員に**周知**を図り連携していくことが望まれる。また，養護教諭が充実した健康相談活動や救急処置などを行うための保健室の**施設設備の充実**が求められる。

（5）学校保健安全法（平成21年施行）

学校環境衛生基準，健康相談，保健指導，地域の医療機関等との連携，健康診断，学校安全，などの職務にかかわる規定。

Check! 2 養護教諭の具体的な職務内容

養護教諭の職務や役割は，その特質から大変広範囲にわたり，また，地域や学校の実情により異なった対応も考えられることから，実態を踏まえた上での

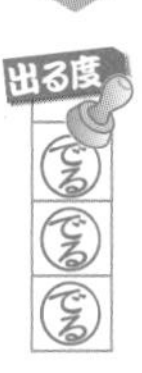

捉え方が必要である。

Ⅰ．学校保健計画，学校安全計画（P.196参照）

Ⅱ．保健管理

⑴ **心身の健康の管理**

①救急処置及び救急体制に関すること

救急体制の整備と周知，救急処置及び緊急時の対応，など。

②定期・臨時の健康診断

計画，準備，指導，実施，事後措置，評価，など。

③個人及び集団の健康問題の把握

健康観察（欠席・早退・遅刻の把握含），保健情報の収集及び分析，保健室利用状況の分析・評価，など。

④疾病の予防と管理

感染症・食中毒の予防と発生時の対応，疾病や障害のある児童生徒の管理，経過観察を必要とする児童生徒の管理，など。

⑵ **学校環境衛生の管理**

日常的な点検への参画と実施，教職員による日常の学校環境衛生活動への協力·助言，学校環境衛生検査への参画，学校薬剤師が行う検査の準備·実施・事後措置に対する協力，校舎内・校舎外の安全点検，施設設備の安全点検への参画と実施，など。

Ⅲ．保健教育

⑴ **保健指導**

①個別の保健指導（グループ指導を含む）

心身の健康に問題を有する児童生徒への保健指導，健康的な生活の実践に関して問題を有する児童生徒への保健指導，など。

②集団対象の指導

学級活動やホームルーム活動，児童生徒会活動，小学校におけるクラブ活動など特別活動における保健指導。

③学校行事での保健指導

⑵ **保健学習**

①体育科，保健体育科等におけるティーム・ティーチングによる保健学習

②「総合的な学習の時間」「総合的な探求の時間」における保健学習への参画

③特別の教科道徳の授業への参画

⑶ **啓発活動**

保健だより，掲示物，保健放送等による，児童生徒，教職員，保護者，

地域住民，関係機関などに対する啓発活動。

(4) 保健教育に活用できる指導方法

＊ブレインストーミング……いろいろな意見やアイデアを出し合い話し合う（不安や悩みがあったらどう対処したらよいか等）。

＊ロールプレイング……設定した状況における当事者の気持ちや対処について疑似体験する（喫煙を勧められて断れない状況等）。

＊フィールドワーク……課題解決に必要な情報を調べに適切な場所に出向き話などを聞く（保健所に行き活動内容を聞く等）。

Ⅳ．健康相談

(1) 心身の健康課題への対応

健康相談の実施：心身の健康課題の早期発見・早期対応，支援計画の作成・実施・評価・改善，いじめ，虐待，事件事故・災害等における心のケア，など。

(2) 児童生徒の支援に当たっての関係者との連携

教職員・保護者・校内組織及び，学校医・学校歯科医・学校薬剤師等専門家，及び地域の医療機関等との連携。

※ 食育・学校給食に関する学校内の取組においては，肥満傾向や偏食，食物アレルギー，咀嚼不足など食に関する健康課題を有し，個別的な対応や相談指導が必要な子どもに対して共通理解に立ち，連携して取り組む。

Ⅴ．保健室経営

(1) 保健室経営計画の作成・実施・評価・改善
(2) 保健室経営計画の教職員，保護者等への周知
(3) 保健室の設備備品の管理
(4) 諸帳簿など保健情報の管理

Ⅵ．保健組織活動

(1) 教職員保健委員会への企画・運営への参画と実施
(2) PTA 保健委員会活動への参画と連携
(3) 児童生徒保健委員会の指導
(4) 学校保健委員会，地域学校保健委員会等の企画・運営への参画と実施
(5) 地域社会（地域の関係機関，大学等）との連携

Ⅶ．その他

※ 養護教諭は，健康相談をはじめ生徒指導においても欠かせないメンバーである。令和４年改訂『生徒指導提要』では，個別の課題に対する生徒指導における養護教諭の役割について示されている。熟読して役割への理解を深めておこう。

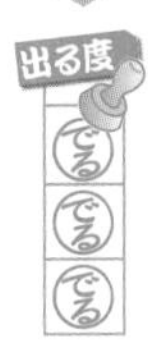

Action 10

養護教諭の職務と役割②

文部科学省冊子「現代的健康課題を抱える子供たちへの支援」(平成29年)を確認し，今後を見通した養護教諭の役割について把握しておこう。

Check! 1 「チームとしての学校」視点からの養護教諭

●社会が大きく変化し続ける中，教職員一人ひとりが自らの専門性を発揮した「チームとしての学校」体制を整備することが必要と考えられている。

●文部科学省は，他の教職員や専門スタッフと連携し養護教諭が果たすべく児童生徒一人一人の支援について検討し，「現代的健康課題を抱える子供たちへの支援～養護教諭の役割を中心として～」(平成29年) を策定した。

Check! 2 児童生徒の心身の健康の保持増進に向けた取組

●多様化・複雑化する児童生徒が抱える現代的な健康課題*については専門的な視点での対応が必要であり，養護教諭が専門性を活かしつつ，中心的な役割を果たすことが期待される。

＊　現代的な健康課題：肥満・痩身，生活習慣の乱れ，メンタルヘルスの問題，アレルギー疾患の増加，性に関する問題のほか，時代の変化とともに新たに生じる多様な健康問題。この他，心身の不調の背景にいじめ，児童虐待，不登校，貧困などの問題がかかわっているものも対象としている。

●養護教諭は，児童生徒が生涯にわたって健康な生活を送るために必要な力を育成するために，教職員や家庭・地域と連携しつつ，日常的に「心身の健康に関する知識・技能」「自己有用感・自己肯定感（自尊感情）」「自ら意思決定・行動選択する力」「他者と関わる力」を育成する取組を実施する。

Check! 3 課題解決の基本的な進め方：養護教諭としての役割

Step 1　対象者の把握

1 体制整備

関係機関との連携のための窓口として，コーディネーター的な役割を果たす。

＊誰でも（児童生徒，保護者，教職員等）いつでも相談できる保健室経営
＊医学的情報，現代的健康課題等について最新の知見を学ぶ
＊地域の関係機関と連携できる関係性の構築
＊地域の関係機関をリスト化して教職員等に周知

（対象者の把握）

♣管理職や学級担任等に対して・・・気になる児童生徒の学級での様子について聞く。医学的情報，現代的な健康課題の傾向等を的確に伝える。日常の健康観察のポイント，危機発生時の児童生徒のサインについて周知する。

♣保護者に対して…家庭での健康観察のポイントや相談体制整備について，学校通信・保健だより，学校保健委員会活動等を活用して常に発信する。

2 気付く・報告・対応

日々の状況などを把握し，児童生徒等の変化に気付いたら，管理職や学級担任等と情報を共有するとともに，他の教職員や児童生徒，保護者，学校医等からの情報も収集する。児童生徒の健康課題が明確なものについては，速やかに対応する。

＊保健室だけにとどまらず，校内を見回ることや部活動等での児童生徒の様子や声かけなどを通して，日頃の状況などを把握するよう努める。

Step2 課題の背景の把握

3 情報収集・分析

収集・整理した情報を基に専門性を生かしながら，課題の背景について分析を行い，校内委員会に報告する。

＊保健室で得られる情報（健康観察，保健室利用状況，健康相談結果，当該児童生徒の生活時間・家庭での食事状況等心身の健康に関する調査結果等）を整理。

＊学級担任や保護者から，友人関係や家庭の経済状況，教職員との関係，学習状況など様々な情報を収集。

＊必要に応じ，関係機関等からも情報収集。

4 校内委員会におけるアセスメント

校内委員会のまとめ役を担当する教職員を補佐するとともに，児童生徒の課題の背景について組織で把握する際，専門性を生かし，意見を述べる。

Step3 支援方針・支援方法の検討と実施

5 支援方針・支援方法の検討

健康面の支援については，専門性を生かし，具体的な手法や長期目標，短期目標等について助言する。

6 支援方針・支援方法の実施

＊健康課題を抱える児童生徒の心身の状態を把握し，必要に応じ，健康相談や保健指導を行う。

＊保健室登校の場合は養護教諭が中心となり，支援内容については，必ず管理職・学年主任・学級担任・保護者と協議した上で決定し組織的に支援する。

Step4 児童生徒の状況確認及び支援方針・支援方法等の再検討と実施

7 これまでの支援に基づく実施状況等について，児童生徒の課題が正確であったか，その他の原因は考えられないか，新たな要因が生じていないかなど，情報収集及び分析を行い，支援方針・支援方法を再検討するに当たり，児童生徒にとって有効なものになるか，専門性を生かし助言する。

⬆ 校長のリーダーシップの下，学校医やスクールカウンセラー，スクールソーシャルワーカー等にも協力を得ながら自己点検を実施し，その結果を踏まえて学校の取組の改善を行うことが重要である。

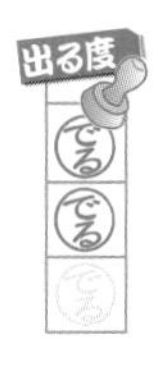

保健主事の役割

学校保健委員会や学校保健計画の働きを確認するとともに，保健主事である場合の役割について把握しよう。

Check! 1 保健主事の職務に関連する法規・答申

(1) **学校教育法施行規則 第45条**

小学校においては，保健主事を置くものとする。
2 前項の規定にかかわらず，第４項に規定する保健主事の担当する校務を整理する主幹教諭を置くときその他特別の事情のあるときは，保健主事を置かないことができる。
3 保健主事は，指導教諭，教諭又は養護教諭をもって，これに充てる。
4 保健主事は，校長の監督を受け，小学校における保健に関する事項の管理に当たる。

※中学校・高等学校・義務教育学校・中等教育学校・特別支援学校準用。

(2) **保健体育審議会答申**（昭和47年）

保健主事は，学校保健委員会の運営に当たるとともに，養護教諭の協力のもとに学校保健計画の策定の中心となり，また，その計画に基づく活動の推進に当たっては，一般教員はもとより，体育主任，学校給食主任，学校医，学校歯科医および学校薬剤師等すべての職員による活動が組織的かつ円滑に展開されるよう，その調整に当たる役割を持つものである。

(3) **「子どもの心身の健康を守り，安全・安心を確保するために学校全体としての取組を進めるための方策について」**（中央教育審議会答申：平成20年）

保健主事は，学校保健と学校全体の活動に関する調整や学校保健計画の作成，学校保健に関する組織活動の推進（学校保健委員会の運営）など学校保健に関する事項の管理に当たる職員であり，その果たすべき役割はますます大きくなっている。このことから，保健主事は充て職であるが，学校における保健に関する活動の調整に当たる教員として，すべての教職員が学校保健活動に関心を持ち，それぞれの役割を円滑に遂行できるように**指導**・**助言**することが期待できる教員の配置を行うことやその職務に必要な資質の向上が求められている。

Check! 2 学校保健に関する事項の管理とマネジメント

●学校保健，学校全体活動の調整

学校保健に関する組織活動の機能を発揮するためには，教職員の協力体制の確立，家庭や地域社会との連携が大切である。学校保健委員会の運営に当たる保健主事は，活動の推進・活性化を図っていくことが求められている。

●学校保健計画の作成と実施

保健主事は計画作成の中心となり，保健管理，保健教育，組織活動等の必要な内容を盛り込み，その円滑・適切な実施を推進することが重要である。

●学校保健に関する組織活動の推進

教職員が役割を分担して活動を組織的に推進することができるよう，協力体制を確立し組織活動を**活性化**させるために，メンバーの目標達成に対する**貢献意欲**やモラール（意気込み・やる気）を引き出す視点からの活動が期待されている。**保護者**との連携により家庭との適切な**役割分担**に基づく学校保健活動を行っていくことや，地域の関係機関・団体と交流・連携を密にしておき適切な協力を得られるようにしておくことも大切である。

●学校保健活動のマネジメント

マネジメントを効果的に進めるには，「政策等との整合性」「効果的な組織づくりと運営」「資源の調達と有効利用」「効果的な取組や行事などの展開」という４つのマネジメントの対象と業務を踏まえることが基本である。

保健主事は校長の経営理念を前提に学校保健計画を立案し，活動を推進していくミドルリーダーとしての役割，そして連絡・調整役にとどまらない学校保健活動の創造と発信といった役割も求められている。

●リーダーシップ

ミドルリーダーとしての保健主事は，マネジメントの基本的な過程を示す計画（P），実施（D），実施後の評価（C），改善（A）の各段階においてリーダーシップを発揮することが大切である。

計画段階では，児童生徒の健康や生活における客観的な情報による課題を明らかにすることや，教職員全員に共通理解された目標・計画を明らかにすることなどが留意点として挙げられる。

Action 12

保健室の法的根拠

ここに注目！

- 保健室の設置について，どの法律でどのように規定されているのか確認しておこう。
- 学校施設整備指針についても内容を確認し，キーワードを覚えておこう。

Check! 1 保健室設置の法的根拠

（1）学校教育法第３条

学校を設置しようとする者は，学校の種類に応じ，文部科学大臣の定める設備，編制その他に関する設置基準に従い，これを設置しなければならない。

（2）学校教育法施行規則第１条①

学校には，その学校の目的を実現するために必要な校地，校舎，校具，運動場，図書館又は図書室，保健室その他の設備を設けなければならない。

（3）学校保健安全法第７条

学校には，健康診断，健康相談，保健指導，救急処置その他の保健に関する措置を行うため，保健室を設けるものとする。

Check! 2 施設整備指針［小学校，中学校，高等学校］

学校施設整備指針は，教育内容・教育方法等の多様化への対応など学校教育を進める上で必要な施設機能を確保するために，計画及び設計において必要となる留意事項を示したものである。（文部科学省，小・中・高／令和４年）

⑴　**カウンセリングの充実のための施設（総則より）**

保健室，教育相談室（心の教室），不登校児童の支援のための別室，保護者等のための相談スペース等については，カウンセリングの機能を総合的に計画することが重要である。

⑵　**平面計画　保健室**（小･中･高）＊高は下線部が［　］内の文章となる。

①静かで，日照，採光，通風，換気，室温，音の影響等に配慮した良好

な環境を確保することのできる［できる］位置に計画することが重要である。

②特に屋内外の運動施設との連絡がよく，児童［生徒］の出入りに便利な位置に計画することが重要である。

③救急車，レントゲン車などが容易に近接できる位置に計画することが重要である。

④職員室との連絡及び便所等との関連に十分留意して位置を［職員室等と連絡のよい位置に］計画することが望ましい。

⑤健康に関する情報を伝える掲示板を設定するなど，健康教育の中心となるとともに，児童［生徒］のカウンセリングの場として，児童［生徒］の日常の移動の中で目にふれやすく，立ち寄りやすい位置に計画することが望ましい。

⑶ **各室計画・保健室**（小・中・高）＊中・高は下線部が［　］内の文章となる。

①児童［生徒］の休養や様々な健康課題への対応など各種業務に柔軟に対応し，ベッドを配置する空間を適切に区画することのできる面積，形状等とすることが重要である。

②児童［生徒］等が屋外から直接出入りできる専用の出入口を設け，その近傍に手洗い，足洗い等の設備を設置する空間を確保することも有効である。

③児童［生徒］が養護教諭に相談しやすいよう，保健室に隣接した位置又は保健室内に間仕切りを設置する等して，プライバシーに配慮した落ち着いた空間を確保することも有効である。

④保健室が健康教育の中心となるよう，健康教育に関する掲示・展示のためのスペースや委員会活動のためのスペースを，室内又は隣接した位置に確保することが望ましい。

⑤保健室に近接した位置に便所やシャワー等の設備を計画することが望ましい。

⑥児童［生徒］の出欠状況や健康観察，健康診断，保健室来室管理等の保健系機能を実装した統合型校務支援システム等を利用できるよう，情報機器や情報ネットワークを活用できる環境を計画することが重要である。

Action 13

保健室の機能

ここに注目！

- 保健室の機能について，養護教諭の職務の特質と関連させてキーワードを覚えておこう。
- 備えるべき表簿については，法的根拠と保存年限を併せて覚えておこう。

Check! 1 保健室（場）の機能

保健室に求められる機能は社会の変化とともに変化しており，保健室は単に存在としての保健室というだけでない，機能する保健室として期待されている。

＊健康診断
＊健康相談
＊保健指導
＊救急処置，休養の場
＊発育測定
＊保健情報センター
＊保健組織活動のセンター
＊健康課題の把握
＊健康教育推進のための調査・資料保管
＊疾病・感染症の予防と管理
＊委員会活動等を行う場

Check! 2 保健室の備品等について

●保健室は，学校保健安全法第７条の規定により，健康診断，健康相談，保健指導，救急処置その他の保健に関する措置を行うために設けられるものであるから，これに応じた設備をすることが必要である。

●保健室は，使用に便利で通風，採光の良好な位置に設けるとともに，地域の実態に応じて冷暖房の設備を備えることが必要である。

●保健室には，最低限の備品を備えることが適当であるが，その品目，数量等については，学校の種別，規模等に応じて適宜措置するものとし，例えば，学校環境衛生検査に使用する機器等で，年間の使用頻度が数回程度のものについては，数校の兼用として差し支えない。

一般備品	机（救急処置用，事務用），いす（救急処置用，事務用），ベッド，寝具類及び寝具入れ，救急処置用寝台及びまくら，脱衣かご，長いす（待合用），器械戸棚，器械卓子，万能つぼ，洗面器及び洗面器スタンド，薬品戸棚，書類戸棚，健康関係書類格納庫，ついたて，湯沸器具，ストップウォッチ，黒板（ホワイトボード含む），懐中電灯，温湿度計，冷凍冷蔵庫，各種保健教育資料
健康診断，健康相談用	身長計，体重計，巻尺，国際標準式試視力表及び照明装置，遮眼器，視力検査用指示棒，色覚異常検査表，オージオメータ，額帯鏡，捲綿子，消息子，耳鏡，耳鼻科用ピンセット，鼻鏡，咽頭捲綿子，舌圧子，歯鏡，歯科用探針，歯科用ピンセット，聴診器，打診器，血圧計，照明灯，ペンライト
救急処置，疾病の予防処置用	体温計，ピンセット，ピンセット立て，剪刀（せんとう），膿盆（のうぼん），ガーゼ缶，消毒盤，毛抜き，副木・副子，携帯用救急器具，担架，マウス・トゥ・マウス用マスク，松葉杖，救急処置用踏み台，洗眼瓶，洗眼受水器，滅菌器（オートクレーブを含む），汚物投入器，氷のう・氷まくら，電気あんか
環境衛生用	温湿度計（0.5 度目盛又は同等以上のもの），風速計，WBGT（暑さ指数）計，照度計，ガス採取器セット，塵埃計，騒音計，黒板検査用色票，水質検査用器具，プール用水温計，プール水質検査用器具，ダニ検査キット

Check! 3 学校において備えなければならない表簿

（学校教育法施行規則第 28 条：学校保健関係記録簿等）

帳簿名等	条件の根拠	備考
学校医執務記録簿	学校保健安全法施行規則第 22 条②	保存期間は設置者の規定による
学校歯科医執務記録簿	学校保健安全法施行規則第 23 条②	保存期間は設置者の規定による
学校薬剤師執務記録簿	学校保健安全法施行規則第 24 条②	保存期間は設置者の規定による
児童生徒の健康診断票 児童生徒の健康診断票（歯・口腔）	学校保健安全法施行規則第 8 条①，④	最終学校にて 5 年間保存
職員の健康診断票	学校保健安全法施行規則第 15 条①，③	5 年間保存

保健室経営計画

ここに注目！

保健室経営計画の内容や，学校保健の目標を具現化するための作成手順などについて確認しておこう。

Check! 1 保健室経営計画とは

保健室経営計画とは，当該学校の教育目標及び学校保健の目標などを受け，その具現化を図るために，保健室の経営において達成されるべき目標を立て，計画的・組織的に運営するために作成される計画である。

保健室経営計画		学校保健計画
養護教諭が中心	推進	全教職員 （役割分担による組織的な活動推進）
＊単年度計画 ＊教育目標等をふまえた上で，保健室経営の目標に対して，計画的・組織的に運営するための計画 ＊養護教諭の職務（役割）と保健室の機能をふまえた計画 ＊保健室経営目標に対する評価の実施	特長	＊単年度計画 ＊学校保健活動の年間を見通して，保健教育・保健管理・組織活動の３領域について立てる総合的な基本計画 ＊学校経営評価に位置付けた評価の実施

Check! 2 保健室経営計画の重要性

［「子どもの心身の健康を守り，安全・安心を確保するために学校全体としての取組を進めるための方策について」（中央教育審議会答申：平成 20 年より）］

２　学校保健に関する学校内の体制の充実

(1)　養護教諭

①養護教諭は，学校保健活動の推進に当たって中核的な役割を果たしており，現代的な健康課題の解決に向けて重要な責務を担っている。

⑧子どもの健康づくりを効果的に推進するためには，学校保健活動のセンター的役割を果たしている保健室の経営の充実を図ることが求められている。そのためには，養護教諭は保健室経営計画を立て，教職員に周知を図り連携していくことが望まれる。

Check! 3 保健室経営計画作成の主なメリット

(1) 学校教育目標や学校保健目標の具現化を図る保健室経営を，計画的・組織的に進めることができる。
(2) 課題解決型の保健室経営計画を立てることで，児童生徒の健康課題を全教職員で共有することができる。
(3) 教職員や保護者等に計画を周知することで，理解と協力が得られやすくなり，効果的に連携することができる。
(4) 養護教諭の職務や役割について，教職員等に啓発していく機会となる。
(5) 計画の自己評価・他者評価(教職員等)を行うことにより，総合的な評価ができることで課題が明確となり，次年度の保健室経営に生かすことができる。
(6) 養護教諭が複数配置されている場合には，ひとつの計画に対するお互いの活動内容の理解が深められ，効果的に連携できるようになる。
(7) 異動のある場合は，引き継ぎが円滑に行われる。

Check! 4 保健室経営計画作成の手順(例)

学校教育目標
→ 学校経営方針（健康・安全に関わるもの）
学校保健目標
児童生徒の心身の健康課題の把握・反映
- 年度の重点目標（短期的目標）
- 目標を達成するための具体的な方策（保健管理・保健教育・健康相談・保健室経営・保健組織活動）
- 保健室経営目標の自己評価・他者評価

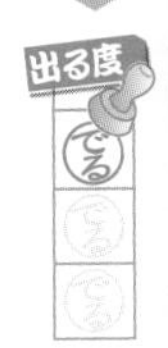

Check! 5 保健室経営計画の評価方法

- 保健室経営計画の評価では，「保健室経営目標」を達成する方策の実現状況についての評価（**経過評価**）と，その目標に対する達成の状況についての評価（**結果・成果評価**）をそれぞれ行うことが求められる。
- どのような観点や指標で，だれが，いつ，どのように評価するかについて明確にしておく。
- 養護教諭自身による**自己評価**と関係職員等による**他者評価**の両方でとらえることが重要である。

Action 15

保健室登校と対応

ここに注目！

- 保健室登校を受け入れる際の確認事項や，養護教諭としての支援方法について事例集等に目を通すなど，対応について理解を深めておこう。
- 文部科学省発出「誰一人取り残されない学びの保障に向けた不登校対策(COCOLO プラン)」についても目を通しておこう。

Check! 1 保健室登校とその意義

保健室登校とは，常時保健室にいるか，特定の授業には出席できても，学校にいる間は主として保健室にいる状態をいう。

登校に対する抵抗は大きくなく，一部の教員とコミュニケーションはとれるが，教室で授業を受けたり，クラスメートと過ごすことが困難な場合に生じやすい。保健室登校は不登校状態から再登校を目指すステップや，教室に入りづらい生徒が不登校にならずに学校生活を送る手段として，不登校問題の解決の一助となっている。

Check! 2 保健室登校の傾向

保健室登校の開始学年は，中学校・高等学校で第１学年が最多。開始時期は，小・高で９月、中で４月が最多。教室復帰に向けた手立ては，学級担任・保護者等の連携，校内組織対応，関係機関連携，個別の支援計画の策定等。

Check! 3 保健室登校実施に当たっての確認事項

養護教諭が一人で判断するのではなく，学級担任や管理職，学年主任，学年職員，生徒指導主事や保護者等関係者が協議した上で，決定することが重要。

＜確認事項＞

①本人が保健室登校を望んでいるか。

②保護者が保健室登校を理解していて，協力が得られるか。

③全教職員（校長，学級担任等）の共通理解と協力が得られるか。

④保健室登校に対応できる校内体制は整っているか。

⑤支援計画が立っているか。

Check! 4 支援のポイント

- 保健室登校は校内組織の中で取り組んでいく問題であるという共通理解を全職員が持つこと。
- 保健室にいることで安心感を得られるようにし，児童生徒との信頼関係を深めることが大切である。
- 支援計画を立て，学級担任は毎日保健室へ来て声をかける，教科担当はワークの課題を出し教科指導に当たるなど，役割分担を行って対応する。
- 長期化することは望ましくないため，そのような場合には指導方法の再検討が必要となることを，保護者や関係教職員が十分認識しておく必要がある。

Check! 5 不登校支援の目標と再登校への介入

（1）不登校の支援目標

社会的自立を果たすこと。支援の第一歩は「自己肯定感を回復する」「コミュニケーション力やソーシャルスキルを身につける」「人に上手に SOS を出せる」ように支えることがあげられる。

（2）再登校への介入

○不登校に至るまでの経過等を把握するため，保護者との面談・家庭訪問を実施する。保護者への働きかけは，追い詰めることなく，不安や悩みを受け止めるように心掛ける。

○訪問する場合に養護教諭も同行するかは，本人の状態や年齢，性別，家族状況などを考慮して判断するようにする。

○不登校の背景がある程度明らかになったら，児童生徒との意思疎通を図ることが重要である。本人にとって無理のないペースで介入を進める。

○再登校への働きかけは個々の背景により大きく異なる。本人の意欲がわくまで受容的に待つ対応が適切ではない場合もあるため注意する。

○高校生の不登校については，登校することにこだわらず，進路変更を含めた相談や引きこもりを防止するための関係機関との連携も必要である。

Check! 6 養護教諭による支援

問題を抱え混乱している時期は，次の事項に留意する。

○信頼と安心を確立する
○話をいつでも聞く
○安心できる場所づくり
○校内・校外との連携
○支援方針を立てる

チェックテスト

空欄〔　　　〕に該当する正しい語句を答えよ。

Q１ 世界保健機関（WHO）による健康の定義は，「健康とは，肉体的，精神的及び〔　　　〕に完全に良好な状態であり，単に疾病または病弱の存在しないことではない」とされる。 →2ページ

Q２ 人々が自らの健康とその決定要因をコントロールし，改善できるようにするプロセスを〔　　　〕という。 →2ページ

Q３ 学校保健委員会は，学校における健康の問題を研究協議し，〔　　　〕を推進するための組織である。 →4ページ

Q４ 養護教諭の職務は，学校教育法で「〔　　　〕」と定められている。 →18ページ

Q５ 養護教諭は，学校保健活動の推進に当たって〔　①　〕を果たしており，〔　②　〕の解決に向けて重要な責務を担っている。 →19ページ

Q６ 養護教諭は教職員や家庭・地域と連携しつつ，日常的に「心身の健康に関する知識・技能」「〔　①　〕」「自ら意思決定・行動選択する力」「〔　②　〕」を育成する取組を実施する。 →22ページ

Q７ 保健主事は，〔　①　〕の運営に当たるとともに，養護教諭の協力のもとに〔　②　〕の中心となる。 →24ページ

Q８ 〔　　　〕法第７条には，「学校には，健康診断，健康相談，保健指導，救急処置その他の保健に関する措置を行うため，保健室を設けるものとする。」と定められている。 →26ページ

Q９ 〔　　　〕とは，当該学校の教育目標及び学校保健の目標などを受け，その具現化を図るために，保健室の経営において達成されるべき目標を立て，計画的・組織的に運営するために作成されるものである。 →30ページ

Q10 保健室登校とは，常時保健室にいるか，〔　　　〕できても，学校にいる間は主として保健室にいる状態をいう。 →32ページ

解答

Q1　社会的　Q2　ヘルスプロモーション　Q3　健康つくり　Q4　児童の養護をつかさどる　Q5 ①中核的な役割　②現代的な健康課題　Q6 ①自己有用感・自己肯定感（自尊感情）　②他者と関わる力　Q7 ①学校保健委員会　②学校保健計画の策定　Q8　学校保健安全　Q9　保健室経営計画　Q10　特定の授業には出席

第２章
健康相談・メンタルヘルスケア

健康相談の法的根拠と目的

ここに注目！

- 法的根拠・目的に関するキーワードをしっかり覚えておこう。
- 文部科学省「教職員のための子どもの健康相談及び保健指導の手引」からの出題が多い。熟読して理解を深めておこう。

Check! 1 目的

健康相談は，児童生徒の心身の健康に関する問題について，児童生徒や保護者に対して，関係者が連携し相談等を通して問題の解決を図り，学校生活によりよく適応していけるように支援していくことを目的としている。

Check! 2 法的根拠

（1）学校保健安全法

第８条　学校においては，児童生徒等の心身の健康に関し，健康相談を行うものとする。

第９条　養護教諭その他の職員は，相互に連携して，健康相談又は児童生徒等の健康状態の日常的な観察により，児童生徒等の心身の状況を把握し，健康上の問題があると認めるときは，遅滞なく，当該児童生徒等に対して必要な指導を行うとともに，必要に応じ，その保護者（略）に対して必要な助言を行うものとする。

第10条　学校においては，救急処置，健康相談又は保健指導を行うに当たっては，必要に応じ，当該学校の所在する地域の医療機関その他の関係機関との連携を図るよう努めるものとする。

（2）学校保健安全法施行規則

第22条 ①第３号（学校医の職務執行の準則）
法第８条の健康相談に従事すること。

第23条 ①第２号（学校歯科医の職務執行の準則）
法第８条の健康相談に従事すること。

第24条 ①第４号（学校薬剤師の職務執行の準則）
法第８条の健康相談に従事すること。

（3）学校保健法等の一部を改正する法律の公布について（通知）（平成20年）

二　学校保健に関する留意事項

⑺　保健指導について（第9条）

1（略）第8条の健康相談についても，児童生徒等の多様な健康課題に組織的に対応する観点から，特定の教職員に限らず，養護教諭，学校医・学校歯科医・学校薬剤師，担任教諭など関係教職員による積極的な参画が求められるものであること。

Check! 3 規定の主旨

- 健康相談は，従来，学校医・学校歯科医が行うものとされてきたが，学校保健安全法では，学校医や学校歯科医のみならず，**養護教諭**，**学級担任**等が行う健康相談も明確に規定された。
- 学校においては救急処置，健康相談又は保健指導を行うに当たっては，必要に応じ，地域の医療機関その他の関係機関との**連携**を図るよう努めることが規定されるなど，健康相談・保健指導の充実が図られた。

Check! 4 健康相談の重要性

- 健康相談は，児童生徒の発達とともに心身の健康問題を解決していく過程で，**自己理解**を深められ**自分自身**で解決しようとする**人間的な成長**にもつながる。健康の保持増進だけでなく**教育的な意義**が大きいことから，学校教育においての重要な役割を担っている。
- メンタルヘルス，アレルギー疾患を含め児童生徒の心身の健康問題が**多様化**していることや，**医療**の支援を必要とする事例も増えていることから，養護教諭，学級担任等，学校医等の校内関係者のみならず，地域の関係機関等とも**連携**して**組織的**に**健康相談**を行うことが必要となっている。
- 主な健康相談の内容として，身体症状，友達との友人関係，**漠然とした悩み**，家族との人間関係，体の発育・発達，発達障害（疑い含む），**睡眠**，教職員との人間関係，学習に関する悩み，精神疾患（疑い含む），進路の悩み，性に関する悩み，**児童虐待**，**いじめ**，などがみられる。

健康相談における留意点と養護教諭の役割

ここに注目！

- 連携体制におけるプロセスを含め，事例を読むなど理解を深めておこう。
- 養護教諭ならではの役割について，しっかり把握しておこう。

Check! 1 健康相談における養護教諭の役割

●文部科学省答申「子どもの心身の健康を守り，安全・安心を確保するために学校全体としての取組を進めるための方策について」（平成 20 年）で，養護教諭の職務として整理されている。

●学校保健安全法第９条に規定されている。

●養護教諭の職務の特質から，養護教諭は児童生徒の心身の健康問題を発見しやすい立場にある。いじめや児童虐待などの早期発見，早期対応に果たす役割や，健康相談や保健指導の必要性の判断，受診の必要性の判断，医療機関などの地域の関係機関等との連携におけるコーディネーターの役割などが求められている。

<養護教諭の職務の特質としてあげられる主な事項>

①全校の児童生徒を対象としており，入学時から経年的に児童生徒の成長・発達を見ることができる。

②活動の中心となる保健室は，誰でもいつでも利用でき安心して話ができるところである。

③子どもは，心の健康問題を言葉に表すことが難しく，身体症状として現れやすいので，問題を早期に発見しやすい。

④保健室頻回来室者，不登校傾向者，非行や性に関する問題など様々な問題を抱えている児童生徒と保健室でかかわる機会が多い。

⑤職務の多くは，学級担任をはじめとする教職員，学校医等，保護者等との連携の下に遂行される。

Check! 2 健康相談のプロセス

（1）健康相談対象者の把握（相談の必要性の判断）

①健康診断の結果，継続的な観察指導を必要とする者。

②保健室等での児童生徒の対応を通し健康相談の必要性があると判断された者。

③日常の健康観察の結果，継続的な観察指導を必要とする者（欠席・遅刻・

早退の多い者，体調不良が続く者，心身の健康観察から**健康相談**が必要と判断された者等)。

④**健康相談**を希望する者。

⑤**保護者等**の依頼による者。

⑥修学旅行，遠足，運動会，対外運動競技会等の**学校行事**に参加させる場合に必要と認められた者。

(2) 課題の背景の把握

○関係者との**情報交換**により，児童生徒を**多面的**・**総合的**に理解した上で，**問題の本質**（**医学的**・**心理社会的**・**環境要因**）を捉えていく必要がある。

○校内委員会（組織）等で情報交換し検討することで的確に問題の背景をつかむとともに，**学校内の支援活動で解決できるものか**，**医療**や関係機関等の連携が必要かを見極めることが大切である。

(3) 支援方針・支援方法の検討

(4) 支援の実施・評価

<実施上の留意点>

○**学校保健計画**に健康相談を位置付け，**計画的**に実施する。状況によって計画的に行われるものと随時に行われるものとがある。

○学校医・学校歯科医・学校薬剤師等の医療的見地から行う健康相談・保健指導の場合は，**事前の打合せ**を十分に行い，相談の結果については養護教諭，学級担任等と**共通理解**を図り，**連携**して支援を進めていくことが必要である。

○最も留意が必要なのは，その課題はカウンセリングで解決できるものなのか，医療的な対応が必要となるものなのかを見極めることである。

○実施については**周知**を図るとともに，児童生徒，保護者等が相談しやすい**環境**を整える。

○相談場所は，相談者の**プライバシー**が守られているように十分配慮する。

○**継続支援**が必要な者については，校内組織，また必要に応じて関係機関と連携して実施する。

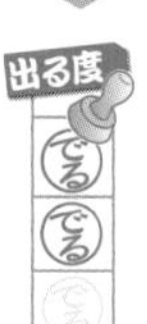

Action 18

危機発生時における児童生徒の心のケア①

ここに注目！

- ASD，PTSD，アニバーサリー効果（反応）の定義など，児童生徒のストレス症状について把握しておこう。
- 具体的な事例にも目を通し，養護教諭としてどんなことができるか考えておこう。

Check! 1 心のケアの必要性

●学校保健安全法第 29 条③

> 学校においては，事故等により児童生徒等に危害が生じた場合において，当該児童生徒等及び当該事故等により心理的外傷その他の心身の健康に対する影響を受けた児童生徒等その他の関係者の心身の健康を回復させるため，これらの者に対して必要な支援を行うものとする。（略）

Check! 2 心のケアの意義

- 強い恐怖や衝撃を受けた場合，不安や不眠などのストレス症状が現れることが多い。こうした反応は誰にでも起こり得ることであり，時間の経過とともに薄らいでいくものであるが，場合によっては長引き，生活に支障を来すなどして，その後の成長や発達に大きな障害となることもある。
- 日ごろから児童生徒の健康観察を徹底し，情報の共有を図るなどして早期発見に努め，適切な対応と支援を行うことが必要である。

Check! 3 災害や事件・事故発生時における心のケアの基本的理解

（1）災害や事件・事故発生時におけるストレス症状

- ○児童生徒は災害等に遭遇すると，恐怖や喪失体験などの心理的ストレスによって，心の症状だけでなく身体の症状も現れやすい。
- ○症状は心理的ストレスの種類・内容・ストレスを受けてからの時期によって変化する。
- ○年齢を問わず見られる症状：情緒不安定，体調不良，睡眠障害など
- ○発達段階によって異なる症状

＊幼稚園から小学校低学年：腹痛，嘔吐，食欲不振，頭痛などの**身体症状**が現れやすく，それら以外にも興奮，混乱などの**情緒不安定**や，**行動上の異変**（落ち着きがなくなる，理由なくほかの子どもの持ち物を隠す等）などの症状が出現しやすい。

＊小学校の高学年以降（中学校，高等学校を含む）：**身体症状**とともに，元気がなくなって**引きこもり**がちになる（**うつ状態**），ささいなことで驚く，夜間に何度も目覚めるなどの症状が目立つようになり，大人と同じような症状が現れやすくなる。

（2）急性ストレス障害

ストレスが強くない場合には，心身に現れる症状は悪化せず**数日以内**で消失することが多いが，激しいストレスにさらされた場合は，次のような疾患を発症することがある。

持続的な **再体験症状**	◎体験した出来事を繰り返し思い出し，悪夢を見たりする。 ◎体験した出来事が目の前で起きているかのような生々しい感覚がよみがえる（フラッシュバック）。　など
体験を連想させるものからの **回避症状**	◎体験した出来事と関係するような話題などを避けようとする。 ◎体験した出来事を思い出せないなど記憶や意識が障害される（ボーッとする等）。 ◎人や物事への関心が薄らぎ，周囲と疎遠になる。　など
感情や緊張が高まる **過覚醒症状**	◎よく眠れない，イライラする，怒りっぽくなる，落ち着かない，集中できない，極端な警戒心を持つ，ささいなことや小さな音で驚く。　など

このような「**再体験症状**」，「**回避症状**」，「**過覚醒症状**」がストレス体験の４週間以内に現れ，**２日以上**かつ**４週間以内**の範囲で症状が**持続**した場合を「**急性ストレス障害**（Acute Stress Disorder：**ASD**）」と呼ぶ。

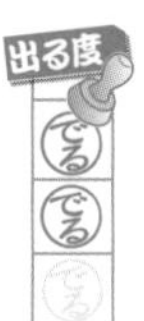

（3）心的外傷後ストレス障害 （P.180 参照）

災害や事件・事故後に，ASDのような強いストレス症状（再体験症状，回避症状，覚せい亢進症状）が現れ，それが**４週間**以上持続した場合は「**心的外傷後ストレス障害**（Post Traumatic Stress Disorder：**PTSD**）」と呼ぶ。これらの症状は，災害や事件・事故からしばらく経って出現する場合があることを念頭に置く必要がある。

（4）心的外傷性悲嘆

突然の予期せぬ状況で大切な人を亡くした場合，死別に引き続き様々な心身の変化＝**悲嘆（グリーフ）**反応に加えて**PTSD**の症状がみとめられることがある。死の悲惨さや恐怖の側面にとらわれてしまうことで悲嘆を受け入れる過程が中断され，変化に適応していくことが困難になるとされる。長期にわたり学校生活に支障をきたす状態が続いている場合には，地域の専門機関との連携が必要である。

※　ASD でも PTSD でも，幼稚園から小学校低学年までは，典型的な再体験症状や回避症状はなく，ストレスの引き金となった場面（トラウマ（心的外傷））を再現するような遊びをしたり，恐怖感を訴えることなく興奮や混乱を呈したりすることがある点に注意を要する。

Check! 4　アニバーサリー効果（反応）

災害や事件・事故などが契機として PTSD になった場合，それが発生した月日になると，いったん治まっていた症状が再燃することがあり，アニバーサリー効果やアニバーサリー反応と呼ばれている。日付の効果は必ずしも年単位とは限らず，同じ日に月単位で起きることもある。

対応：災害や事件・事故のあった月日が近づくと，以前の症状が再び現れるかもしれないこと，その場合でも心配しなくても良いことを保護者や子どもに伝える。そうすることで，冷静に対応することができ，混乱や不安感の増大を防ぐことができる。

Check! 5　心のケアに関する危機管理

●学校保健安全法第 29 条①（危険等発生時対処要領の作成等）

危機管理マニュアルに心のケアを位置付け，平常時から訓練やシミュレーションを行い備えておくことが必要である。

＜組織体制の充実を図るための留意事項＞

①児童生徒の心のケアが危機管理体制の一環として位置づけられていること。

②児童生徒の心身の健康状態を日常的に把握していること。

③災害や事件・事故発生時に起こる児童生徒の心身の健康影響や基本的な対応方法について，校内研修会等により教職員の共通理解を図っておくこと。

④保健教育が学校教育計画・学校保健計画に明確に位置付けられていること。

⑤日ごろから，児童生徒及び保護者等と信頼関係を築いておくこと。

⑥学校，家庭，地域社会との連携が図られていること。

Check! 6　関係機関等との連携

災害や事件・事故が発生した場合は，地域の人々との連携が不可欠であるため，日ごろから地域の関係機関（相談機関，医療機関，精神保健福祉センター，民生委員，児童委員等）等の活用を図り，平常時から関係づくりをしておく。

（1）学校保健安全法第10条

（2）関係機関等との連携における留意点

①**地域資源**の把握：関係機関の業務内容や特徴，相談時間等を把握しておく。

②日常の**健康観察**：早期の受診や相談につなげられるようにしておく。

③**保護者の同意**：医療機関等の支援を求めるときには，組織として関係者と協議して必要性を確認する。関係機関等（主治医等）と連絡を取る場合は，必ず，保護者及び**児童生徒の同意**を得て行う（**虐待通告**は同意は不要）。

※　保護者に医療機関等の紹介を行う場合には，相談の秘密は守られることなどを丁寧に説明して了解を得る。保護者が子どもを病気扱いされた，見放されたと否定的に感じることがないようにし，児童生徒のことを一緒に考えていく**共感的態度**で臨む。

＜仮想事例＞　震災後にPTSDを発症した事例（中学校2年生　男子）

（1）被災のあらまし

震災時，当該生徒は倒れた家具に下敷きとなり身動きがとれず，今死ぬのではないかという強い恐怖を感じた。生徒は救出され，打撲はあったが命に別状はなかった。

（2）被災直後から学校再開まで

震災後，学級担任が安否確認に家庭を訪れた。生徒は被災当日から不眠となり，頭痛や腹痛，嘔吐，動悸などの症状が現われていることが分かった。

▲▲▲学級担任・養護教諭の動き

学級担任は，生徒の様子を校長，学年主任，養護教諭に報告した。校長は，生徒への対応を養護教諭と相談しながら進めるよう学級担任に指示した。養護教諭は，学級担任の家庭訪問に同行し，怖い目にあったら誰にでも同じ症状が現れることを生徒に説明し，安心感を与えることが大切で，適切に対応すれば必ず症状が良くなることを保護者に伝えた。

☞ P.47につづく

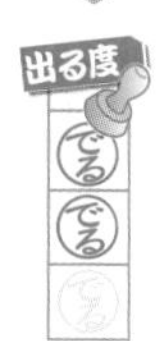

Action 19

危機発生時における児童生徒の心のケア②

- 養護教諭としての心のケアにおける適切な対応について押さえておこう。
- 養護教諭の役割についての出題が想定される。記述できるようまとめておこう。

Check! 1 心の健康問題の対応における養護教諭の役割

●主な役割

○いじめや虐待等の早期発見，早期対応における役割

○ 受診の必要性の有無を判断して医療機関へつなぐ役割

○学校内及び地域の医療機関等との連携におけるコーディネーターの役割

●問題に応じて，スクールカウンセラー，ソーシャルワーカー，心の相談員等の支援員を有効に活用しつつ連携を図っていくことが求められる。

●養護教諭はこれらの役割を果たすために，教職員，保護者，関係者との人間関係づくりに努め，信頼関係を築いておく。

＜養護教諭の役割のポイント＞

①児童生徒の心身の健康問題の解決に向けて中核として校長を助け円滑な対応に努める。

②学級担任等と連携した組織的な健康観察，健康相談，保健指導を行う。

③児童生徒の心身の健康状態を日ごろから的確に把握し，問題の早期発見・早期対応に努める。

④児童生徒が相談しやすい保健室の環境づくりに努める。

⑤児童生徒の訴えを受け止め，心の安定が図れるように配慮する。

⑥常に情報収集に心がけ，問題の背景要因の把握に努める。

⑦児童生徒の個別の支援計画の作成に参画する。

⑧学校ではどこまで対応できるのか見立てを明確にする。

⑨校内関係者や関係機関等との連携調整等を行う。

⑩医学的な情報を教職員等に提供する。

⑪地域の医療機関や相談機関等の情報を提供する。

Check! 2 子どもに現れやすいストレス症状の健康観察のポイント

子どもは，自分の気持ちを自覚していないことや，言葉でうまく表現できな

いことが多く，心の問題が行動や態度の変化，頭痛・腹痛などの身体症状となって現れることが多いため，きめ細かい観察が必要である。

体の健康状態	心の健康状態
＊食欲の異常（拒食・過食）はないか ＊睡眠はとれているか ＊眠気が強くないか ＊吐き気，嘔吐が続いていないか ＊下痢，便秘が続いていないか ＊頭痛が持続していないか ＊尿の回数が異常に増えていないか ＊体がだるくないか ＊皮膚がかゆくないか	＊心理的退行現象（幼児返り）が現れていないか ＊落ち着きのなさ（多弁・多動）はないか ＊イライラ，ビクビクしていないか ＊攻撃的，乱暴になっていないか ＊元気がなく，ぼんやりしていないか ＊孤立や閉じこもりはないか ＊無表情になっていないか ＊ハイテンションになっていないか ＊あまり話をしなくなったか ＊物音に過敏になったか ＊人が違ったように見えることがあるか

Check! 3 災害や事件・事故発生時におけるストレス症状のある子どもへの対応

●基本的には平常時と同じ。

●**健康観察**などにより速やかに児童生徒の異変に気づき，問題の性質（「早急な対応が必要か」，「医療を要するか」等）を見極め，必要に応じて，保護者や主治医等と**連携**を密に取り，学級担任等や養護教諭をはじめ，校内組織（教育相談部等）と連携して**組織的**に支援に当たる。

●健康観察では，災害や事件・事故発生時における**児童生徒のストレス症状の特徴**を踏まえた上で，健康観察を行い，児童生徒が示す**心身のサイン**を見過ごさないようにすることが重要である。

<基本的な対応方法>

①ストレス症状を示す児童生徒に対しては，ふだんと変わらない接し方を基本とし，優しく穏やかな声かけをするなど本人に**安心感**を与えるようにする。

②ストレスを受けたときに症状が現れるのは普通であることや，症状は必ず和らいでいくことを本人に伝え，一人で悩んだり孤独感を持たずに済むように，信頼できる人に**相談**したり，**コミュニケーション**を多くとることを勧める。

③児童生徒がなるべくふだんと**変わらない環境**で安心して学校生活が送れるようにし，児童生徒に**落ち着き**と**安全感**を取り戻させるようにする。

④学級（HR）活動等において心のケアに関する**保健指導**を実施する。強いストレスを受けたときに起こる心や体の変化，ストレスの対処方法（誰かに

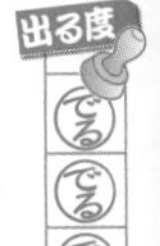

相談する，おしゃべりする，話しを聞いてもらう，体を動かす，音楽をきく等）について発達段階に応じて指導し，心が傷ついたりしたときにどのように対処したらよいかについて理解を深め，生活に生かせるようにする。

⑤保護者に対しては，ストレス症状についての**知識を提供**するとともに，学校と家庭での様子が大きく異なることがあるため，緊密に**連絡**を取り合うことを心がける。

⑥ストレス症状に，**心理的退行現象**と呼ばれる一時的な**幼児返り**（幼児のように母親に甘えるなど）が認められることがあるが，無理に制止することなく経過観察するようにする。

⑦症状から **ASD** や **PTSD** が疑われる場合には，児童精神科医などの**専門医**を受診する必要がある。学校医等の関係者と相談の上，受診の勧めを行い，専門医を紹介するなど適切な支援を行う。

※ ASD 及び PTSD と診断された場合は，専門医との連携が不可欠となる。ASD や PTSD を発症した児童生徒は，自分は特殊で異常であると一人で悩んだり，自分の努力不足であると誤って自分を責めたりすることが多い。このため，保護者だけでなく児童生徒に，ショックの後に誰でも起きることのある症状であることを説明し，安心感を与える。

＜子どもの話のききかた＞

①基本的には子どもが自分のペースで話せるように傾聴を心がけ，結論を急ぎすぎないようにする。

②話の内容が分かりにくいときは，事実関係を確認しながら進める。

③自分の気持ちや困っていることをはっきり言えない子どももいる。あいまいな聞き方ではなく，「眠れてる？」など健康観察の項目を参考にして具体的に聞くことが大切である。

④子どもががんばっている点を言葉にして伝える。否定的な発言があっても肯定的な評価を示すことで，子どもを勇気づけることになる。

⑤話の内容が深刻な場合には，その場で解決を示せなくても，他の教職員や専門家と一緒に考えたいということを伝える。

⑥終了後に他の教職員と情報共有して子どもの支援に繋げる（教職員の心のケアとしても大切）。

Check! 4 災害や事件・事故発生時における心のケアの留意点

● 迅速に**安否確認**や心身の**健康状態の把握**を行う（家族・友人・関係者の安否や被災状況についてもできる限り把握する）。

● 児童生徒に**安心感**や**安全感**を取り戻させる。ライフラインの復旧を優先し，できるだけ早期に平常時の生活に戻す。

- 通常のストレスでは生じない精神症状と身体症状（ASD や PTSD など）は，しばらく経ってから症状が現れる場合があることを念頭に置く。
- 学校管理下におけるけがや事件・事故など，児童生徒の命にかかわる出来事への対応には，迅速に適切な救命処置を行う。
- 災害や事件・事故の内容によっては，心のケアの前提として体（命）を守るための対応が不可欠となる。状況に応じて医療機関を受診させ，他の児童生徒の安全を確保するための措置と被害者のプライバシー保護の両方に配慮した対応が学校に求められる。
- 災害や事件・事故の内容によっては法的事項の確認が必要となる。
- 障害や慢性疾患のある児童生徒に十分な配慮が必要となる。
- 教職員，保護者のメンタルヘルスにも十分な配慮が必要となる。

（P.43 のつづき）<仮想事例>　震災後に PTSD を発症した事例（中学校2年生　男子）

(3) 学校再開後

学校が再開すると、生徒はすぐに登校できた。学級担任と養護教諭は協力して生徒の状態を詳しく観察し、学級活動を通してリラクセーションを高める方法を実施した。2週間後には生徒の症状は軽減し、このまま治るかに見えた。しかし，2か月を過ぎたころから，ちょっとした物音で，被災時の状況がフラッシュバックされ，激しい恐怖感や手の震えに襲われるようになった。家では家具や棚に近寄るのを怖がり，トイレや風呂などの狭い所に行けなくなった。不眠も再び強まり，学校では集中力が乱れ，孤立しがちとなった。

▲▲▲子どもと保護者の心のケア

養護教諭は生徒の状態について PTSD を疑い，学校医と相談した。その結果，校長の了解の下，保護者に児童精神科医を受診することを勧め，保護者に対しては，スクールカウンセラーが支持的面接を行いながら，生徒への対応の相談を行う方針とした。保護者は当初，医療機関の受診に抵抗を感じたが，学校医から直接説明を受けると納得できた様子であった。受診後，学級担任と保護者の了承を得て，主治医から生徒の状態について説明を受けた。薬による治療が始まると，睡眠障害などの症状は急速に改善し，集中力と落ち着きが戻ってきた。同時に母親も随分落ち着いたことが，スクールカウンセラーの報告からうかがわれた。その後も，地震を連想させる場面に出遭うと恐怖が蘇る状態が続いた。しかし，週に1度，養護教諭が面談を行いながら経過を観察するうちに症状も次第に見られなくなり，教室でもほぼ被災前と同じ状態で過ごせるようになった。進級時に学級担任は新たな学級担任に申し送りをし，引き続き養護教諭と連携して生徒の健康観察に当たった。

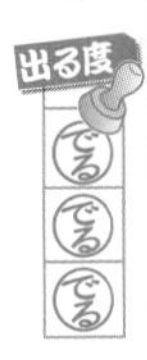

Action 20

メンタルヘルスの理解と対応

ここに注目!

- **不登校の児童生徒には，健常から心身症，神経症，慢性疾患，精神病，発達障害，児童虐待などあらゆる問題や疾患が関与していると考えられ，初期にはほとんどの子どもが身体症状を訴えることに留意しておこう。**
- **ギャンブル等依存症に関するキーワードを押さえておこう。**

Check! 1 メンタルヘルスとは

メンタルヘルスとは，精神的健康の回復・保持・増進に係る専門領域を総称する言葉である。

●具体例：心理的ストレス，心の悩み，虐待，発達障害や精神疾患，等

●学校現場では，いじめ，不登校，感情の爆発，拒食症，うつ状態，性の問題行動，集団への不適応，等

●教育現場で生じる問題を，「心理社会的要因に基づく問題」，「生物学的要因に基づく問題」，「心身症及びその関連疾患」に分類できる。

心理社会的要因に基づく問題	
	【心理社会的問題】 ＊虐待・災害・事故などによる心的外傷後ストレス障害（PTSD） ＊保護者のアルコール依存症 ＊生活環境の問題 ＊心因性疾患　等
	【心理社会的要因と関連するメンタルヘルスに関する問題】 ＊不登校の一部，心因性うつ状態，パニック障害の一部などが含まれ，不安，意欲や集中力の低下，解離症状（多重人格），退行（幼児返り），不眠などの精神症状だけでなく，頭痛，消化器症状のような身体症状を伴うことが多い。 ＊小学校の低学年では，夢遊病，夜驚症，夜尿症，チック症，抜毛などが現れやすい。 ※　丁寧な情報収集に基づく健康相談活動や生活指導などに加え，保護者へのアプローチ，生活環境の調整，福祉行政の介入など関係機関との連携が必要となることがある。情緒的混乱や睡眠障害，体調不良などが著しい時には，専門医による診察や薬物療法が必要になる。

<table>
<tr><td rowspan="3">生物学的要因に基づく問題……脳の医学的問題</td><td colspan="2">【機能性精神疾患】
◎素因を持つ場合に心理的原因がなくても発症するような疾患。
◎統合失調症，うつ病，双極性障害（躁うつ病），等
※　医療機関を受診し，薬物療法などの治療を開始する必要がある。</td></tr>
<tr><td colspan="2">【器質性精神疾患】
◎ CT や MRI のような脳画像検査で明らかとなる病変を背景に精神症状が出現した場合を指す。
◎脳腫瘍，脳変性疾患，脳血管障害（脳出血など），てんかんの一部，頭部外傷，脳炎，一酸化炭素中毒，低酸素状態の後遺症，等
※　医療機関で精密検査を受ける必要がある。
※　発作に関連した症状の，育て方や生活指導上の問題との誤解に注意。</td></tr>
<tr><td colspan="2">【発達障害】
◎児童期以前から症状が現れ，それが発達過程を通じてハンディキャップとして持続しやすい生まれつきの素質を指す。発達障害は，機能性精神疾患や器質性精神疾患とは異なる種類の問題であり，脳発達上の問題が背景にあると推測されている。
◎広汎性発達障害（自閉症，アスペルガー障害，特定不能型の広汎性発達障害を含む），注意欠陥多動性障害（ADHD），学習障害（LD），精神遅滞，行為障害，チック障害，等
◆専門医を受診し，正しい理解を持つ。それをもとに，特別支援教育に関する校内委員会を設置し，特別支援コーディネーターを指名するなどして体制を整備し，学校で一貫した対応が行えるよう校内の連携を図るとともに，医療機関との連携，保護者との協力関係を構築する。</td></tr>
<tr><td rowspan="9">心身症及びその関連疾患</td><td>呼吸器系</td><td>気管支ぜん息，過換気症候群，心因性咳嗽（神経性咳嗽）</td></tr>
<tr><td>循環器系</td><td>起立性調節障害</td></tr>
<tr><td>消化器系</td><td>過敏性腸症候群，消化性潰瘍，周期性嘔吐症（自家中毒症），心因性嘔吐（神経性嘔吐）</td></tr>
<tr><td>内分泌･代謝系</td><td>神経性無食欲症（拒食症），神経性大食症（過食症），単純性肥満症</td></tr>
<tr><td>排泄器系</td><td>夜尿症，昼間遺尿症，心因性頻尿，遺糞症</td></tr>
<tr><td>神経・筋肉系</td><td>心因性頭痛，運動麻痺，チック症，心因性発熱，心因性けいれん</td></tr>
<tr><td>感覚器系</td><td>心因性視力障害，心因性聴力障害，心因性失声症，心因性知覚障害，心因性味覚障害，心因性嗅覚障害</td></tr>
<tr><td>皮膚科領域</td><td>円形脱毛症，抜毛症，アトピー性皮膚炎</td></tr>
<tr><td>その他</td><td>吃音，緘黙（かんもく）症，睡眠障害（主に夜驚症と夢中歩行），不眠（睡眠リズム障害），不登校との関係（初期の身体症状訴え）</td></tr>
</table>

Check! 2 依存症

一般的にニコチン，アルコール，薬物，ギャンブル等，ゲームなどを「やめたくてもやめられない」状態のこと。医学的には「嗜癖（しへき）」という。

●**物質依存**：ニコチン，アルコール，薬物などの特定の「物質」の摂取

●**行動嗜癖**：ギャンブル等の「行動」

嗜癖	物質依存	ニコチン，アルコール，カフェイン，鎮静作用・興奮作用・幻覚作用等を有する薬物など
	行動嗜癖	ギャンブル等，ゲーム，その他

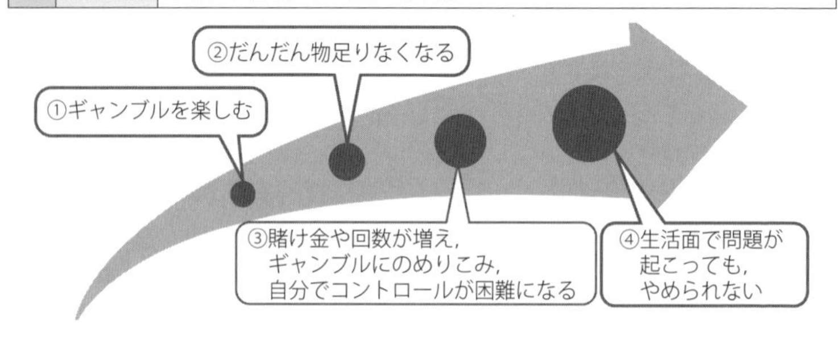

（1）行動嗜癖を生み出す要因

①**心理的な要因**（ストレスなど）

②**環境的な要因**（簡単に手に入れやすい，いつでも，どこでもできる）

③**家族の要因**（家庭環境等）

（2）やめられなくなる脳の仕組み

●脳には，美味しいものを食べる，試験に合格するなどによって快感や幸せを感じる機能があり，**行動嗜癖**が生まれるプロセスに重要な役割を果たしている。

●ギャンブル等を行ったり，依存物質を摂取したりすることにより，脳内で**ドーパミン**という**神経伝達物質**が分泌されると，**中枢神経**が興奮して快感・多幸感が得られる。

●この感覚を脳が「**報酬（ごほうび）**」と認識すると，その報酬（ごほうび）を求める回路が脳内にできあがり，その行為が繰り返されると次第に「報酬（ごほうび）」回路の機能が低下していき「快感・喜び」を感じにくくなる。

●そのため，以前と同じ快感を得ようとして，**依存物質の使用量**が増えたり，**行動がエスカレート**したりする。また，脳の思考や創造性を担う部位（前頭前野）の 機能が低下し，自分の意思で**コントロール**することが困難になる。

●特に子供は前頭前野が十分に発達していないため，嗜癖行動にのめり込む危険性が高いといわれている。

Check! 3 ゲーム

（1）ゲーム障害（WHO が作成する ICD-11（最終草案 2018 年6月））

●「ゲーム障害」が「物質及び嗜癖行動による障害」に位置付けられた。

●下記の４項目が 12 か月続く場合に該当。

○ゲームの使用を制御できない。

○ゲームを最優先する。

○問題が起きてもゲームを続ける。

○ゲームにより個人や家庭，学習や仕事などに重大な問題が生じている。

●重症の場合は 12 か月未満でも該当

（小中学生など：ゲームを始めて３～４か月でも深刻な状況となるケースがあるため）

（2）現状

●従来のパソコンを利用したオンラインゲームに加えて，最近ではスマートフォンや携帯ゲーム機等を利用してゲームをする人が増えている。

●インターネットを利用してゲームができるスマートフォン，携帯ゲーム機等は，行動嗜癖に陥る要因である「いつでも，どこでもできる」ことから，ゲームへののめり込みに対して，小学生，中学生のみならず，高校生においても注意が必要である。

●ゲームへののめり込みが社会的に問題になっている。

Check! 4 性犯罪・性暴力対策の学校等における教育や啓発

●児童生徒がＳＯＳを出しやすくなるよう，学校側で相談を受ける体制を強化するとともに，相談を受けた場合の教職員の対応についての研修の充実を図ることが求められる。

○親による性的虐待や生徒間における性暴力など性犯罪・性暴力の状況により必要な対応に違いがある。

○子供から話を聞いた時の初動対応が重要であり，必要に応じ，速やかに代表者聴取につなげるなど児童相談所，警察，検察等の関係機関との連携が有用である。

○いわゆる非行や問題行動を起こしていると見られる子供について，その背景に虐待や性被害がある場合もあるため留意が必要である。

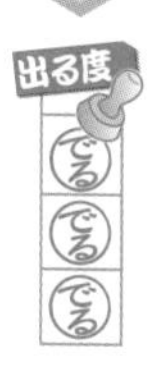

チェックテスト

空欄〔　　　〕に該当する正しい語句を答えよ。

Q１　健康相談については，「学校においては，児童生徒等の〔　　　〕に関し，健康相談を行うものとする。」と定められている。 →36ページ

Q２　学校保健安全法第９条に「養護教諭その他の職員は，相互に〔 ① 〕して，健康相談又は児童生徒等の健康状態の日常的な観察により，(略)健康上の問題があると認めるときは，遅滞なく，当該児童生徒等に対して必要な指導を行うとともに，必要に応じ，その〔 ② 〕に対して必要な助言を行うものとする。」と規定されている。 →36ページ

Q３　健康相談は，地域の関係機関等とも連携して〔　　　〕に行うことが必要となっている。 →37ページ

Q４　激しいストレスにさらされたあとに，再体験症状，回避症状，過覚醒症状が４週間以内に現れ，２日以上かつ４週間以内の範囲で症状が持続する場合を〔　　　〕という。 →41ページ

Q５　上記 Q4 の症状が４週間以上持続する状態を〔　　　〕という。 →41ページ

Q６　災害や事件・事故などそれが発生した月日になると，いったん治まっていたストレス症状が再燃することを〔　　　〕という。 →42ページ

Q７　子どもに現れやすいストレス症状の健康観察ポイントに関する以下の表について，①～⑤に当てはまる語句を書きなさい。

体の健康状態	心の健康状態
◦食欲の異常（拒食・過食）はないか	◦心理的退行現象(幼児返り)が現れていないか
◦睡眠はとれているか	◦落ち着きのなさ（多弁・多動）はないか
◦吐き気，嘔吐が続いていないか	◦イライラ，ビクビクしていないか
◦〔 ① 〕，便秘が続いていないか	◦〔 ③ 〕，乱暴になっていないか
◦頭痛が持続していないか	◦元気がなく，ぼんやりしていないか
◦〔 ② 〕の回数が異常に増えていないか	◦〔 ④ 〕や閉じこもりはないか
◦体がだるくないか	◦あまり〔 ⑤ 〕をしなくなったか

→45ページ

解答

Q1　心身の健康　Q2 ①連携　②保護者　Q3　組織的　Q4　急性ストレス障害(ASD)　Q5　心的外傷後ストレス障害（PTSD）　Q6　アニバーサリー効果（アニバーサリー反応）　Q7 ①下痢　②尿　③攻撃的　④孤立　⑤話

第 3 章
健康観察

健康観察の目的と意義

ここに注目！

健康観察の法的根拠については，空欄補充の出題に対応できるようキーワードをしっかり覚えておこう。

Check! 1 健康観察の重要性

●心身の健康問題を早期に発見して適切な対応を図り教育活動を円滑に進める。
●体調不良のみならず心理的ストレスや悩み，いじめ，不登校，虐待や精神疾患など，子どもの心の健康問題の早期発見・早期対応にもつながる。

Check! 2 健康観察の目的

①子どもの心身の健康問題の早期発見・早期対応を図る。
②感染症や食中毒などの集団発生状況を把握し，感染の拡大防止や予防を図る。
③日々の継続的な実施によって，子どもに自他の健康に興味・関心をもたせ，自己管理能力の育成を図る。

Check! 3 健康観察の法的根拠

（1）「子どもの心身の健康を守り，安全・安心を確保するために学校全体としての取組を進めるための方策について」（中央教育審議会答申：平成 20 年）

2　学校保健に関する学校内の体制の充実
（3）学級担任や教科担任等
②健康観察は，学級担任，養護教諭などが子どもの体調不良や欠席・遅刻などの日常的な心身の健康状態を把握することにより，感染症や心の健康問題などの心身の変化について早期発見・早期対応を図るために行われるものである。また，子どもに自他の健康に興味・関心を持たせ，自己管理能力の育成を図ることなどを目的として行われるものである。
③学級担任等により毎朝行われる健康観察は特に重要であるため，全校の子どもの健康状態の把握方法について，初任者研修をはじめとする各種現職研修などにおいて演習などの実践的な研修を行うことやモデル的な健康観察表の作成，実践例の掲載を含めた指導資料作成が必要である。

(2) 学校保健安全法第9条

健康観察が新たに位置づけられ，その充実が図られた。

> 養護教諭その他の職員は，相互に連携して，健康相談又は児童生徒等の健康状態の日常的な観察により，児童生徒等の心身の状況を把握し，健康上の問題があると認めるときは，遅滞なく，当該児童生徒等に対して必要な指導を行うとともに，必要に応じ，その保護者（略）に対して必要な助言を行うものとする。

Check! 4 学校における健康観察の機会

時　間	主な実施者	主な視点
朝や帰りの会	学級担任 (ホームルーム担任)	登校の時間帯・形態，朝夕の健康観察での表情・症状
授業中	学級担任及び 教科担任等	心身の状況，友人・教員との人間関係，授業の参加態度
休憩時間	教職員	友人関係，過ごし方
給食(昼食)時間	学級担任 (ホームルーム担任)	食事中の会話・食欲，食事摂取量
保健室来室時	養護教諭	心身の状況，来室頻度
部活動中	部活動担当職員	参加態度，部活動での人間関係，体調
学校行事	教職員	参加態度，心身の状況，人間関係
放課後	教職員	友人関係，下校時の時間帯・形態

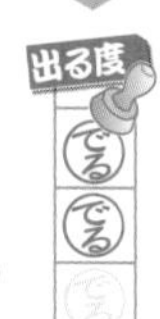

Check! 5 健康観察の評価

学期ごとあるいは学年末に評価を行う。評価の観点（例）は以下の通りである。

①健康観察の必要性について共通理解されているか。
②学級担任による朝の健康観察は適切に行われているか。
③全教育活動を通じて実施されているか。
④健康観察事項は適切であったか。
⑤心身の健康問題の早期発見に生かされているか。
⑥健康観察の事後措置（健康相談・保健指導等）は適切に行われたか。
⑦子どもに自己健康管理能力がはぐくまれたか。
⑧必要な事項について記録され，次年度の計画に生かされたか。
⑨保護者等の理解や協力が得られたか。

健康観察の実施

- 健康観察の流れについて把握しておこう。
- 健康観察の視点「体に現れるサイン」「行動や態度に現れるサイン」など，テーマごとに具体的に覚えておこう。

Check! 1 健康観察の実施から事後措置までの流れ

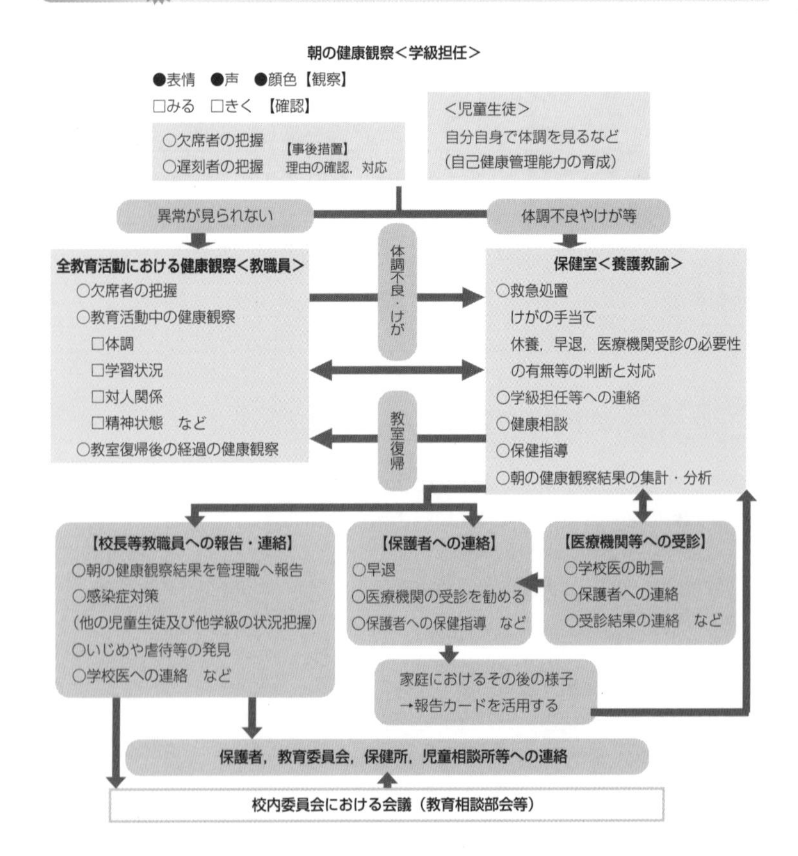

Check! 2 健康観察の視点（小学校・中学校・高等学校（例））

主な観察事項			推測される主な疾患名
欠席		散発的な欠席	──
		継続的な欠席	──
		欠席する曜日が限定している	──
		登校渋り	──
		理由のはっきりしない欠席 等	──
遅刻		遅刻が多い	──
		理由のはっきりしない遅刻 等	──
心身の健康状態	観察項目（他覚症状）	元気がない	発熱を来す疾患，起立性調節障害 等
		顔色が悪い（赤い，青い）	発熱を来す疾患，起立性調節障害 等
		せきが出ている	上気道炎，気管支炎，肺炎，気管支喘息，マイコプラズマ感染症，百日咳，麻しん(はしか)，心因性咳そう 等
		鼻水・鼻づまり	鼻炎，副鼻腔炎，鼻アレルギー，異物等の存在 等
		目が赤い	アレルギー性結膜炎，流行性角結膜炎，咽頭結膜熱(プール熱) 等
		けがをしている	擦過傷(すり傷)，切創(きり傷)，火傷，打撲 等
	聞き取りや申告（自覚症状）	発熱	感冒，麻しん(はしか)，インフルエンザなどの感染症，川崎病，熱中症，心因性発熱等多数
		お腹が痛い	感染性胃腸炎，腹腔内の疾患，アレルギー性紫斑病，過敏性腸症候群 等
		頭が痛い	頭蓋内の疾患，耳鼻眼の疾患，慢性頭痛，心因性頭痛 等
		喉が痛い	咽頭炎，扁桃腺炎，溶連菌感染症，ヘルパンギーナ 等
		目のかゆみ	結膜炎，結膜アレルギー 等
		ほほやあごの痛み	反復性耳下腺炎，川崎病，流行性耳下腺炎(おたふくかぜ) 等
		気分が悪い，重い	感染性胃腸炎，起立性調節障害，心因性，おう吐 等
		体のだるさ	発熱をきたす疾患，起立性調節障害 等
		眠い	睡眠障害，起立性調節障害，夜尿症 等
		息苦しさ	気管支喘息，過換気症候群(過呼吸)，異物等の存在
		皮膚のかゆみ	アトピー性皮膚炎，じん麻しん 等
		湿しん・発しん	とびひ，じん麻しん，アレルギー性紫斑病，川崎病，アトピー性皮膚炎，水痘（みずぼうそう），風しん（三日ばしか），溶連菌感染症 等
		関節の痛み	オスグット・シュラッター病，スポーツ障害 等

Check! 3 健康観察記録の活用方法

①感染症及び食中毒などの集団発生の早期発見に役立てる。
②いじめ，不登校傾向，虐待等の早期発見に役立てる。
③個々及び集団の**健康課題を把握する資料**とする。
④**健康相談・保健指導**につなげる。
⑤**健康診断の資料**とする。
⑥**家庭訪問時や保護者面談の資料**とする。
⑦**児童生徒理解**のための資料とする。
⑧休業中の**保健指導計画等の参考資料**とする。
⑨**学校保健計画立案**の参考資料とする。等

Action 23

健康観察にかかわる養護教諭の対応

ここに注目!

事例問題や二次試験の実技等にも応用できるよう，事例を当たって知識を活用できるようにしておこう。

Check! 1 観察

(1) 問診

① 基本的問診項目

◦いつ（発生時期）◦どこで（発生場所）◦どうして（原因・理由）

◦どこが（部位）　◦どうなった（症状）

② 補足的問診項目

緊急性が疑われる傷病の兆候や症状がないか，生活習慣との関係はないか，心因性のものではないかなども確認し，本態，程度，原因を明らかにする。

(2) 現れるサイン（例）

① **体**…発熱が続く，吐き気や嘔吐・下痢等が多くみられる，体の痛みをよく訴える，急に視力・聴力が低下する，不定愁訴を訴える，いつも眠そうにしている，以前に比べて体調を崩すことが多い，最近極端に痩せてきた・太ってきた，目をパチパチさせる，首を振る，肩をすくめる，口をもぐもぐする，理由のはっきりしない傷やあざができていることがある，等

② **行動・態度**…登校を渋ったり遅刻や欠席したりすることが目立ってきた，保健室（相談室）を頻繁に利用する，トイレ等に閉じこもる，家に帰りたがらない，顔の表情が乏しい，ほとんど毎日朝食を食べていない，極端に少食または過食気味，ブツブツ独り言を言う，死を話題にする，自傷行為が見られる・疑われる，喫煙や飲酒が疑われる，手を洗うことが多い，型にはまった行動を繰り返す，急に落ち着きのなさや活気のなさが見られるようになった，おどおどした態度やぼんやりとした態度が目立つ，等

③ **対人関係**…ほとんど誰とも喋らない・関係をもたない，明るく振る舞っているときと急にふさぎ込んでいるときが極端にみられる，日常のあいさつ時や呼名時に返事をしなかったり元気がないことが増えた，ささいなことでイライラしたり急にかっとなって暴力的な態度を取ったりする，恋愛関係や性に関する悩み（トラブル）がみられる，等

Check! 2 分析・判断

（1）緊急度の高い場合の判断

（すぐに救急車を呼び，医療機関へ移送する症状）

○呼吸困難なもの，意識喪失の持続するもの，ショック症状の持続するもの，激痛の持続するもの，けいれんの持続するもの，多量の出血を伴うもの，骨・関節に強度の変形をおこしているもの，大きな開放創があるもの，広範囲の熱傷を受けたもの，など。

（2）主訴の直接的な原因や背景

○症状のある児童生徒の基礎疾患（心疾患・腎疾患など）やその管理状況。

○食事・睡眠・排泄などの生活習慣。

（3）判断

児童生徒の**傷病の悪化**を**最小限**にとどめるという**安全を守る目的**で，**学習活動の継続が可能かどうか**，**養護教諭**の**専門的視点**で判断する。

医療機関への搬送		学習活動を全面休止し，ただちに医療機関に移送する必要がある。
帰宅		学習活動を全面休止し，家庭で休養させる。
要経過観察	保健室	学習活動を一時中断し，保健室で観察する必要がある。
	教室	学習活動を制限させながら教室で観察する必要がある。
教室復帰		教室に戻し，学習活動を継続させる。

Check! 3 処置・対応

- 学校で行う救急処置活動は，医療を受けるあいだの**救急処置**と，医療の対象ではない**傷病**に対する処置がある。
- 情報をもとに適切な処置を施し，児童生徒を「**授業に復帰させる**」「**保健室で休養させる**」「**家庭に帰す**」「**医療機関に移送する**」などの判断をする。
- 養護教諭の専門性を生かし，手当のみではなく**教育的指導**を含め対応する。
- 「**医師法**」や「**歯科医師法**」などにより禁止されている医療行為に触れない範囲で行う。
- 救急処置の範囲や内容，医薬品の使用は，**学校医**や**学校薬剤師**に相談する。
- **AED（自動体外式除細動器）**は，研修を行い整備しておく。

チェックテスト

空欄〔　　　〕に該当する正しい語句を答えよ。

Q１ 健康観察は，学級担任，養護教諭などが児童生徒の体調不良や欠席･遅刻などの〔　　　〕することにより，感染症や心の健康問題などの心身の変化について早期発見･早期対応を図るために行われるものである。→54ページ

Q２ 健康観察は，児童生徒に自他の健康に興味・関心を持たせ，〔　　　〕を図ることなどを目的として行われるものである。→54ページ

Q３ 〔　　　〕その他の職員は，相互に連携して，健康相談又は児童生徒等の健康状態の日常的な観察により，児童生徒等の心身の状況を把握し，健康上の問題があると認めるときは，遅滞なく，当該児童生徒等に対して必要な指導を行うとともに，必要に応じ，その保護者（略）に対して必要な助言を行うものとする。→55ページ

Q４ 以下は健康観察記録の活用方法についてである。

○感染症及び〔　①　〕などの集団発生の早期発見に役立てる。
○いじめ，不登校傾向，虐待等の早期発見に役立てる。
○個々及び集団の〔　②　〕を把握する資料とする。
○健康相談・保健指導につなげる。
○健康診断の資料とする。
○家庭訪問時や保護者面談の資料とする。
○児童生徒理解のための資料とする。
○休業中の保健指導計画等の参考資料とする。
○〔　③　〕立案の参考資料とする。等 →57ページ

Q５ 学校生活全般を通じて行う健康観察においては，〔　①　〕，〔　②　〕，〔　③　〕の視点から，サインが現れていないか留意する。
→58ページ

解答

Q1　日常的な心身の健康状態を把握　　Q2　自己管理能力の育成　　Q3　養護教諭
Q4 ①食中毒　②健康課題　③学校保健計画　　Q5 ①体　②行動・態度　③対人関係

第４章
感染症の予防，疾病の予防

24 感染症とは

ここに注目！

感染症に関する基本的理解の内容を問う空欄補充の出題が多い。キーワードはしっかり押さえておこう。

Check! 1 感染症に関する基本的理解

ウイルス，細菌，真菌などの微生物が宿主の体内に侵入し，臓器や組織の中で増殖することを「**感染**」といい，結果生じる疾病が「**感染症**」である。

原因となる病原体，病原体が宿主に伝播する感染経路，病原体の伝播を受けた宿主に感受性があることが必要となる。この**病原体**，**感染経路**，**感受性宿主**の３つを，感染症成立のための三大要因という。

<おもな感染経路>

空気感染（飛沫核感染）	感染している人が咳やくしゃみ，会話をした際，口や鼻から飛散した病原体（飛沫核：5㎛以下の微粒子で空気中を1m以上浮遊）は感染性を保ったまま**空気の流れ**により拡散する。感染力が強く，予防接種を受けることが感染症の発症予防や感染拡大を防ぐための重要な手段。咳エチケットや手洗いは感染症対策として重要。市販一般のマスクでは予防策として不十分。 例 結核，麻しん，水痘，ノロウイルス（塵埃感染）
飛沫感染	感染している人が咳やくしゃみなどをした際，口や鼻から放出される病原体が含まれた小さな**水滴**を，近くにいる人が吸い込むことで感染する。飛沫は１m前後で落下するので，１～２m以上離れていれば感染の可能性は低くなる。予防接種がある感染症については予防接種を受けることが発症予防の手段に。患者がマスクをつければ飛沫飛散の防止効果は高い。患者だけでなく，周囲の人も不織布製マスク等をすることである程度の予防効果がみられる。 例 インフルエンザ，風しん，百日咳，流行性耳下腺炎，新型コロナウイルス感染症，髄膜炎菌感染症
接触感染	感染している人や汚染物に触れることで感染。ほとんどの場合，病原体の付着した手で口，鼻，眼を触ることで，病原体が体内に侵入して感染する。きちんとした手洗いが重要。

（接触感染）	例 単純ヘルペスウイルス感染症，流行性角結膜炎， 伝染性軟属腫（水いぼ），伝染性膿痂疹（とびひ）， アタマジラミ症，疥癬，咽頭結膜熱 ◎直接接触感染（握手，だっこ，キス，等） 感染している人に触れることで伝播がおこる。傷口や医療行為（針刺し等）を介した血液媒介感染も直接接触感染の一種。 ◎間接接触感染（ドアノブ，手すり，遊具，等） 汚染物を介して伝播がおこる。
経口感染 （糞口感染）	病原体に汚染された食物や，汚染物を触った手での調理を介して，また，便中に排出される病原体が，便器やトイレのドアノブを触った手を通して感染する。糞口感染も含まれる。 例 ノロウイルス，腸管出血性大腸菌
節足動物媒介感染	病原体を保有する蚊やダニなどの昆虫を介して感染する。 例 日本脳炎（媒介：コガタアカイエカ）

Check! 2 新興感染症と再興感染症の定義（WHO）

●**新興感染症**

かつて知られていなかった，新しく認識された感染症で，局地的に，あるいは国際的に公衆衛生上問題となる感染症。

ヒト新型インフルエンザ，SARS，HIV など。

●**再興感染症**

既知の感染症で，すでに公衆衛生上問題とならない程度にまで患者数が減少していた感染症のうち，再び流行しはじめ，患者数が増加したもの。

マラリア，結核など。

学校感染症の種類と関係法令

ここに注目！

- 条文の空欄補充の問題が出題される。しっかり覚えておこう。
- 学校保健安全法施行規則における第二種について，追加された新型コロナウイルス感染症とともに確実に覚えよう。

Check! 1 関係法令

（1）学校保健安全法　第４節 感染症の予防

第 19 条（出席停止）

校長は，感染症にかかっており，かかっている疑いがあり，又はかかるおそれのある児童生徒等があるときは，政令で定めるところにより，出席を停止させることができる。

第 20 条（臨時休業）

学校の設置者は，感染症の予防上必要があるときは，臨時に，学校の全部又は一部の休業を行うことができる。

（2）学校保健安全法施行令

第６条（出席停止の指示）

校長は，法第 19 条の規定により出席を停止させようとするときは，その理由及び期間を明らかにして，幼児，児童又は生徒（高等学校（中等教育学校の後期課程及び特別支援学校の高等部を含む。以下同じ。）の生徒を除く。）にあってはその保護者に，高等学校の生徒又は学生にあっては当該生徒又は学生にこれを指示しなければならない。

② 出席停止の期間は，感染症の種類に応じて，文部科学省令で定める基準による。

第７条（出席停止の報告）

校長は，前条第１項の規定による指示をしたときは，文部科学省令で定めるところにより，その旨を学校の設置者に報告しなければならない。

（3）学校保健安全法施行規則

第 20 条（出席停止の報告事項）

令第７条の規定による報告は，次の事項を記載した書面をもってするものとする。

一　学校の名称

二　出席を停止させた理由及び期間

三　出席停止を指示した年月日

四　出席を停止させた児童生徒等の学年別人員数

五　その他参考となる事項

第 21 条（感染症の予防に関する細目）

校長は，学校内において，感染症にかかっており，又はかかっている疑いがある児童生徒等を発見した場合において，必要と認めるときは，学校医に診断させ，法第 19 条の規定による出席停止の指示をするほか，消毒その他適当な処置をするものとする。

② 校長は，学校内に，感染症の病毒に汚染し，又は汚染した疑いがある物件があるときは，消毒その他適当な処置をするものとする。

③ 学校においては，その附近において，第一種又は第二種の感染症が発生したときは，その状況により適当な清潔方法を行うものとする。

Check! 2 学校において予防すべき感染症（学校保健安全法施行規則第 18 条）

第一種　エボラ出血熱，クリミア・コンゴ出血熱，痘そう，南米出血熱，ペスト，マールブルグ病，ラッサ熱，急性灰白髄炎，ジフテリア，重症急性呼吸器症候群（病原体がベータコロナウイルス属 SARS コロナウイルスであるものに限る），中東呼吸器症候群（病原体がベータコロナウイルス属 MERS コロナウイルスであるものに限る）及び特定鳥インフルエンザ（感染症の予防及び感染症の患者に対する医療に関する法律第６条第３項第六号に規定する特定鳥インフルエンザをいう）。

第二種　インフルエンザ（特定鳥インフルエンザを除く），百日咳，麻しん，流行性耳下腺炎，風しん，水痘，咽頭結膜熱，新型コロナウイルス感染症（病原体がベータコロナウイルス属のコロナウイルス（令和２年１月に，中華人民共和国から世界保健機関に対して，人に伝染する能力を有することが新たに報告されたものに限る）であるものに限る），結核及び髄膜炎菌性髄膜炎

第三種　コレラ，細菌性赤痢，腸管出血性大腸菌感染症，腸チフス，パラチフス，流行性角結膜炎，急性出血性結膜炎その他の感染症

② 感染症の予防及び感染症の患者に対する医療に関する法律第６条第７項から第９項までに規定する新型インフルエンザ等感染症，指定感染症及び新感染症は，前項の規定にかかわらず，第一種の感染症とみなす。

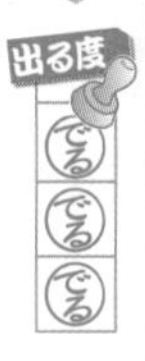

Action 26

学校感染症の出席停止期間の基準

ここに注目！

- 出席停止の期間についての出題は，頻出している。空欄補充，正誤問題，記述と様々な形で問われるため，しっかり覚えよう。
- 感染症への対応については理解を深め，養護教諭としての役割を押さえておこう。

Check! 1 学校保健安全法施行規則第 19 条

学校において予防すべき感染症の出席停止期間は，次のとおりである。

種別	感染症の種類	出席停止の期間の基準
第一種 ※感染症法の一類感染症と結核を除く二類感染症を規定。	エボラ出血熱	治癒するまで。
	クリミア・コンゴ出血熱	
	痘そう	
	南米出血熱	
	ペスト	
	マールブルグ病	
	ラッサ熱	
	急性灰白髄炎（ポリオ）	
	ジフテリア	
	重症急性呼吸器症候群 （病原体がベータコロナウイルス属 SARS コロナウイルスであるものに限る）	
	中東呼吸器症候群 （病原体がベータコロナウイルス属 MERS コロナウイルスであるものに限る）	
	特定鳥インフルエンザ （感染症の予防及び感染症の患者に対する医療に関する法律第６条第３項第六号に規定する特定鳥インフルエンザをいう）	

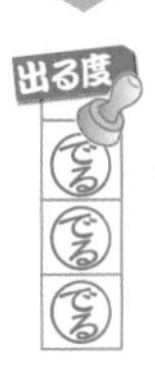

種別	感染症	出席停止期間の基準
第二種 ※児童生徒のり患が多く学校で流行を広げる可能性が高い感染症を規定。	第二種の感染症（結核，髄膜炎菌性髄膜炎を除く）にかかった者については以下の通り。ただし，病状により学校医その他の医師において感染のおそれがないと認めたときは，この限りでない。	
	インフルエンザ（特定鳥インフルエンザ及び新型インフルエンザ等感染症を除く）	発症した後５日を経過し，かつ，解熱した後２日（幼児にあっては，３日）を経過するまで。
	百日咳	特有の咳が消失するまで又は５日間の適正な抗菌性物質製剤による治療が終了するまで。
	麻しん	解熱した後３日を経過するまで。
	流行性耳下腺炎	耳下腺，顎下腺又は舌下腺の腫脹が発現した後５日を経過し，かつ，全身状態が良好になるまで。
	風しん	発しんが消失するまで。
	水痘	すべての発しんが痂皮化するまで。
	咽頭結膜熱	主要症状が消退した後2日を経過するまで。
	新型コロナウイルス感染症	発症した後５日を経過し，かつ，症状が軽快した後１日を経過するまで。
	結核	病状により学校医その他の医師において感染のおそれがないと認めるまで。
	髄膜炎菌性髄膜炎	
第三種 ※学校教育活動を通じ学校において流行を広げる可能性がある感染症を規定。	コレラ	病状により学校医その他の医師において感染のおそれがないと認めるまで。
	細菌性赤痢	
	腸管出血性大腸菌感染症	
	腸チフス	
	パラチフス	
	流行性角結膜炎	
	急性出血性結膜炎	
	その他の感染症	

◎　第一種もしくは第二種の感染症患者のある家に居住する者またはこれらの感染症にかかっている疑いがある者については，予防処置の施行の状況その他の事情により学校医その他の医師において感染のおそれがないと認めるまで。
◎　第一種または第二種の感染症が発生した地域から通学する者については，その発生状況により必要と認めたとき，学校医の意見を聞いて適当と認める期間。
◎　第一種または第二種の感染症の流行地を旅行した者については，その状況により必要と認めたとき，学校医の意見を聞いて適当と認める期間。
※　学校で通常見られないような重大な流行が起こった場合には，その感染拡大を防ぐために，必要があるときに限り，校長が学校医の意見を聞き，第三種の感染症の「その他の感染症」として緊急的に措置をとることができる。

Check! 2 出席停止期間の考え方

「××した後○日を経過するまで」とした場合は，「××」という現象が見られた日の翌日を第１日として算定する。

例：「解熱した後２日を経過するまで」の場合は

火曜日に解熱 → 水曜日（解熱後１日目）→ 木曜日（解熱後２日目） →（この間発熱がない場合）→ 金曜日から出席可能

臨時休業中における児童生徒に対する**生活指導**，**学習指導**及び**保健指導**を適切に行い，授業を再開する場合には，児童生徒の**欠席状況**，**感染状況**等をよく把握し，健康管理を徹底させる。

Check! 3 学校における感染症への対応

感染症の拡大を防ぐために，患者は，他人に容易に感染させる状態の期間は**集団の場を避ける**ようにする，健康が回復するまで治療や休養の時間を確保すること，が必要である。

（１）健康診断と感染症

○学校は，定期の健康診断のほか，**感染症**又は**食中毒**が発生したとき，風水害等により感染症の発生のおそれがあるとき，結核，寄生虫病その他の疾病の有無について検査を行うときなど，必要があるときは**臨時の健康診断**を行うこととされている。臨時の健康診断は後措置も含め，**保健所**や**学校医**等からの指導助言を受ける。

○就学時の健康診断票には，**予防接種法**に規定されている定期の予防接種の接種状況を確認する欄がある。確認すべき定期の予防接種の対象は，**インフルエンザ菌ｂ型感染症**，**肺炎球菌感染症**，**Ｂ型肝炎**，**ジフテリア**，**百日咳**，**破傷風**，**ポリオ（急性灰白髄炎）**，**BCG**，**麻しん**，**風しん**，**水痘**，**日本脳炎**。

○アレルギーや基礎疾患のため医師から接種不可となされているなど，予防接種を受けられない者（接種不適当者）がいることに留意する。

（２）感染症を予防するための対応について

○健康観察（欠席状況を含む）や保健室利用状況等から，感染症の発生や流行の兆しなどの**早期発見**に努める。

○学校環境衛生管理（日常検査・定期検査・臨時検査）を適切に行う。

○感染症の症状が疑われるときは，すぐ**学校医**又は**医師**の診断に基づいた指導・助言を受け，適切な措置を講ずる。

○児童生徒の**保健教育**（保健学習・保健指導）を充実させる。普段から，**うがい**，手洗い，バランスのとれた食事，運動，**規則正しい生活**，体の抵抗力を高めるなどの感受性対策・健康な生活習慣の実践への指導を充実させる。

○児童生徒がかかりやすい感染症や新興感染症等については，児童生徒と保護者への**啓発**を行う。症状があるのにもかかわらず無理に登校させることなどがないように協力を得る。

○無用な不安や患者に対する差別・偏見等が生じないよう配慮し，発生した感染症に関する**正しい情報の提供**をする。

○**結核**に関しては，高まん延国で6か月以上居住歴のある児童生徒等について入学時または転入時に1回，精密検査の対象となるが，一般の児童生徒が対象者や感染症に**差別**・**偏見**をもつことがないように適切な教育・指導を行う。

(3) 保健所への連絡

○学校では，麻疹，風しん，結核の患者が発生した場合などは集団感染に発展する可能性が高いため，学校の設置者（教育委員会）や学校は保健所と連携し，保健所が行う積極的な**疫学調査**や**まん延防止**の対策に協力する。

学校保健安全法 第18条（保健所との連絡）

学校の設置者は，この法律の規定による健康診断を行おうとする場合その他政令で定める場合においては，保健所と連絡するものとする。

学校保健安全法施行令 第5条（保健所と連絡すべき場合）

法第18条の政令で定める場合は，次に掲げる場合とする。

一　法第19条の規定による**出席停止**が行われた場合

二　法第20条の規定による**学校の休業**を行った場合

<集団感染発生時の学校における措置>

生徒と保護者に対して当該感染症に関する**保健指導**を行い，理解と協力を得る。

○地域の流行状況を把握するとともに，学校どうしの情報交換を密に行い，**地域**で効果的な対応ができるようにする。

○学校環境において，換気，温度，学校の清潔などの日常点検に努め，必要に応じて**臨時検査**を実施する。

Action 27

第二種感染症①

ここに注目!

各疾患の特徴，病原体，潜伏期間，症状などについて，空欄補充問題，状況設定問題，正誤問題など様々に問われるため確実に覚えておこう。

Check! 1 麻しん（はしか）

病原体	麻しんウイルス（潜伏期間は主に8～12日，可能性期間7～21日）
感染経路	空気感染，飛沫感染，接触感染。 感染期間は発熱出現前日から解熱後3日を経過するまで。
症状・予後	〔カタル期〕 口内の頬粘膜にコプリック斑（白い斑点：粘膜しん）。眼の充血，涙，めやに，咳，鼻水，発熱，感染力がもっとも強い時期。 〔発しん期〕 いったん下がった熱が再び高熱となり，耳の後ろ～顔面～全身へ赤い発しんが広がる。 〔回 復 期〕 発しん出現後に発熱は3～4日持続。通常7～9日の経過で回復。赤い発しんが消えた後は褐色の色素沈着が残る。 ※ 近年，非典型的で軽症の経過を示す修飾麻しん症例が多くみられる。
合併症	肺炎，脳炎，中耳炎，咽頭炎（クループ），心筋炎。免疫力の低下が1か月ほど続く。肺炎，脳炎は麻しんによる二大死因。 接種歴不明の場合等，患者との接触後，72時間以内ならワクチンで発症阻止か症状軽減が期待できる。
予防法	麻しん風しん混合(MR)生ワクチンを用いる。 第1期定期接種：1歳時 第2期定期接種：小学校入学前1年間（6歳になる年度）

※ 児童生徒・教職員等に1名でも「麻しんまたは麻しんの疑い」が生じたら，すぐに対応を開始することが重要である。

※ 学校及びその設置者は，学校医等と所轄の保健所(保健センター)に迅速に連絡をとる。

※ 麻しんは20～40代の成人にも多くみられるため，職員への対策も重要である。

※ 「最後の麻しん患者と児童生徒・職員等との最終接触日から4週間新たな麻しん患者の発生が見られていないこと」の要件が満たされたとき，学校の設置者と校長は学校医・保健所等と協議の上，麻しん集団発生の終息宣言の時期を決定する。

Check! 2 風しん

病原体	風しんウイルス(潜伏期間は主に16～18日，可能性期間14～23日)
感染経路	飛沫感染，接触感染。 発しん出現前後7日ほどはウイルス排出あり。
症状・予後	発熱(軽度)と発しん。全身に出現する淡紅色の発疹は3～5日で消失して治ることが多く，色素沈着は残さない。 頸部，耳の後ろにリンパ節の腫れ，圧痛。
予防法	麻しん風しん(MR)混合生ワクチンを用いる。 第1期定期接種：1歳時 第2期定期接種：小学校入学前1年間（6歳になる年度） また，一般の予防法を励行。

※　妊娠早期の妊婦の感染で，出生児に先天性風しん症候群発症の可能性。

※　風しんにかかったことがなく2回の予防接種を受けていない教職員においてもワクチン接種が推奨される。

Check! 3 結核

病原体	結核菌(潜伏期間は2年以内特に6か月以内に多い。数十年後の発症あり)
感染経路	空気感染(飛沫核感染) 喀痰の塗抹検査で陽性の間は感染力が強い。
病状・予後	〔潜在性結核感染症〕　感染したが発病せずに無症状。要治療(進展防止)。 〔肺結核〕　初感染からの肺病変や肺門リンパ節腫脹。咳，痰，微熱，倦怠感から，発熱，寝汗，血痰，呼吸困難等へ進行。 〔肺外結核〕　結核菌が移転することで体内のあらゆる臓器に病変を形成し，その部位に応じた症状が発現する。 ＊粟粒結核：リンパ節等の病変進行で菌が血液で散布され全身に。肺では粟粒様の多数の小病変を生じる。乳幼児や免疫低下時に多くみられる重症型。発熱，咳，呼吸困難，チアノーゼ等。 ＊結核性髄膜炎：血行性に髄膜に到達し発病する重症型。高熱，頭痛，嘔吐，意識障害，痙攣等。後遺症や死亡の場合も。
予防法	BCG ワクチンを乳児期に定期接種。 (粟粒結核や結核性髄膜炎等の発症予防，重症化予防になる。)

※　結核治療では，きちんと服薬を続けることが肝要（服薬支援のための取組：DOTS)。

※　結核は，肺に病変を起こすことの多い全身の感染症。肺に小さな初感染病巣ができたことで初感染成立とされるが，発病に至らないことも多い。

※　子どもは家族内感染で初感染結核が多くみられる。

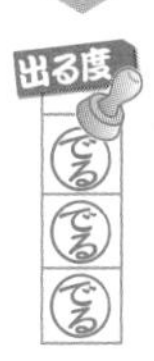

※　学校での集団感染の初発例が教職員等大人であることも多い。

Check! 4　百日咳

病原体	百日咳菌（潜伏期間は主に７～10日，可能性期間５～21日）
感染経路	飛沫感染，接触感染。 感染期間は，咳が出始めてから４週目頃まで。
症状・予後	病初期から連続して止まらない咳（夜間に強まる），発熱は少ない。 幼少ほど重症状。
予防法	乳幼児期：定期予防接種 生後２～90か月未満：百日咳ジフテリア破傷風不活化ポリオワクチン（４種混合ワクチン）を４回接種。

※　小学生以上では，咳の症状がなかなかとれない風邪かと思われることに注意。

Check! 5　流行性耳下腺炎（おたふくかぜ）

病原体	ムンプスウイルス（潜伏期間は主に16～18日，可能性期間12～25日）
感染経路	飛沫感染，接触感染。 唾液腺腫脹の１～２日前から腫脹５日後までが最も感染力が高い。
症状・予後	痛み（酸味の飲食で強まる）を伴う耳下腺の腫脹が主症状。顎下腺や舌下腺なども腫れる。 腫れのピークは２～３日，長くても10日間で消える。
予防法	ワクチンの接種。一般の予防法も励行。 （不顕性感染があり発症者の隔離だけで流行の阻止は不可。）

※　全身の感染症。春から夏にかけての発症が多くみられる。

※　無菌性髄膜炎併発の可能性。思春期以降で，精巣炎，卵巣炎が合併の可能性。

Check! 6　水痘（みずぼうそう）

病原体	水痘・帯状疱疹ウイルス（潜伏期間は主に14～16日）
感染経路	空気感染，飛沫感染，接触感染。 感染期間は，発しん出現１～２日前から全ての発しんが痂皮化するまで。

症状・予後	体と首のあたりから顔面に発しんを生じやすく，発熱することが多い。 かゆみ，疼痛の場合も。 発しんは，紅斑→丘しん→水泡→膿疱→かさぶた（痂皮）と進行。
予防法	ワクチン接種（患者との接触後 72 時間以内ならワクチンで発症阻止か症状軽減が期待できる）

※　発しんは各病期の状態が混在する感染性の強い感染症。

※　学校では発症者 1 名の時点で，速やかに発症者周辺の児童等のり患歴・予防接種歴の確認が望ましい。

Check! 7 咽頭結膜熱

病原体	アデノウイルス（潜伏期間は2～ 14 日）
感染経路	飛沫感染，接触感染。塩素消毒の不十分なプール。 ウイルス排出は初期数日が最多。便からは数か月排出が続く場合も。
症状・予後	3～7日間続く高熱(39 ～ 40℃)，咽頭痛，頭痛，食欲不振。 咽頭発赤，頚部・後頭部リンパ節の腫脹と圧痛の場合も。 結膜充血，流涙，まぶしがる，めやに，耳前リンパ節腫脹など。
予防法	ワクチンなし。 手洗い，プール前後のシャワーの励行，タオルの共有禁止など。

※　プール熱は俗称。アデノウイルスがプールの水を媒介とした感染があることから。

※　プールでのゴーグル使用は感染予防上推奨される。

Check! 8 髄膜炎菌性髄膜炎

病原体	髄膜炎菌（潜伏期間は主に4日以内，可能性期間 1 ～ 10 日）
感染経路	飛沫感染，接触感染。 有効治療開始後 24 時間経過するまでは感染源。
症状・予後	発熱，頭痛，意識障害，嘔吐。
予防法	4価髄膜炎菌ワクチン(血清型 A, C, Y, W)：平成 27 年から2歳以上で任意接種に。患者と接触がある者は，患者が診断を受けた 24 時間以内に予防投与を受けることが推奨される。

※　発症した場合は後遺症や死の危険性がある。乳幼児期，思春期に好発。

Action 28

第二種感染症②

- インフルエンザ，新型コロナウイルス感染症の基礎知識について，キーワードを覚えておこう。
- 季節性インフルエンザとは抗原性が大きく異なるインフルエンザウイルスによる感染症「新型インフルエンザ」についても確認しておこう。

Check! 1 インフルエンザ

- 特定鳥インフルエンザ及び新型インフルエンザ等感染症を除く。
- 急激に発症し，流行は爆発的で短期間内に広がる感染症。
- 毎年 12 月頃から翌年３月頃にかけて流行。
- A 型も B 型も大規模な全国流行を起こすことがある。
- 流行の期間は比較的短く，一つの地域内では発生から３週間以内がピーク，その後３～４週間で終息することが多い。
- 合併症として，肺炎，脳症，中耳炎，心筋炎，筋炎などがあり，幼児，高齢者などが重症になりやすい。

病原体	インフルエンザウイルス A(H3N2)(A 香港型)，B 型 2009 年には，A(H1N1) pdm09 による世界的流行（パンデミック）が生じた。
潜伏期間	平均２日（可能性期間１～４日）
感染経路 感染期間	飛沫感染。接触感染もある。 発熱１日前から３日目をピークに７日目頃までが感染期間。 （低年齢では長引く事例あり。）
症状・予後	悪寒，頭痛，高熱（39～40℃）で発症，もしくは頭痛と咳，鼻汁で発症の場合も。全身症状（倦怠感，頭痛，腰痛，筋肉痛など），呼吸器症状（咽頭痛，咳，鼻汁，鼻づまりなど），消化器症状（嘔吐，下痢，腹痛） 脳症を併発すると，けいれんや意識障害をおこし死に至ること，後遺症を残すことがある。異常行動，異常言動がみられることもある。
予防法	一般的な飛沫感染対策（うがい，手洗い等）に加えて，インフルエンザワクチンの接種が有効。 流行時の臨時休業は，流行の拡大予防・低下に有効。

（予防法）	流行期に発熱と呼吸器症状が生じた場合は欠席して安静と栄養をとり，症状に応じて受診。飛沫による感染防止のため外出を控え，必要に応じてマスクをする。

Check! 2 新型コロナウイルス感染症

●病原体がベータコロナウイルス属のコロナウイルス（令和２年１月に，中華人民共和国から世界保健機関に対して，人に伝染する能力を有することが新たに報告されたものに限る）であるものに限る。

● COVID-19とも呼ばれる。

病原体	新型コロナウイルス（SARS-CoV-２）
潜伏期間	２～７日（中央値は２～３日）
感染経路 感染期間	飛沫感染。接触感染。発症前から感染力あり。発症後３日間要注意，リスクは５日間あり。
症状・予後	発熱，咳，全身倦怠感などの感冒様症状，ほか頭痛，下痢，味覚異常，嗅覚異常など。無症状のままの場合もあり。 ほとんどは時間と共に改善するが，罹患後症状が残る場合もある。基礎疾患がある場合には重症化に注意。
予防法	咳エチケット，手洗い，換気。 症状がある場合は無理せず自宅休養することが重要。 ワクチン接種での発症予防・重症化予防が期待される。

〈５類感染症への移行（2023年５月）後の学校における対策の考え方〉

○家庭との連携による児童生徒の健康状態の把握，適切な換気の確保，手洗い等の手指衛生や咳エチケットの指導が引き続き重要である。

○感染状況が落ち着いている平時においては，特段の感染症対策を講じる必要はない（マスクの着用を求めない。黙食は必要ない）。

○感染が流行している場合等には場面に応じて，近距離・対面・大声での発声や会話を控える，触れ合わない程度の身体的距離を確保する，などの措置を一時的に講じることが考えられる。

○学校保健安全法に基づく出席停止の際は，児童生徒の学習に著しい遅れが生じることのないよう，必要な配慮を行うこと。

○合理的な理由により感染不安で休ませたいと相談があった者等については，校長の判断により，引き続き「非常変災等児童生徒又は保護者の責任に帰すことができない事由で欠席した場合などで，校長が出席しなくてもよいと認めた日」として扱うことが可能とされる。

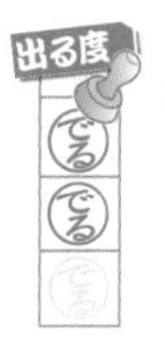

Action 29

感染性胃腸炎，食中毒

- ウイルスの潜伏期間，感染経路，症状等について把握しておこう。
- 吐物・下痢の処理など消毒・滅菌に関して頻出されている。キーワードを覚えておこう。

Check! 1 感染性胃腸炎の基礎知識

- 嘔吐と下痢が突然始まることが特徴。
- ウイルスによる腸管感染症が多い。
- ノロウイルスは秋～冬に，ロタウイルスは冬～春に多く，アデノウイルスは年間を通じて発生する。
- ロタウイルスやアデノウイルスによるものは乳幼児が多く，ノロウイルスは乳幼児から高齢者まで幅広くみられる。

病原体	主としてノロウイルス，ロタウイルス
潜伏期間	ノロウイルス：12～48時間 ロタウイルス：1～3日
感染経路	飛沫感染，接触感染，経口（糞口）感染。 ノロウイルスは貝などの食品を介する感染もある。 便中や吐物に感染源となる多くのウイルスが排出される。感染力も強い。ウイルスを含む粒子が乾燥して空気中を漂うことによる空気感染（塵埃感染）もある。感染力は急性期が最も強い。便中にはウイルスが3週間以上排出される場合もある。
症状・予後	嘔吐と下痢が主症状。ロタウイルスの場合，乳幼児は下痢便が白くなることがある。多くは2～7日で治るが，脱水，けいれん，肝機能異常，脳症などの合併で命にかかわることもある。脱水に対する予防や治療が最も大切である。
予防法・ワクチン	ロタウイルス：ワクチンがある。乳児期早期に接種する（定期接種）。 経口（糞口）感染，接触感染，飛沫感染の一般的な予防法をきちんと実行することが重要。ウイルスに汚染された水や食物や手から，もしくは飛び散って感染するため，患者と接触した場合は手洗いを励行する。

（予防法・ワクチン）	ノロウイルス：ワクチンはない。 流水での手洗いが最も重要。（速乾性すり込み式手指消毒剤やアルコール消毒では不十分） 食器などは，熱湯（1分以上）や0.05～0.1% 次亜塩素酸ナトリウムを用いて洗浄することが勧められる。食品は85℃で1分以上の加熱が有効。
登校のめやす	主に症状のある期間がウイルスの排出期間。下痢，嘔吐症状が軽減した後，全身状態の良い者は登校可能。ただし，回復後も数週にわたり便中にウイルスが排出されることがあるため，排便後の始末や手洗いを続けることが重要である。

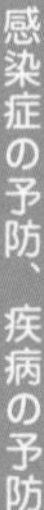

Check! 2 きちんとした手洗い

●きちんとした手洗いとは，手指の横や先端はいうまでもなく，手首の上まで，できれば肘まで石鹸を泡立てて，流水下で洗浄することをいう。

●手のひらは合わせてよく洗う，手の甲は皮膚を伸ばすように洗う，指先や爪の間・指の間を十分に洗う，親指は手のひらで掴みねじり洗いするのがポイント。洗い終わりの水道の栓は手首か肘もしくはペーパータオル使用にて止めることが望ましい。

●手を拭くのはペーパータオルが望ましい。布タオルを使用する場合は個人持ちとして共用は避ける。

●特に，尿，便，血液，めやに，傷口の浸出液に触れた場合は必ずきちんと手洗いをする。触れる可能性がわかっている場合は使い捨てのゴム手袋を着用する。

●石鹸は液体石鹸が望ましい。容器の中身を詰め替える際は残った石鹸は捨て，容器をよく洗い乾燥させてから，新たな石鹸液を詰めるようにする。

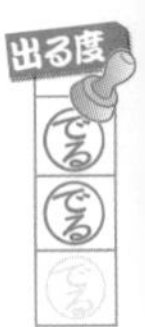

Check! 3 咳エチケット

咳やくしゃみをする場合は，ハンカチ，タオル，ティッシュ等で口を覆い，周りの人に飛沫を浴びせないようにする。ハンカチやティッシュがない場合は，手のひらではなく，肘の内側で口を覆う。

Check! 4 消毒等の処理

（1）傷口の処理

○傷口の血液，浸出液，その他の体液（排泄物も含む）との接触を避けるため，手袋を着用するのが望ましい。

○処置に使用する器具は使い回しをせず，消毒・滅菌したものを使用する。

○消毒薬は開封日や作成日を記載し長期間使用しない。処置を記録。

○Ｂ型肝炎ウイルス，Ｃ型肝炎ウイルス，ヒト免疫不全ウイルス，ヒトＴ細胞白血病ウイルス，梅毒スピロヘータ等，血液媒介感染症について把握しておく。

（2）吐物・下痢便

○近くにいる人は移動させ，換気をする。

○ゴム手袋，マスク，ビニールエプロン，できればゴーグル，靴カバーを着用。

○ペーパータオルや使い捨ての雑巾で，外側から内側に（中心部から半径2m範囲）を周囲に拡大させないようにして静かに拭きとる。

○拭き取ったものは，ビニール袋に二重に入れて密封して破棄する。

○便や吐物の付着した箇所は，0.1%(1,000ppm)次亜塩素酸ナトリウム消毒液で消毒する(ペーパータオルの使用や木の床を消毒する場合は0.2%(2,000ppm)以上濃度)。

○消毒液の噴霧は行わない（病原体が舞い上がり感染機会が増すため)。

○処理後は，石鹸，流水で必ず手を洗う。

（3）多くの人の手が触れる箇所の掃除（ドアノブ，手すり，スイッチ等)

○水拭きした後，1日1回の消毒（消毒用エタノール等）が望ましい。

○流行している感染症により，その病原体に応じた清掃を行う。
（ノロウイルス感染症発生時は，0.02%（200ppm）次亜塩素酸ナトリウム消毒液を使用。）

（4）消毒液

○次亜塩素酸ナトリウム

　強力な消毒薬。皮膚には使用できない。希釈液は可能な限りその日のうちに使用する。金属には用いない。0.1%（1,000ppm）次亜塩素酸ナトリウム消毒剤の目安は，2Lのペットボトル水1本に塩素系消毒剤40mℓとなる。

○消毒用エタノール

　消毒用エタノールは約80%に調製されており皮膚にも使用できるが，粘膜や傷口には使用できない。火気厳禁。過敏症に留意が必要である。

Check! 5 標準予防策（スタンダード・プリコーション）

●標準予防策（スタンダード・プリコーション）とは，感染性病原体が含まれていることが多い糞便・血液・体液・吐物等に接するとき，感染症予防のため素手で扱うことを避け，手袋を着用，必要に応じてマスクやゴーグルをつけ、接した後は手洗いをより丁寧に行うといった予防策をさす。

●近年，病院内に限らず，学校などにおいて感染の可能性があるものを取り扱う場合に必要な，基本的な感染予防策とみなされるようになってきている。

Check! 6 食中毒原因物質の分類

近年，ノロウイルス，アレルギー様物質による食中毒への留意がより必要となっている。

<table>
<tr><td rowspan="10">細菌性食中毒</td><td rowspan="7">感染型</td><td>サルモネラ</td><td>鶏卵，鶏肉，豚肉，野菜
ネズミの媒介等</td></tr>
<tr><td colspan="2">病原大腸菌</td></tr>
<tr><td>腸管出血性大腸菌</td><td>牛肉，水等</td></tr>
<tr><td>病原大腸菌（上記以外）</td><td>肉類，サラダ類</td></tr>
<tr><td>カンピロバクター</td><td>鶏肉</td></tr>
<tr><td>ウェルシュ菌</td><td>動物性たんぱく食品</td></tr>
<tr><td>腸炎ビブリオ</td><td>魚介類</td></tr>
<tr><td rowspan="3">毒素型</td><td>黄色ブドウ球菌</td><td>弁当，おにぎり等</td></tr>
<tr><td>セレウス菌</td><td>焼き飯，スパゲティ等</td></tr>
<tr><td>ボツリヌス菌</td><td>真空包装食品，いずし，缶詰等</td></tr>
<tr><td colspan="2">ウイルス性食中毒</td><td>ノロウイルス</td><td>二枚貝
（水，トイレのドアノブ，学校給食従事者等）</td></tr>
<tr><td colspan="2">アレルギー様食中毒</td><td>ヒスタミン</td><td>マグロ，サバ，サンマ</td></tr>
</table>

※　他に，化学物質食中毒，自然毒食中毒（事例はわずか）。

<食中毒集団発生時の学校における措置>

①学校医，教育委員会，保健所等に連絡し，患者の措置に万全を期す。

②学校医等の意見を聞き，健康診断，出席停止，臨時休業，消毒その他の事後措置の計画を立て，これに基づいて拡大防止の措置を講じる。

③関係職員の役割を明確にし，校内組織等に基づいて校内外の取り組み体制を整備する。

④保護者その他関係方面に対しては，できるだけ速やかに患者の集団発生の状況を周知させ，協力を求める。その際，プライバシーなどの人権の侵害が生じないように配慮する。

⑤児童生徒等の食生活について，十分な注意と指導を行う。

⑥食中毒等の発生原因については，関係機関の協力を求め，これを明らかにするように努め，その原因の除去・予防に努める。

※　児童生徒等の欠席率等に注意し，感染症・食中毒等の早期発見に努めることが重要である。

性感染症，HIV 感染症・エイズ

ここに注目！

性感染症の代表的な疾患，HIV 感染症・エイズについては，予防対策・指導の観点からも確認しておこう。

Check! 1 性感染症とは

- 性感染症は，性器、口腔等による性的接触を介して感染する感染症である。
- 感染しても無症状であることが多く，治療を怠りやすい特性を有する。
- ヒト免疫不全ウイルス(HIV)に感染しやすくなるなど，性感染症の疾患ごとに発生する様々な重篤な合併症をもたらす。
- 早期発見及び早期治療により治癒，重症化防止・感染拡大防止が可能な疾患であり，特に若年層における性感染症の予防には，正しい知識とそれに基づく注意深い行動が大切であり，対策・支援が必要である。
- 我が国では性器クラミジア感染症が最も多く発生している。

＜性感染症に関する特定感染症＞

性器クラミジア感染症	症状	㊛無症状が多い。おりものの増加，軽い生理痛のような痛み，不正性器出血など。進行すると，子宮内膜炎，卵管炎，骨盤内炎症性疾病。また，子宮外妊娠や不妊症の可能性。 ㊚症状は軽い。尿道のむずがゆさ，排尿時の軽い痛み。進行すると精巣上体炎。不妊症の可能性。
	病原体	クラジミア・トラコマチス。免疫はできず何度でも感染。
	潜伏期	1～4週間
	治療	抗菌薬を決められた期間きちんと服用すること。
性器ヘルペスウイルス感染症	症状	無症状が多い。性器に小さい水ぶくれやただれができ，激痛のため排尿困難や歩行困難を生じることがある。
	病原体	単純ヘルペスウイルス1型または2型。ウイルスが残り再発しやすい。
	潜伏期	3～7日
	治療	抗ウイルス剤の内服，軟膏，抗炎症剤，鎮痛剤等
淋菌感染症	症状	㊛症状に気づきにくい。緑黄色の濃いおりもの，尿道からの膿。進行すると子宮内膜炎，卵管炎，子宮外妊娠や不妊症の可能性。 ㊚尿道のかゆみや熱っぽさ，粘液や黄色の膿，排尿時の痛み。進行すると尿道狭窄，精巣上体炎。不妊症の可能性。
	病原体	淋菌。免疫はできず何度でも感染。

	潜伏期	2～7日
	治　療	抗菌薬（耐性の淋菌もあり）
尖圭コンジローマ	症　状	無自覚が多い。外陰部から肛門・膣内に小さな尖ったイボができる（できない場合もある）。
	病原体	ヒトパピローマウイルス（HPV）。免疫はできず何度でも感染。
	潜伏期	数週間～3か月
	治　療	切除，電気焼灼，液体窒素での凍結療法，CO_2レーザー蒸散。薬物塗布。
梅　毒	症　状	初期にできもの，しこり，ただれ～全身に発しん，ぶつぶつ。無症状のまま何年も経過し，後々に心臓や神経等に異常が現れることがある。
	病原体	梅毒トレポネーマ。免疫はできず何度でも感染。
	潜伏期	約1か月
	治　療	抗菌薬，注射

Check! 2 HIV感染症・エイズ（後天性免疫不全症候群）（acquired immunodeficiency syndrome：AIDS）

症　状	①急性期 ◎ HIV感染が成立した2～4週間後に発熱，咽頭痛，筋肉痛などのインフルエンザ様の症状が出現。多くの場合自然に消える。無症状の場合もある。 ②無症候期（数年～10数年） ③エイズ発症期 ◎ HIVがTリンパ球などに感染し増殖した結果，免疫力が低下。普段はかからない弱い病原体によって感染する日和見感染症（カンジタ症等）や悪性腫瘍などの病気を発症。
病原体	ヒト免疫不全ウイルス（human immunodeficiency virus：HIV）
潜伏期	数年～十数年
治　療	服薬治療でエイズの発症を抑えられる。早期診断，適切な治療が重要。

- エイズ及び性感染症に関する指導は，学習指導要領総則における「体育・健康に関する指導」の趣旨に基づき，保健・体育分野をはじめとして各教科や特別活動等の学校教育全体を通じて指導することが求められている。
- 思春期における性，ヒトの生殖や免疫力，健やかな体づくり，薬物乱用等の問題行動，社会貢献などと関連づけた指導や，人間尊重の精神に基づきいたずらな不安や差別・偏見を解消し，皆がともに生きる社会を実現するための資質・能力の育成を目指すことが考えられる。
- 疾病概念や感染経路，感染リスクの軽減方法の必要性，感染予防には性的接触をしないこと・コンドーム使用が有効であることにも触れるようにする。

その他の注意すべき感染症

各疾患の特徴，病原体，潜伏期間，症状などについて，空欄補充問題，状況設定問題，正誤問題など様々に問われるため，確実に覚えておこう。

Check! 1 重症急性呼吸器症候群

（病原体がベータコロナウイルス属SARSコロナウイルスであるものに限る）

第一種感染症

病原体	ＳＡＲＳコロナウイルス（潜伏期間は主に２～７日）
感染経路	飛沫感染，接触感染が主体。
症　状	突然のインフルエンザ様の症状（発熱，咳，息切れ，呼吸困難，下痢）で発症。

※　2002年に中国広東省で発生し，2003年７月まで世界で流行。

Check! 2 流行性角結膜炎

第三種感染症

病原体	アデノウイルス（潜伏期間は２～14日）
感染経路	接触感染。プール水，手指，タオルなどを介して感染。
症　状	結膜充血，まぶたの腫脹，異物感，流涙，めやに，耳前リンパ節腫脹等。

※　ウイルス性の角膜炎と結膜炎が合併した眼の感染症で，感染力が極めて強い。

Check! 3 急性出血性結膜炎

第三種感染症

病原体	エンテロウイルス70(EV70)，コクサッキーウイルスA24変異型(CA24v) （潜伏期間はEV70：平均24時間，CA24v：２～３日）
感染経路	接触感染。
症　状	結膜出血。結膜充血，まぶたの腫脹，異物感，流涙，めやに，角膜びらん等。

※　登校再開しても手洗いを励行。

Check! 4 マイコプラズマ感染症

（第三種として扱う場合あり）

病原体	肺炎マイコプラズマ（潜伏期間は主に２～３週間）
感染経路	飛沫感染，接触感染。

症　状	かぜ様症状がゆっくりと進行し，咳は徐々に激しくなる。

※　学童期以降の細菌性肺炎としては最多発生。

Check! 5 伝染性紅斑（りんご病）

（第三種として扱う場合あり）

病原体	ヒトパルボウイルス B19（潜伏期間は4～ 14日）
感染経路	主として飛沫感染。
症　状	かぜ様症状と，顔面の紅斑。

※　頬に蝶型の紅斑，手足にレース状の紅斑がみられる。幼児～学童に好発。

Check! 6 手足口病

（第三種として扱う場合あり）

病原体	エンテロウイルス属（潜伏期間は3～6日）
感染経路	飛沫感染，接触感染，経口(糞口)感染。
症　状	発熱，口腔・咽頭粘膜に痛みを伴う水泡。唾液増。手足末端・肘，膝，臀部等に水泡。

※　流行のピークは夏季。再感染する場合も。近年コクサッキーウイルス A6 型の手足口病の流行がみられる。

Check! 7 ヘルパンギーナ

（第三種として扱う場合あり）

病原体	主としてエンテロウイルス属のコクサッキーA群ウイルス（潜伏期間は3～6日）
感染経路	飛沫感染，接触感染，経口(糞口)感染。
症　状	突然の発熱（39℃以上），咽頭痛。咽頭内に赤い発しん→水泡→潰瘍。

※　流行のピークは7月頃。再感染する場合も。

Check! 8 溶連菌感染症

（第三種として扱う場合あり）

病原体	主に A 群溶血性レンサ球菌（潜伏期間は 2 ～ 5 日，膿痂疹（とびひ）では 7 ～ 10 日）。適切な抗菌薬療法にて 24 時間以内に感染力は消失。
感染経路	飛沫感染、接触感染。
症　状	上気道感染では発熱・咽頭痛，咽頭扁桃の腫脹や化膿，頚部リンパ節炎。

※　治療が不十分な場合：リウマチ熱や急性糸球体腎炎を併発する場合あり。

※　とびひは水疱から始まり，膿疱，痂皮へと進む。

Action 32

児童生徒等の疾病傾向と成長曲線

ここに注目!

- 主な疾病に関する傾向を掴み，対応について考えておこう。
- 成長曲線・肥満度曲線の活用方法について押さえておこう。

Check! 1 発育状態

(1) 身長平均値の年齢別推移

男子，女子共に昭和23年度以降，**伸びる**傾向にあったが，平成6年度から13年度あたりをピークに，その後おおむね**横ばい**傾向。

(2) 体重平均値の年齢別推移

男子，女子共に昭和23年度以降，**増加**傾向にあったが，平成10年度から18年度あたりをピークに，その後おおむね**横ばい**傾向。

Check! 2 疾病・異常の被患率別状況

(1) むし歯（う歯）

幼稚園は昭和45年度，小学校・中学校・高等学校では昭和50年代半ばにピークを迎え，その後は**減少**傾向。小学校·高等学校で4割以下，幼稚園·中学校では3割以下となっている。

(2) 裸眼視力

「裸眼視力1.0未満の者」の割合は，年齢が高くなるにつれておおむね増加傾向となっており，小学校で3割を超え，中学校で約6割，高等学校で約7割となっている。

●**鼻・副鼻腔**疾患の者の割合は，小学校・中学校で1割程度となっている。

Check! 3 肥満傾向児及び痩身傾向児

(1) 肥満傾向児

男子，女子共に，昭和52年度以降，出現率は増加傾向であった。平成15年度あたりからは，おおむね減少傾向に。**近年**は**増加**傾向がみられ，男女共に小学校高学年が最も多い。

(2) 痩身傾向児

痩身傾向児の割合は，男女とも10歳以降で約2～3%台となっている。

Check! 4 成長曲線と肥満度曲線

●一人ひとりの児童生徒等の特有の成長特性（発育）を評価する上で，成長曲線・肥満度曲線を積極的に活用することが重要である。

●個々の児童生徒等の成長曲線と肥満度曲線は，パーセンタイル値を用いた成長曲線基準図と肥満度曲線基準図を用いて作成する。

●成長曲線等を用いることで，肥満ややせといった栄養状態の変化や病気等の早期発見，変化が見てわかり理解が容易となる，などの利点があげられる。

（1）（身長・体重）成長曲線基準図

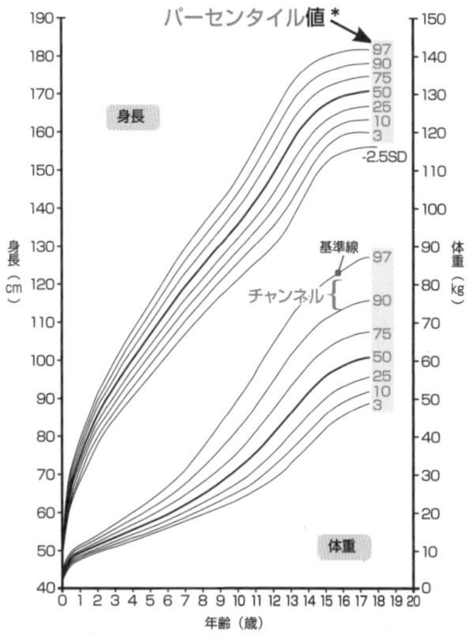

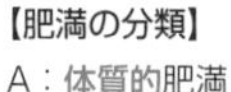

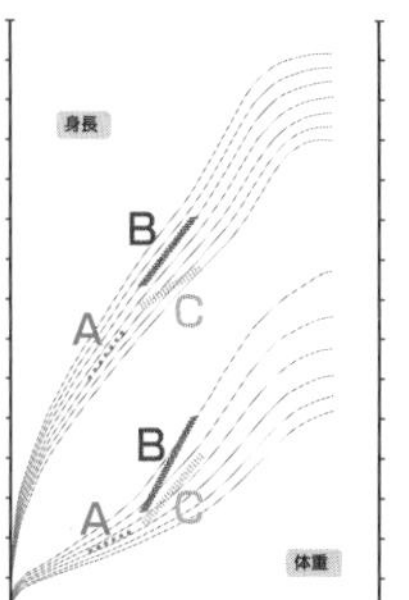

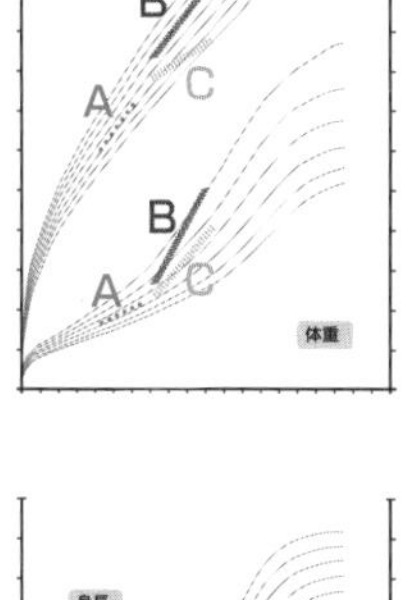

【肥満の分類】
A：体質的肥満
B：単純性肥満
C：症候性肥満

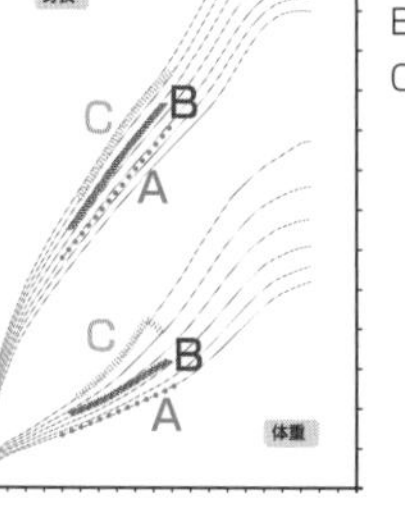

【やせの分類】
A：体質性やせ
B：病的やせ
C：病的やせ

※　身長と体重の成長が正常な場合，成長曲線基準図の基準線に沿った線を描く成長をする。
※　成長が異常であれば，基準線に対して上向きか下向き（チャンネルを横切る）の線を描く。
＊集団を100に均等分けしたとき何番目かを示す。

（2）肥満度曲線基準図

7本の基準線（x軸に平行）があり，上から50%（高度肥満），30%（中等度肥満），20%（軽度肥満），0%（適正体格），－15%（やせぎみ），－20%（やせ），－30%（高度やせ），の判定基準となっている。

Action 33

アレルギー疾患への取組

ここに注目！

- アレルギー疾患の基礎知識に関する空欄補充，説明選択などが多い。各疾患の特徴，原因，症状，予防・治療，緊急時対応を中心に，キーワードをしっかり覚えておこう。
- 緊急時の対応，学校での配慮・管理等の流れを掴んでおこう。

Check! 1 アレルギー疾患とは

- アレルギーとは，本来人間の体にとって有益な反応である免疫反応が，逆に体にとって好ましくない反応を引き起こす場合を指す。
- アレルギーの原因となる物質をアレルゲン（抗原）といい，アレルゲンに対してできる抗体をIgE（免疫グロブリン）という。それぞれのIgEは，免疫反応を起こすアレルゲンが決まっている。
- アレルギー疾患になりやすいかどうかは，IgEを多く作りやすい体質かどうか，アレルゲンの暴露の多い生活環境・生活習慣があるかどうかが関係する。
- 体質がアレルギー症状として現れるものといえるため，症状が軽快や消失をしても治ったわけではなく，よくなったと考える必要がある。適切な治療により症状をコントロールすることが重要である。

Check! 2 学校におけるアレルギー疾患対応の三つの柱

（1）アレルギー疾患の理解と正確な情報の把握・共有

「ガイドライン」特に「学校生活管理指導表（医師の診断）」の活用を徹底する。

（2）日常の取組と事故予防

学校生活管理指導表における学校生活上の留意点をふまえた日常の取組，組織対応による事故予防。

<学校生活上の留意点>　（□は注意を要する事項。他［－］以外は，時に注意を要する事項。）

学校での活動	気管支ぜん息	アトピー性皮膚炎	食物アレルギー アナフィラキシー
動物との接触をともなう	誘発原因である場合には避ける		－
ホコリ等の舞う環境での活動	避ける，マスク着用	避ける	－

長時間の屋外活動	－	紫外線対策	－
運　動（体育・部活動等）	運動誘発対策	汗対策	運動誘発対策
プール指導	運動誘発対策	塩素・紫外線対策	運動誘発対策
給　食	－	－	原因食物の除去
食物·食材を扱う授業·活動	－	－	食べる，吸い込む，触れる，に注意
宿泊をともなう校外活動	医療機関の確認 持参薬の有無や管理	持参薬の有無や管理	医療機関の確認 持参薬の有無や管理
	宿泊先の環境整備	宿泊先の環境整備	食事の配慮

（3）緊急時の対応：研修会・訓練等の実施，体制の整備。

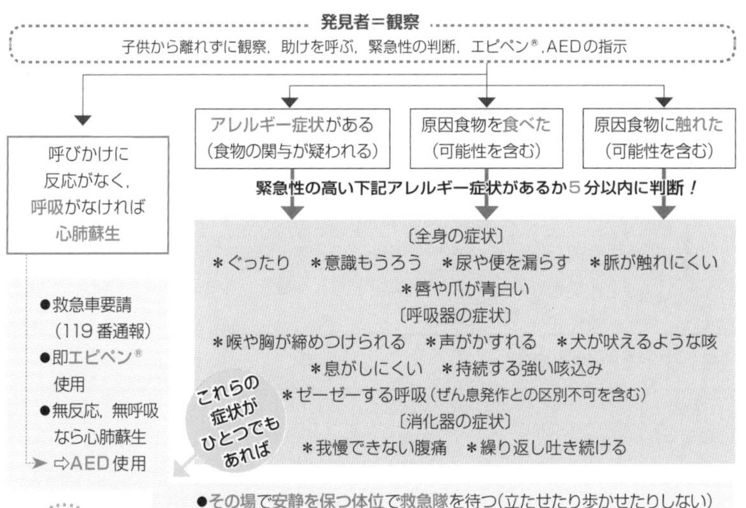

●その場で安静を保つ体位で救急隊を待つ（立たせたり歩かせたりしない）
ぐったり・意識もうろう：足側高位，吐き気・嘔吐：回復体位（側臥位），
呼吸が苦しくあお向けになれない：半座位，など

Check! 3 学校生活管理指導表（アレルギー疾患用）

学校生活管理指導表は，原則として学校における配慮や管理が必要だと思われる場合に使用されるものである。

●学校と教育委員会は，アレルギー疾患のある児童生徒を把握し，学校での取り組みを希望する保護者に対して，管理指導表の提出を求める。

●保護者は学校の求めに応じ主治医·学校医に記載してもらい，学校に提出する。

●学校は管理指導表に基づき，保護者と協議し取り組みを実施する。

Check! 4 主なアレルギー疾患

(1) 気管支ぜん息

定義	気道に慢性的な炎症が起こって敏感となり，刺激が加わることでせきやぜん鳴(「ヒューヒュー」「ゼーゼー」) を伴った呼吸困難を繰り返す疾患。
原因	ホコリ，ダニ，動物のフケや毛など。アレルギー反応が気道で慢性的に起きる。
症状	軽いせき，ぜん鳴，呼吸困難（陥没呼吸，肩呼吸など)。重篤な発作は死の可能性。
治療	◎発作を起こさないようにする予防 発作を誘発する物質を環境から減らす，長期管理薬の使用，運動療法 ◎発作時に重症にならないようにする対処や治療 安静，理学療法(腹式呼吸，排痰)，急性発作治療薬の吸入・内服 ◎重篤な場合は，救急搬送，一次救命措置

＜重症度(発作型)＞

間欠型	年に数回，季節的にせきや軽いぜん鳴が出現。呼吸困難を伴うこともあるが，急性発作治療薬で短時間のうちに症状が改善し持続しない。
軽症持続型	月に１回以上のせきや軽いぜん鳴。ときに呼吸困難を伴うが，持続は短く日常生活に支障はない。
中等症持続型	週１回以上のせきや軽いぜん鳴。ときに呼吸苦で日常生活や睡眠に影響。
重症持続型	せきやぜん鳴が毎日持続。週に１～２回，大きな発作で日常生活や睡眠が妨げられる。

(2) アトピー性皮膚炎

定義	かゆみのある湿疹が顔や関節などに多く現れ，長く続く疾患。
原因	◎生まれながらの体質。皮膚が刺激に対し過敏で，乾燥しやすい。 ◎ダニやカビ，動物の毛や食物，汗，紫外線，プールの塩素，シャンプー，洗剤，生活リズムの乱れや心理的ストレスなど様々な環境条件が重なり発症。
症状	顔，首，肘の内側，膝の裏側などによく現れ，ひどくなると全身に広がる。
治療	◎原因・悪化因子を取り除く：室内の清掃・換気，紫外線，プールの塩素対策など。 ◎スキンケア：皮膚の清潔と保湿，運動後のシャワーなど。 ◎薬物療法：外用薬(軟膏)，かゆみ止め内服薬など。

＜重症度＞

軽　症	面積にかかわらず，軽度の皮疹のみ。
中等症	強い炎症を伴う皮疹が体表面積の 10%未満。
重　症	強い炎症を伴う皮疹が体表面積の10%以上，30%未満。
最重症	強い炎症を伴う皮疹が体表面積の 30%以上。

（3）アレルギー性結膜炎

定義	眼に入った花粉などのアレルゲンに対するアレルギー反応によって起きる目のかゆみなどの症状を特徴とする疾患。
原因	◎通年性アレルギー性結膜炎：ハウスダスト，ダニ，犬や猫などのフケや毛など。 ◎季節性アレルギー性結膜炎（花粉症）：スギ，カモガヤ，ブタクサなどの花粉。 ◎春季カタル：ハウスダストや花粉など。
症状	◎眼のかゆみ，異物感，充血，なみだ眼，めやに。 ◎重症で角膜障害を伴うと眼痛，視力低下。
治療	アレルゲンの除去や回避が原則。点眼薬，薬物療法。 ◎通年性アレルゲン：部屋の清掃や換気が重要。 ◎季節性アレルゲン（花粉）：原因となる花粉の飛散時期を確認し，外出を控える，花粉防御用メガネ着用，人口涙液による洗眼，など。

<病型>

通年性アレルギー性結膜炎	1年を通して発現。ハウスダストをアレルゲンとする場合が多い。
季節性アレルギー性結膜炎（花粉症）	春先に多いスギ・ヒノキ科，春過ぎから秋に多いカモガヤ等のイネ科，秋に多いブタクサ等のキク科の花粉等がアレルゲン。地域により発現時期が異なる。
春季カタル	激しい眼のかゆみ，めやに，充血を特徴とする重症のアレルギー性結膜炎。男子に多くみられる。季節の変わり目に悪化傾向。
アトピー性角結膜炎	顔面（特に眼の周囲）のアトピー性皮膚炎に伴って起こる慢性のアレルギー性結膜炎。目をこすることで症状が悪化。
巨大乳頭結膜炎	コンタクトレンズの汚れと機械的刺激などでまぶた裏の粘膜に隆起ができ，かゆみ，異物感，めやになどの症状が生じる。

（4）アレルギー性鼻炎

定義	鼻に入ったアレルゲンに対しアレルギー反応を起こし，発作性で反復性のくしゃみ，鼻水，鼻づまりなどの症状を引き起こす疾患。
原因	◎通年性アレルギー性鼻炎：ハウスダスト，ダニ，猫や犬などのフケや毛など。 ◎季節性アレルギー性鼻炎：スギ，カモガヤ，ブタクサなどの花粉。
症状	◎発作性反復性のくしゃみ，鼻水，鼻づまり。 ◎ときに眼のかゆみ（アレルギー性結膜炎）も伴う。
治療	◎原因となるアレルゲンの除去や回避。 ◎点鼻薬，内服薬。

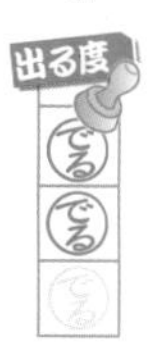

食物アレルギーとアナフィラキシー

食物アレルギーの基礎知識に関する空欄補充，記述，状況設定の出題が多い。特徴，原因，症状，予防・治療のキーワード，緊急時の対応について把握しておこう。

Check! 1 食物アレルギー

(1) 概要

定義	特定の食物を摂取することにより引き起こされるアレルギー反応のこと。皮膚や呼吸器，消化器，あるいは全身に生じる。
原因	原因食物は学童期では多岐にわたるが，学童から高校生までの新規発症では甲殻類，果物が多く，誤食による原因食物は鶏卵，牛乳，落花生，小麦，甲殻類の順に多くなっている。
症状	＊じんましんのような軽い症状からアナフィラキシーショック(P.91 Check! ②参照) のような命にかかわる重い症状まで様々である。 ＊食物アレルギーの約 10%がアナフィラキシーショックにまで進んでいる。
治療	＊原因となる食物を摂取しないことが最重要。 ＊万一症状が出現した場合には，迅速に適切な対処を行う。 ＊じんましんなどの軽い症状に対しては抗ヒスタミン薬の内服や経過観察により回復することもある。 ＊ゼーゼー，呼吸困難，嘔吐，ショックといった中等症～重症の症状には，アナフィラキシーに準じた対処が必要である。

(2) 各病型の特徴

万一の際どのような症状を起こすのか，ある程度予測ができるよう，児童生徒における3大病型について把握しておくことが必要である。

即時型	＊ほとんどはこの病型に分類される。 ＊原因となる食物を食べて2時間以内に症状が出現。じんましんのような軽い症状からアナフィラキシーショックに進行するものまで様々。

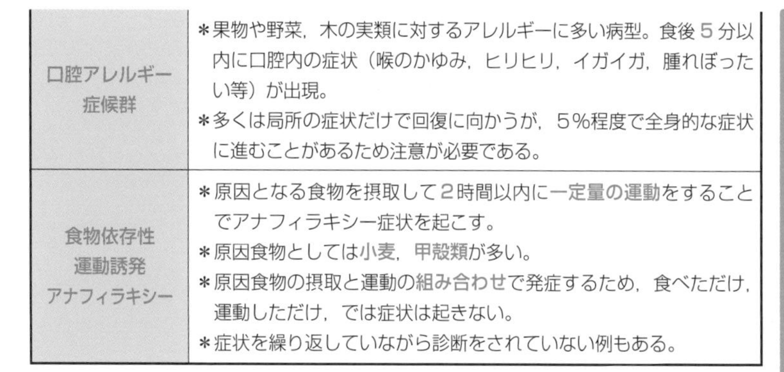

口腔アレルギー症候群	＊果物や野菜，木の実類に対するアレルギーに多い病型。食後5分以内に口腔内の症状（喉のかゆみ，ヒリヒリ，イガイガ，腫れぼったい等）が出現。 ＊多くは局所の症状だけで回復に向かうが，5％程度で全身的な症状に進むことがあるため注意が必要である。
食物依存性運動誘発アナフィラキシー	＊原因となる食物を摂取して2時間以内に一定量の運動をすることでアナフィラキシー症状を起こす。 ＊原因食物としては小麦，甲殻類が多い。 ＊原因食物の摂取と運動の組み合わせで発症するため，食べただけ，運動しただけ，では症状は起きない。 ＊症状を繰り返していながら診断をされていない例もある。

Check! 2 アナフィラキシー

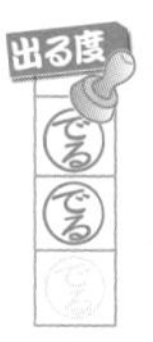

（1）概要

定義	＊アレルギー反応によって，じんましんなどの皮膚症状，腹痛や嘔吐などの消化器症状，ゼーゼー，呼吸困難などの呼吸器症状が，複数同時にかつ急激に出現した状態を指す。 ＊血圧が低下して意識の低下や脱力を起こし，直ちに対応しないと生命にかかわる重篤な状態となることを，特にアナフィラキシーショックと呼ぶ。
原因	＊児童生徒に起きるアナフィラキシーの原因のほとんどは食物。 ＊それ以外に昆虫刺傷，医薬品，ラテックス（天然ゴム）など。まれに運動だけで。 ＊アレルギー反応によらず運動や低温／高温等身体的な要因の場合もある。
症状	＊皮膚が赤くなる，息苦しい，激しい嘔吐などの症状が，複数同時にかつ急激にみられる。アナフィラキシーショック状態に注意。
治療	＊重症の場合：適切な場所に足を頭より高く上げた体位で寝かせ，嘔吐に備えて顔を横向きにする。意識状態や呼吸，心拍の状態，皮膚色の状態を確認し，必要に応じて一次救命措置を行い，医療機関への搬送を急ぐ。 ＊アドレナリン自己注射薬「エピペン®（商品名）」を携行している場合には，できるだけ早く注射することが効果的である。 ＊アナフィラキシー症状は急激に進行することが多く，最低1時間，可能であれば4時間は経過を追う必要がある。片時も目を離さず，症状の進展がなく改善している状態を確認する。

（2）各病型の特徴

食物によるアナフィラキシー	（P.90 参照）

食物依存性運動誘発アナフィラキシー	(P.91 参照)
運動誘発アナフィラキシー	*特定もしくは不特定の運動を行うことで誘発されるアナフィラキシー症状。 *食物依存性運動誘発アナフィラキシーと違って食事との関連はない。
昆虫刺傷	*蚊やハチ，ゴキブリ，ガ，チョウなどに加え，人を刺すスズメバチ科のスズメバチ亜科とアシナガバチ亜科，ミツバチ科。 *8～9月の発症が多い。校内のハチの巣の駆除はこまめに行う。
医薬品	*抗生物質や非ステロイド系の抗炎症薬，抗てんかん薬などが原因。
その他	*輪ゴム，ゴム手袋，テニスボール，ゴム風船など。 *教材に使われているラテックス（天然ゴム）の接触や粉末の吸入。

Check! 3 緊急時に備えた処方薬

（1）内服薬（抗ヒスタミン薬，ステロイド薬）

軽い皮膚症状などに使用。内服してから効果が現れるまでに時間がかかるため，アナフィラキシーショックなどの緊急を要する重篤な症状に対しては効果が期待できない。

（2）アドレナリン自己注射薬「エピペン®」

- ○アナフィラキシーを起こす危険性が高いものの，直ちに医療機関での治療が受けられない状況にいる者に対し，万一の場合に備えて事前に医師が処方する自己注射薬。
- ○医療機関外での一時的な緊急補助治療薬のため、使用した後は速やかに医療機関を受診しなければならない。
- ○アナフィラキシーショック症状が進行する前の初期症状（呼吸困難などの呼吸器の症状が出現したとき）のうちに注射するのが効果的とされる。
- ○エピペン®は児童生徒本人で携帯・管理することが基本であるが，できない状況が考えられる場合は，本人，保護者，医師等と協議し，その方法や各者の対応範囲について決定しておく必要がある。
- ○エピペン®は使用するまで携帯用ケースに収めたまま保管し，冷所や高温下などに放置しないことが求められる。
- ○エピペン®にかかわる情報については，教職員全員の共通理解が必要である。

Check! 4 アレルギー表示

名称		理由	表示の義務
特定原材料（8品目）	えび，かに，小麦，そば，卵，乳，落花生（ピーナッツ），くるみ	特に発症数，重篤度から勘案して表示する必要性の高いもの	表示義務
特定原材料に準ずるもの（20品目）	アーモンド，あわび，いか，いくら，オレンジ，カシューナッツ，キウイフルーツ，牛肉，ごま，さけ，さば，大豆，鶏肉，バナナ，豚肉，マカダミアナッツ，もも，やまいも，りんご，ゼラチン	症例数や重篤な症状を呈する者の数が継続して相当数みられるが，特定原材料に比べると少ないもの	表示を奨励（任意表示）

Check! 5 学校給食における食物アレルギーの予防

（1） 学校給食の食物アレルギー対応原則

○食物アレルギーを有する児童生徒にも，給食を提供する。そのためにも安全性を最優先とする。

○組織で対応し，学校全体で取り組む。

○「学校のアレルギー疾患に対する取り組みガイドライン」に基づき，医師の診断による「**学校生活管理指導表**」（P.86,87 参照）の提出を必須とする。

○**原因食物の完全除去対応**（提供するかしないか）を原則とする。

（2） 食物アレルギー発症及び重症化防止の対策

○児童生徒の食物アレルギーについて**正確な情報**を把握する。

○**教職員全員**が食物アレルギーについての基礎知識を充実させる。

○必要に応じて訓練を実施するなど，対応の**事前確認**をしておく。

○学校給食の提供環境（人員や施設設備）を整備する。

○新規発症の原因となりやすい**ピーナッツ**，**種実**，**木の実類**，**キウイフルーツ**などを提供する場合，危機意識の共有や体制整備を十分に行う。

（3） 養護教諭の役割

○食物アレルギーを有する児童生徒の実態把握や個別の取組プラン，緊急措置方法等（応急処置の方法や連絡先の確認等）を**立案**する。

○**個別面談**をマニュアルに定められた者と一緒に行う。

○食物アレルギーを有する児童生徒の実態を把握し、**全教職員間**で連携する。

○主治医，学校医，医療機関との連携を図り，応急処置の方法や**連絡先**を事前に確認する。

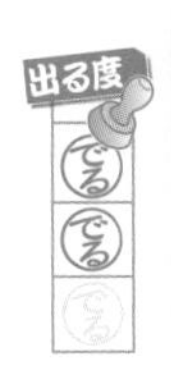

Action 35

心臓疾患

ここに注目!

- 心臓疾患の種類，基礎知識に関するキーワードを覚えておこう。
- 心臓疾患の保健管理と保健指導（学校生活管理指導表の活用）について把握しておこう。
- 慢性疾患に対し養護教諭としてどんな配慮ができるか考えてみよう。

Check! 1 心臓疾患の保健管理と保健指導

（1）管理

①突然死のリスク等，心臓疾患のある児童生徒を把握する。
②学校生活管理指導表に基づき，運動管理・生活管理を行う。
③不慮の事故や病状が悪化することのないよう，関係職員には指導区分と内容を周知させる。
④教室の位置，エレベーターや昇降機などでの移動配慮をする。
⑤緊急事態に備え，校内研修を企画し，全職員が心肺蘇生法（ＡＥＤ含む）を実施できるようにしておく。

（2）指導

①学校生活管理指導表の記載内容を児童生徒自らが理解し守ることができるよう指導・支援する。
②感染性の病気にり患し発熱すると心臓に負担がかかるため，感染を予防することの必要性を指導し，日常生活の工夫を行うことができるよう支援する。

Check! 2 突然死を起こす可能性がある疾患

先天性心疾患	◎手術した先天性心疾患（心不全や不整脈があるもの） ◎大動脈弁狭窄　◎複雑心奇形　◎アイゼンメンジャー症候群
心筋疾患	◎心筋症（肥大型，拡張型，拘束型など） ◎不整脈源性右室心筋症　◎心筋炎
冠動脈疾患	◎川崎病後冠動脈合併症（瘤，狭窄，閉塞など） ◎冠動脈低形成　◎冠動脈起始異常

不整脈	◎心室頻拍　◎洞結節機能不全症候群 ◎第３度房室ブロック，高度房室ブロック ◎ QT 延長症候群　◎カテコラミン誘発多型性心室頻拍 ◎特発性心室細動　◎ブルガダ症候群　◎一部の WPW 症候群
その他	◎肺動脈性肺高血圧（PPH）　◎マルファン症候群　◎心臓振盪

Check! 3 児童生徒の心臓疾患

心臓疾患は時に突然死に関係する。児童生徒の心臓疾患には細心の注意を払わなくてはならない。

（1）不整脈

○心臓の拍動が不規則であったり，健康な人と比較して拍動が速かったり遅かったりするもの。

○高学年になるにつれて頻度は高くなる。

○不整脈のすべてが危険なわけではない。心電図検査で不整脈の種類を明確にし，危険と思われる不整脈には十分に注意する。

（2）先天性心疾患

○出生 1,000 人に対して８～ 10 人発生する。

○代表的な疾患として，最も多くみられるのは心室中隔欠損症。他に心房中隔欠損症，動脈管開存症，ファロー四徴症などがある。

○手術後の先天性心疾患をもつ児童生徒が増えてきている。手術をしても問題が残っていることがあるため，引き続き注意が必要である。

（3）心筋疾患

○心臓の筋肉の障害によるもので，心臓の本来の機能である血液を送り出す能力が低下している疾患である。心筋症，心筋炎など。

（4）感染性心内膜炎

○敗血病の一種。先天性心疾患等に合併。歯の治療・処置前の抗生物質予防内服推奨。

（5）無害性心雑音

○児童生徒等に多くみられる。心配はなく運動もしてよい。

Action 36 腎臓疾患

ここに注目！

各腎臓疾患について特徴，症状等を中心にキーワードを覚えておこう。

Check! 1 腎臓疾患の保健管理と保健指導

（1）管理

○安静と保温を心がける。疲れたときに，安心して休養できる場所や雰囲気を確保する。

○運動制限がある場合は教室の位置や移動への配慮が必要。

○食事制限が必要な場合は，栄養士や主治医と連携して適切に行う。

○定期的な検尿など，長い観察期間を経て確定診断することもあるので，児童生徒に状況を理解させ，医師の指示に従うよう支援する。

（2）指導

○冬季は体を冷やさないように心がけることを指導する。かぜや扁桃炎は症状を悪化させることがあるので注意喚起する。

○運動制限がある場合，他の児童生徒が体を動かしている中，見学しなければならなかったり，長期の制限が必要となる場合もある。児童生徒が自分の状況を受け入れられるよう，支援・指導する。

○無自覚・無症状の児童生徒は精密検査後の医療機関からの指示が徹底しないことがあるため，次回受診も含めて注意する必要がある。

Check! 2 児童生徒の腎臓疾患

学校検尿は，腎疾患を早期に発見し，適切な治療と管理を受けさせ，重症化を予防することを目的としている。

（1）起立性蛋白尿（体位性蛋白尿）

臥床すると蛋白尿が消失し，起立時に尿蛋白が増加するのが特徴。学童期から中学生に多くみられる。自然に消失するが，念のための経過観察が望まれる。

（2）遊走腎

安静臥床時よりも立った時に腎臓が正常範囲以上に下垂する。やせ型に多くみられる。

（3）良性家族性血尿（菲薄基底膜病）

遺伝性腎炎に含まれる。血尿が持続するが腎機能の低下はみられない。

(4) 無症候性血尿症候群

血尿以外に症状がない。学校検尿で最多発見。3～12か月に1回の尿検査で経過観察。

(5) 無症候性蛋白尿

蛋白尿のみで血尿をともなわない。糸球体性腎炎など。

(6) 無症候性蛋白尿・血尿

蛋白尿に血尿をともなうもの。慢性糸球体腎炎が多い。

(7) 急性腎炎症候群

A群β溶血性連鎖球菌に感染してから1～4週間後に発症するものが多い。尿量減少，血尿（コーラ色），むくみ，血圧上昇など。子供は適切な治療により数か月以内で治癒が見込まれる。

(8) 慢性腎炎症候群

血尿，蛋白尿の持続から高血圧，むくみなどの症状へ。児童生徒等ではIgA腎症が多くみられる。昨今は予後が改善されているが，適切な治療・管理がなされない場合は慢性腎不全まで進行する恐れがある。

(9) ネフローゼ症候群

大量の蛋白尿，むくみが生ずる。児童生徒等ではステロイドホルモンが有効な微小変化群が多いが，再発を繰り返すなど治療が長期にわたる。

(10) 二次性糸球体腎炎（全身性疾患の一症状として腎炎が起きる）

児童生徒等では紫斑病性腎炎が多い。

(11) 慢性腎臓病（CKD）

検尿異常，画像異常，血液異常，病理所見など腎障害を示唆する所見と，体表面積当たり1分間60ml未満の糸球体濾過値（GFR）が、どちらかまたは両方が3か月以上持続することで診断される。

(12) 尿路感染症

病原体が腎・尿路に入ることで発症。発熱，側腹部痛，背部痛等の上部尿路（腎臓，尿管）感染症と，頻尿，排尿痛，残尿感などの下部尿路（膀胱，尿道）感染症に大別。また，基礎疾患により単純性尿路感染症と複雑性尿路感染症に分けられる。

(13) 腎不全

児童生徒等の慢性腎不全の原因は先天性腎・尿路異常，両側性の低形成・異形成腎が多い。

(14) 糖尿病 (P.98参照)

出る度

Action 37

糖尿病

ここに注目！

低血糖時の対応，１型糖尿病・２型糖尿病の保健指導について，内容をしっかり覚えておこう。

Check! 1 糖尿病とは

- インスリン（膵臓から分泌される血糖値の調節を行うホルモンの１つ）の分泌が足りなかったり作用が弱くなったりすると，血液中のブドウ糖を取り込んだり脂肪やグリコーゲンとして蓄えることができず，血糖の上昇を抑えられなくなる。
- 血糖値が高くなると，尿の量が多く頻尿となり，のどが渇く，体重が減少する，疲れやすい，だるい，などの症状が起こる。
- 糖尿病の症状がみられ，血糖値が200mg/dL以上の場合は糖尿病と診断される。症状がなく尿糖が陽性の場合は，糖負荷試験で診断する。

	１型糖尿病	２型糖尿病
体型	やせ型	太り気味
発病経過	急激	ゆっくり
糖尿病昏睡の頻度	乳幼児でしばしばみられる	まれ
家庭内の糖尿病	糖尿病者が少ない	糖尿病者が多い
考えられる原因	膵臓のインスリンを産生しているβ細胞がウイルス感染や自己免疫現象などによって破壊され，インスリン分泌能が著しく低下して起こる。	遺伝要因に加え，過食による肥満等の素因を有する児童生徒等が，運動不足，エネルギーや動物性脂肪が過剰な食事，ストレス過多の生活等を続けていると発症の可能性。
治療	インスリン注射が中心	食事療法と運動療法，経口血糖降下薬
発症年齢と頻度	10～15歳に多く，乳幼児にもみられる。	幼児ではまれ。小学生以上に比較的多い。

Check! 2 糖尿病の保健管理と保健指導

（1）管理

○糖尿病の症状や血糖値の管理については全職員で共通理解し，誰でも対応できるようにしておく。
○インスリン注射や血糖値測定，補食が行える環境を提供し，支援する。
○低血糖予防の補食用のビスケットやジュースなどを学校にも用意しておく。
○重度の低血糖の症状が出た場合に備え，主治医や保護者との連絡を密にし，校内救急体制を整備しておく。
○児童生徒自身が低血糖症状の前兆に気づくことができないうちは，遊びや勉強をしている途中で低血糖状態になることもある。日常観察を継続し，不機嫌になったり急に静かになったりあくびが多くでるようになったら，注意が必要である。

（2）指導

〔１型糖尿病〕
○食事は朝昼夕になるべく均等にとるようにする。
○低血糖の予防（血糖値測定，運動前後の補食等）に努め，他の児童生徒と同様に積極的に運動をさせる。
○１型は毎日のインスリン注射，血糖値の自己管理，食事の自己規制，運動後の低血糖に対する配慮，友人関係，将来に対する不安などがかなりの精神的負担となり，自己管理意欲が低下したり，放棄してしまうため治療が難しくなる場合がある。当該児童生徒等に対しての温かい対応や理解，適切な指導でかかわることが大切である。
○周囲の児童生徒等に対しては，注射や補食の必要性や食事制限等について理解できるように説明し，偏見をもたせないようにする。

〔２型糖尿病〕
○運動と食事療法を継続して適切に守るように指導し，体重の自己管理ができるように支援する。
○太っているなど容姿によるいじめが起こらないように指導する。

<低血糖の症状のめやすと対処例>

血糖値（mg/dL）	症　状	対処例
～60～	空腹感，悪心，あくび	薬物または砂糖
～50	無気力，だるさ，会話停滞，計算力減退	薬物または砂糖＋多糖類
～40	血圧上昇，発汗，頻脈，上腹部痛，ふるえ，顔面蒼白，紅潮	
～30	意識消失，異常行動	緊急連絡，救急車手配，口内に砂糖
～20～	けいれん，深い昏睡	

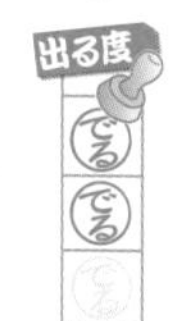

Action 38

肥満，高血圧，生活習慣病

ここに注目！

- 肥満，高血圧，生活習慣病に関する原因や特徴について，キーワードを覚えておこう。
- 影響についても理解を深め，保健指導に生かせる事項を掴んでおこう。

肥満は，高血圧，高脂血症，糖尿病，脂肪肝，運動能力の低下など体への悪影響に結びつく。高度の小児肥満は，高血圧，糖尿病，脂質異常などの生活習慣病，メタボリックシンドロームにつながる可能性が高い。約70%は成人肥満に移行すると考えられているため，子供時代からの肥満予防が大切である。

Check! 1 肥満

●肥満の種類と原因

① 単純性肥満症：学童期に見られる肥満のほとんどは単純性肥満症である。体質の遺伝と生活環境が影響するといわれている。

② 症候性肥満症：視床下部疾患，内分泌疾患，先天異常などが原因。

●体重は，体脂肪重量と除体脂肪重量に分けることができる。摂取するエネルギーが多すぎると余分なエネルギーが脂肪として身体に蓄積（体脂肪重量）され肥満といわれる状態になる。筋肉，骨格，脳，肝臓，心臓といった内臓の総量が除体脂肪重量である。

●体重は，体重成長曲線と肥満度曲線を描いて検討する必要がある(P.85参照)。また，体重は身長に対比して適正であるかを検討するが，その評価をする指標は肥満度という。

肥満度（%）＝（実測体重 － 身長別標準体重）÷ 身長別標準体重 × 100

判定			
幼児	15%以上		肥満
学童期以降	20%以上～30%未満		軽度肥満
	30%以上～50%未満		中等度肥満
	50%以上		高度肥満

BMI (Body Mass Index) …肥満度の国際的な指標

［体重 (kg)］÷［身長 $(m)^2$］（身長はm単位で）

○ BMI の肥満の判定基準は国によって異なるが，WHO の基準では 30 以上を肥満（Obese）としている。

○日本肥満学会の基準では，18.5 未満が低体重，18.5 以上 25 未満が普通体重，25 以上が肥満（肥満 1 ～肥満 4）と分類されている。

○男女とも標準とされる BMI は 22.0 とされる。

○同じ BMI でも内臓脂肪型肥満と皮下脂肪型肥満があり，前者のほうが生活習慣病発症のリスクが高い。

Check! 2 高血圧の種類と原因

（1）本態性高血圧：原因疾患が明らかでない。

（2）二次性高血圧：腎疾患，内分泌疾患，心臓血管疾患などが原因となる。

○小児の高血圧は二次性高血圧が多いといわれていたが，本態性高血圧も少なくないことが明らかになってきている。

○高血圧や肥満は動脈硬化促進の危険因子である。

○動脈硬化はすでに小児から発症するといわれている。

Check! 3 生活習慣病

（1）生活習慣病

●食習慣や運動習慣，休養などの生活習慣が，その発症と進行に関与する疾患群を生活習慣病という。

●学校においては，食事や運動などの生活習慣の把握と改善，肥満傾向の早期発見と予防に努めることが求められる。

（2）メタボリックシンドローム

●メタボリックシンドローム（メタボ）は，運動不足や肥満などが原因となる生活習慣病の前段階の状態で，内臓肥満に高血圧，脂質異常，高血糖などが合わさった状態を指す。

●小児期でも肥満度が高いと中性脂肪，血圧・血糖などの上昇，HDL コレステロール値の低下により，メタボを発症している可能性が高いとされる。

＜日本のメタボリックシンドロームの診断基準＞

▶必須項目……腹部肥満（腹囲）⇨男性：85cm 以上，女性：90cm 以上

▶上記に加え 2 項目以上該当……血圧⇨収縮期 130mmHg かつ／または 拡張期 85mmHg 以上

空腹時血糖⇨ 110mg ／ dL 以上，

高トリグリセライド血症⇨ 150mg ／ dL 以上　かつ／または　低 HDL コレステロール血症 40mg ／ dL 未満

Action 39

がん

ここに注目！

がんを取り上げた健康教育が推進されている。学校におけるがん教育実施にあたっての考え方や留意点等について確認しておこう。

Check! 1 がんとは

- がんは，1981年から日本人の死因の第1位（死因の3割）となっており，日本人の二人にひとりは一生のうちに何らかのがんにかかると推計されている。
- がんにかかる原因は，生活習慣，細菌・ウイルス感染，持って生まれた体質（遺伝素因）など様々である。これらのどれかひとつが原因となるということではなく，いくつかが重なり合ったときにその可能性が高まる。
- がんは，進行すればするほど治りにくくなる。種類によって差はあるが，多くのがんは早期発見で約9割が治るといわれているため，症状がなくても定期的にがん検診を受けることが重要である。

Check! 2 がん教育の基本的な考え方

（1）「がん対策推進基本計画（第4期）（令和5年閣議決定）」

全体目標を「誰一人取り残さないがん対策を推進し，全ての国民とがんの克服を目指す」とし，「がん予防」「がん医療」「がんとの共生」の各分野における現状・課題，それらに対する取り組むべき施策が定められた。学校教育においては，がんに対する正しい知識について，外部講師やICT活用の推進など地域の実情に応じた取組の充実と成果の普及が示された。

（2）「学校におけるがん教育の在り方について報告」（文部科学省：平成27年）より

○がん教育は，健康教育の一環として，がんについての正しい理解と，がん患者や家族などのがんと向き合う人々に対する共感的な理解を深めることを通して，自他の健康と命の大切さについて学び，共に生きる社会づくりに寄与する資質や能力の育成を図る教育である。

○がん教育は，がんをほかの疾病等と区別して特別に扱うことが目的ではなく，がんを扱うことを通じて，ほかの様々な疾病の予防や望ましい生活習慣の確立等も含めた健康教育そのものの充実を図るものでなければならない。

（3）学習指導要領解説：体育編・保健体育編の「がん」にかかわる内容より

喫煙については，せきが出たり心拍数が増えたりするなどして呼吸や心臓のはたらきに対する負担などの影響がすぐに現れること，受動喫煙により周囲の人々の健康にも影響を及ぼすことを理解できるようにする。なお，喫煙を長い間続けるとがんや心臓病などの病気にかかりやすくなるなどの影響があることについても触れるようにする。

［小学校学習指導要領／第２章／第９節 体育／第５学年及び第６学年／２ 内容／Ｇ 保健(3)(エ)の解説］

○　がんは，異常な細胞であるがん細胞が増殖する疾病であり，その要因には不適切な生活習慣をはじめ様々なものがあることを理解できるようにする。また，がんの予防には，生活習慣病の予防と同様に，適切な生活習慣を身に付けることなどが有効であることを理解できるようにする。なお，（生活習慣病の予防の内容とも関連させて，）健康診断やがん検診などで早期に異常を発見できることなどを取り上げ，疾病の回復についても触れるように配慮するものとする。

○　常習的な喫煙により，がんや心臓病など様々な疾病を起こしやすくなることを理解できるようにする。

［中学校学習指導要領／第２章／第７節 保健体育／保健分野／２ 内容／(1)ア／(ウ)，(エ)の解説］

がんについては，肺がん，大腸がん，胃がんなど様々な種類があり，生活習慣のみならず細菌やウイルスの感染などの原因もあることについて理解できるようにする。がんの回復においては，手術療法，化学療法（抗がん剤など），放射線療法などの治療法があること，患者や周囲の人々の生活の質を保つことや緩和ケアが重要であることについて適宜触れるようにする。また，生活習慣病などの予防と回復には，個人の取組とともに，健康診断やがん検診の普及，正しい情報の発信など社会的な対策が必要であることを理解できるようにする。

［高等学校学習指導要領／第２章／第６節 保健体育／第２款 各教科／第２ 保健／２ 内容／(1)ア(ウ)の解説］

Check! 3 がん教育における留意点

①学校教育活動全体での推進
②発達の段階を踏まえた指導
③外部講師の参加・協力など関係諸機関との連携
④授業を展開する上で求められる配慮
- ○小児がんの当事者，かかったことのある児童生徒等がいる場合。
- ○家族にがん患者がいる，家族をがんで亡くした児童生徒等がいる場合。
- ○生活習慣が主な原因とならないがんにかかった患者が身近にいる場合。
- ○がん以外の重病・難病等の経験や該当家族を亡くしたりした児童生徒等がいる場合。

40 むし歯（う歯・う蝕）

ここに注目！

むし歯，要観察歯などのキーワードを押さえよう。歯・口腔所見は，ネグレクトなど児童虐待の兆候のひとつとしても留意が必要である。

Check! 1 歯の萌出状態

- 歯の健全さや歯の萌出状態は，咀嚼や発音など口腔の機能に影響を及ぼす。現在歯を把握することは，「全身の発育状態」や「疾病をもつ歯が全体に占める割合」などを知る手掛かりとなる。
- 永久歯の正常な歯列形成や機能の発達には，児童期に乳歯と永久歯の交換が円滑に行われることが重要。乳歯が抜けて永久歯が生えるまでの期間は平均6か月，遅くても1年以内であるかを観察する。

Check! 2 顎関節の状態

- 顎関節部の痛みや関節雑音，開口障害などの顎運動の異常など，顎関節症状を訴える子どもが近年増えている。
- ストレス，咀嚼機能の低下，歯列不正・咬合異常などが原因といわれている。

Check! 3 歯列（歯並び）と咬合（噛み合せ）

- 歯が健全な状態でも，歯列不正・咬合異常があると咀嚼や発音（構音）などの口腔の機能が十分に営まれず，顔貌や子どもの心理状態にも影響を及ぼす。
- 爪噛み，指しゃぶりなどの習癖は，歯列不正・咬合異常の直接的な原因となる。口呼吸の誘因になる鼻咽頭疾患があるときは，改善が必要である。
- 下顎前突：下顎の前歯が上顎の前歯より前方で噛み合っており，2歯以上この状態であると下顎前突としている。「受け口」ともいう。
- 上顎前突：上顎前歯が下顎前歯に対して大きく前方に突出（7～8mm以上）。上顎前歯が前方に突き出しているため口唇を閉鎖するのが困難な場合も多い。

Check! 4 むし歯

- むし歯は細菌（歯垢），歯（溝の形，歯質），糖質の3要因と時間が関係して発生。
- 歯の表面に付着したミュータンス菌は，細菌の塊である歯垢（プラーク，バイオフィルム）を形成する。歯垢の細菌は食物として口腔内に入った糖質をエサにして酸をつくり，歯のエナメル質表面に作用して歯の成分であるカルシウムやリンを溶かす（脱灰）。これがむし歯の初期状態で，**CO（要観察歯）**の状態である。

- CO はむし歯と断定できないが，むし歯の初期病変の疑いがあり，口腔環境が改善されれば健全な状態に移行する可能性がある。個別指導や健康相談を実施したうえ，地域の歯科医療機関による継続的な管理・指導を行う。
- 口腔内環境が改善されてフッ素イオンが口腔内にあると，脱灰したカルシウムは歯の表層に沈着（**再石灰化**）するが，改善しない場合は歯の**脱灰**が進み，視診で**う窩**がみられる（C（むし歯）の状態）。
- むし歯が発生しやすいのは歯が生えた直後から約2～3年間。ブラッシング指導や砂糖の摂取抑制のための食事・間食指導，フッ素化合物配合歯磨剤の使用など保健指導が重要。
- 就学時健康診断において**処置歯**が多数歯あり，かつ **CO** が見られる場合は，入学時までにう蝕に進行する可能性が高い。
- 上記の場合「**う蝕多発傾向者**」として，保護者に保健指導と地域歯科医療機関との連携を促す旨を，担当歯科医師所見欄に記入する。
- 「う蝕多発傾向者」は，「**歯冠修復終了**歯が，乳歯 **3** 歯以上，または永久歯 **1** 歯以上で，かつ **CO** が検出された者」と定義される。

Check! 5 歯周疾患（歯周病）

- **歯周病**：歯肉，セメント質，歯槽骨および歯根膜に病変が起こる疾病の総称。
- **細菌**，**宿主**（生体），**歯垢**（プラーク）の要因と，作用する時間がかかわり発生。
- 歯周疾患，歯肉炎は**小学校高学年**から**中学生**にかけて多い。
- **GO（歯周疾患要観察者）**：歯石沈着はみられないが，歯垢の付着と軽度の歯肉炎がみられる者で，生活習慣の改善と注意深いブラッシング等によって炎症が改善されるような歯肉の状態の者。
- **G（歯周疾患要精検患者）**：歯と歯肉の間の溝が深くなると，歯垢の除去が困難となりポケットが形成。歯垢がポケットにさらに堆積し，唾液のカルシウムイオンと結合して石灰化し歯石ができる。放置すると歯周炎となり，重症では歯が抜ける。
- 近年，**糖尿病**，**肥満**，**代謝**など全身的な疾病との関係が指摘されており，**歯の形態**，**歯列不正**，**噛み合わせ**の異常などがリスクファクターとなる。
- 歯肉ポケット内の歯垢を除去する**ブラッシング**や，歯垢形成の抑制・除去のための**食生活**など，**生活習慣指導**が必要である。

水泳プールに関する疾病

ここに注目！

水泳プールに関する疾病やけがについて，基本的知識と対応を覚えておこう。

健康診断で確認された疾患は，水泳を行う前に主治医の診察を受けることが必要である。慢性疾患は，症状が軽快した場合，主治医の助言・指導のもとで水泳に参加できる(医師の診断の下で適切な運動量のチェックが必要な場合も)。

Check! 1 眼の疾病にかかわる事項

（1）プールで注意が必要な疾患

○結膜炎…細菌による急性結膜炎は抗菌剤等が効くが，ウイルス性結膜炎（予防すべき学校感染症)は対症療法となり治癒には約１～３週間かかり感染するため，治癒するまではプールは許可されない。

○咽頭結膜熱，流行性角結膜炎，急性出血性結膜炎

○アレルギー性結膜炎…ゴーグル使用で入泳可能な場合もあるため，学校医か眼科医と相談。

○紫外線角膜炎…水面は太陽光を反射しやすく，角膜障害を生じる可能性。

（2）けが，救急手当て等

○眼球打撲…接触による眼球打撲は，見た目が軽症であっても眼球・角結膜裂傷や眼窩骨折など重症な場合もあるので眼科受診をすすめること。

Check! 2 耳の疾病にかかわる事項

（1）プールで注意が必要な疾患

学校の水泳プールで注意が必要なものとしては耳垢，外耳炎，中耳炎があげられる。

（2）けが，救急手当て等

○水泳時の耳のけがの多くは不注意によるものと考えられる。

○感染症を合併すると治癒が遅れる。

○耳に水が入ったときの対処方法…耳疾患のない場合は外耳道皮膚の皮脂と体温で自然に水が出ていく。外耳炎の場合は水をはじかずに出にくいことがあるため，２～３時間出てこなければ綿棒で吸い取るようにする。

Check! 3 鼻の疾病にかかわる事項

（1）プールで注意が必要な疾患

外傷，鼻出血，圧障害，鼻炎，副鼻腔炎，アレルギー性鼻炎（花粉症），など

（2）けが，救急手当て等

○けがが軽く見えても重傷であることがあるので，放置せず医師に診せる。

○水泳中の鼻血…半座位の姿勢をとる。鼻の前からの出血は外鼻孔から脱脂綿で栓をして止血（ティッシュペーパーは不使用が望まれる）。出血がのどに流れる場合は半座位のまま顔をやや下に向け，のどに廻った血液を吐き出させ医療機関に搬送。鼻血が止まってもその後の水泳はしない。

Check! 4 皮膚の疾病にかかわる事項

（1）プールで注意が必要な疾患

○アトピー性皮膚炎，疥癬，風しん，麻しん，伝染性膿痂疹（とびひ），伝染性軟属腫（水いぼ），いぼ（尋常性疣贅），あたまじらみ，水虫，光線過敏症，など。

○湿潤（じくじく），びらん（ただれ），細かい傷がある場合や，通常の皮膚でも水にふやけて角質が柔らかくなったり皮脂（油分）が少なくなり防御機能が低くなることで感染症にかかりやすくなる。

○水や消毒剤から受ける刺激についてや，タオルの貸し借り禁止，ビート板を乾燥させることなどに留意することが大切である。

（2）けが，救急手当て等

○光線過敏や日焼けしやすい児童生徒には，日焼け止めクリームの使用やラッシュガード着用などの工夫が必要である。

Check! 5 その他の疾病にかかわる事項

- 心臓疾患，腎臓疾患，気管支ぜんそく…学校生活管理指導表などを参考に，学校医や主治医とよく相談した上で症状に応じた運動量などについて考慮する。
- 熱中症…プール見学者への対策が重要。テントを張る，水分補給，帽子等の許可。
- 筋肉けいれん…水泳中の筋肉けいれん（筋肉のつり）は溺水の原因ともなる。直ちに水から引き上げて水を飲んでいないか確認，マッサージしながらつった筋肉を伸ばすように引っ張る。水泳前の十分なストレッチングが大切。
- 低体温症…全身の震え，唇が紫色に，意識もうろうを経て死亡することも。症状がみられたら，体を毛布でくるんで温め意識があれば温かい飲み物を飲ませる。お湯につけて温めるときは，まずは体の中心から。
- 月経困難症，ウイルス性肝炎，寄生虫卵検査陽性，など

その他の注意すべき疾病・障害

- 各疾病・障害の特徴，症状，対応の基本的事項について，それぞれキーワードを覚えておこう。
- 状況設定問題で，養護教諭としてどのように対応するか問う出題が想定される。対応できるよう考えをまとめておこう。

Check! 1 主な精神疾患

（1）統合失調症

基本概念	＊青年期によく発する代表的な精神病。 ＊幻覚や妄想が主な症状。
症　状	＊幻覚（幻聴，幻視，幻嗅，幻味，幻触） ＊妄想（被害妄想，誇大妄想），特に自我障害。 ＊外界変容感や，必要以上に自分と悪く関連づける被害関係念慮。 ＊多くのケースが不眠傾向。 ＊初期症状として口数が減る・成績が下がるなどが生じる場合や，急激に支離滅裂となり急性錯乱状態になることや，徐々に不活発になりひとり言・ひとり笑いが出現，部屋に閉じこもる，など様々なケースがみられる。
治療方針	＊早期発見，早期治療が最も重要。抗精神病薬など。 ＊完治せずとも治療を受けながら復学できる場合もあるが，治療改善後も再発・悪化の可能性はあるため，復学に当たっては長期にわたる支援計画と継続的配慮が必要である。

（2）うつ病，双極性障害（躁うつ病）

基本概念	＊うつ状態だけが現れるのが「うつ病」（単極性うつ病），うつ状態と躁状態の両方が現れるのが「双極性障害」（躁うつ病）である。 ＊双極性障害は，強い躁状態と軽度のうつ状態を繰り返す双極１型と，軽度の躁状態と強いうつ状態を繰り返す双極２型がある。 ＊心の働きのうち「気分」「認知（思考を含む）」「意欲」の３領域に症状が発現。 ＊睡眠障害をともなう。 ＊元気がない＝うつ病とはならないことに注意。 ＊高校生になると，ほぼ成人同様のメンタルヘルスの問題がみられる。特にうつ病，双極性障害，統合失調症の頻度は中学校までと比べ高くなる。

	*子供と大人では症状の現れ方が異なりやすい点に注意が必要である。
症　状	***うつ病**：憂うつな気分，自殺願望，不眠・早朝覚醒，体重減少，集中力・思考力低下，自責的で悲観的な考え，自信喪失，意欲の減退，疲れやすさ，など。子供の場合は落ち込みの代わりにイライラ・焦燥感であることも。また，症状とともに，活動量の低下や引きこもりが見られやすい。 ***双極性障害**：うつ状態でのうつ病症状（睡眠障害では過眠），躁状態での何でもできそうな感覚，疲れを感じない，などが交互に現れる。子供の場合は爽快感ではなくイライラや怒りっぽさ，問題行動の誘発。躁・うつが１日の中で交代する急速交代型，躁・うつ入り混じった混合状態も。躁と混合状態では幻聴，妄想，手首自傷，多量服薬，激情発作が現れやすい。
治療方針	*健康観察などによる早期発見が重要。 *専門医受診による正確な診断が必要（うつ病と双極性障害（双極２型：軽度躁と強いうつ）の治療法は異なるため誤ると症状が悪化する危険性）。

（3）強迫性障害（OCD）

基本概念	*強迫観念または強迫行為があり生活に支障が生じる。 *ある出来事が発症の引き金になることはあっても根本的原因ではない。障害にみられる強いこだわりは，単なる神経質や性格，習慣の問題ではない。 *子供は症状に苦痛や抵抗を感じずに，自らつらいと訴えない場合がある。
症　状	*強迫観念：考えたくないのに繰り返し頭に心配事などが浮かぶ症状。不潔恐怖，物を捨てられない，など。 *強迫行為：やめたいと思いながらも行動を繰り返す症状。長時間手を洗う，戸締まりを必要以上に確認する，など。 *強迫観念と強迫行為の悪循環による習慣化により，子供の場合は家族を巻き込んでいくケースが多い。
治療方針	*児童精神科の早期受診。抗うつ剤，曝露反応妨害法（行動療法），環境調整。 *自信と治療への動機づけを高める支援。

（4）摂食障害

基本概念	*思春期やせ症（神経性食欲不振症），過食症（神経性過食症），分類不能の摂食障害に分けられる。 *低年齢化，男子発症もあるが，思春期女子に増加傾向。
症　状	***思春期やせ症**：体重減少（標準体重の85％以下），体重が増えることや肥満への恐怖，体型への過剰なこだわり，自分がやせていることの否認，女子の場合は無月経，嘔吐，下剤使用，夜中の発作的な過食など。 ***過食症**：過食が止められない，体型を強く気にする，体重増加を防ぐ自己誘発嘔吐（吐きダコができやすい）や下剤使用。

治療方針	*放置すると症状が悪化する場合が多いため，早期発見し専門医を受診。 *体重減少が著しいときは生命の危険，ときに自殺の危険性。 *行動療法＋精神療法。治療指標として体重と体型の数値化，内科的検査。 *特に母親の対応方針が大きく影響することもあるため，必要に応じて相談・助言などを行う体制が必要。 *養護教諭をはじめ担当者を固定した定期的な面接。

Check! 2 てんかん

基本概念	*大脳の異常な神経活動によるもの（心理的要因ではない）。 *原因として特発性と症候性（原因となる脳障害が分かっているもの）がある。 *発作の反復にともない，体調，学習，心理面，社会生活などにも障害が現れやすいことに十分配慮することが重要である。
症　状	*繰り返すてんかん発作。 *単純部分発作：運動症状，自律神経症状，感覚症状，認知症状等が出現。 *複雑部分発作：意識が途絶えた状態で手や足を自動的に動かす，意味不明な動作をする。 *倒れて全身けいれん。 *欠神発作（短い意識消失），ミオクロニー発作（筋肉が一瞬ピクッと縮む）。
治療方針	*病型により治療法が異なる。脳波，脳画像検査や発作時の情報把握が重要。 *抗てんかん薬の投与。場合により専門病院での外科治療。 *発作の誘発要因の回避。

Check! 3 心身症，その他

（1）心身症

基本概念	*本来は内科・小児科疾患の症状であるが，発病のきっかけや症状の改善，悪化の誘因に心理的なことや社会環境要因がかかわっているもの。 *うつ病などの精神疾患にともなう身体症状は含めない。
症状	*過敏性腸症候群，過換気症候群，夜尿症，起立性調節障害，消化性潰瘍，円形脱毛症などがしばしば心身症として起こる。 *子どもの場合，頭痛，胸痛，腹痛，下痢，嘔吐のように単一の症状だけが現れたり，臓器系列の一貫性のない症状の組み合わせがみられる場合もある。
治療方針	*子供の心身症頻度は増加傾向。訴えを真剣に受け止める。心理的要因が疑われても身体疾患の検査をしておくことが大切である。 *生活上の具体的な対処法や工夫による支援。場合により対症的な薬物治療。

(2) 起立性調節障害(OD)

基本概念	＊思春期に好発する自律神経機能不全のひとつ。
症　状	＊立ちくらみ失神，朝起き不良，倦怠感，動悸，頭痛など。 ＊近年，重症ODでは自律神経による循環調節(特に下半身・脳への血流低下)が障害されることで日常生活が著しく損なわれ，長期不登校や引きこもりをまねいて，学校生活やその後の社会復帰に大きな支障となることがわかってきた。
治療方針	＊発症早期からの重症度に応じた適切な治療。 ＊家庭生活や学校生活における環境調整。

(3) 選択性緘黙(かんもく)

基本概念	＊単なる人見知りや恥ずかしがりではなく，**言葉を話す機能**に障害がないのに，**特定の場面**や**決まった人物**に対して話ができない状態を指す。 ＊介入が遅れがちで**不登校**の長期化を招きやすい。 ＊抑制的な気質要因や発達障害と関連した不適応との見解もあり。
症　状	＊多くは家庭内では普通でも家から一歩出た途端に話さなくなる。 ＊腹痛・吐き気・嘔吐・下痢・頭痛など，不安の強さを示唆する身体症状を示すことがある。
治療方針	＊早期の児童精神科医の診察。薬物治療＋心理療法(遊戯療法など)。 ＊**不安**や**緊張**を和らげる配慮，本人の状態に応じた無理のない対応。

(4) 自殺・自殺企図，自傷行為

基本概念	＊**自殺・自殺企図**：小学校低学年までは，生命の危険や死に対する認識の不足，嫌なことが起こり助けを求められなかった場合などに，**一時的に苦痛から逃れる**ために行うことも。高学年以降は，孤立・疎外，いじめ，虐待などのきっかけや，精神疾患，PTSDや広汎性発達障害の影響，など。高校生になると将来展望等の精神状態，精神疾患発症が加わる。 ＊**自傷行為**：手首自傷(**リストカット**)，多量服薬，タバコによる皮膚焼き入れ(熱傷)などがある。小学校高学年から年齢とともに増加し，自殺企図とは限らない。高校生以降は**明確な自殺企図**を目的とするものが多い。手首自傷の場合，人間関係をはじめとするストレスやイライラ，空虚感，混乱感情の解消が目的とされていることが多い。自分に関心を向ける意図が感じられるケースも。精神疾患，広汎性発達障害の関与がある場合も。
留意事項	＊アニメやニュースなどメディアからの自殺手段などに関する**情報**には注意が必要である。

チェックテスト

Q1 空欄〔　　　〕に該当する正しい語句を答えよ。

疾病名	出席停止の期間と基準等
インフルエンザ	発症した後〔　①　〕日を経過し，かつ，〔　②　〕した後〔　③　〕日（幼児にあっては，3日）を経過するまで。
百日咳	〔　④　〕が消失するまで又は〔　⑤　〕日間の適正な〔　⑥　〕による治療が終了するまで。
麻しん	解熱した後〔　⑦　〕日を経過するまで。
風しん	〔　⑧　〕が消失するまで。
流行性耳下腺炎	耳下腺，〔　⑨　〕又は舌下腺の腫張が発現した後〔　⑩　〕日を経過し，かつ，全身状態が良好になるまで。

→67ページ

Q2 以下について，当てはまる語句を答えよ。

①麻しんにり患したときに頬粘膜に現れる白い斑点の名称を答えよ。

→70ページ

②アレルギー反応により，じんましんなどの皮膚症状，腹痛や嘔吐などの消化器症状，呼吸困難などの呼吸器症状が，複数同時にかつ急激に出現した状態を何というか。 →91ページ

③②を起こす危険性が高く，直ちに医療機関での治療が受けられない状況下にいる者に対し，医師が万一の場合に備えて事前に処方する補助治療剤を答えよ。 →92ページ

④先天性心疾患のなかで，もっとも多い疾患の名称を答えよ。 →95ページ

⑤うつ病や双極性障害で症状が発現する心の働きの3領域は，「気分」「意欲」とあとひとつは何か。 →108ページ

⑥本来は内科・小児科疾患の症状であるが，発病のきっかけや症状の改善，悪化の誘因に，心理的なことや社会環境要因がかかわっておこる病態を何というか。 →110ページ

解答

Q1 ①5　②解熱　③2　④特有の咳　⑤5　⑥抗菌性物質製剤　⑦3　⑧発しん　⑨顎下腺　⑩5　　Q2 ①コプリック斑（粘膜しん）　②アナフィラキシー　③アドレナリン自己注射薬（エピペン®）　④心室中隔欠損症　⑤認知(思考を含む)　⑥心身症

第5章
救急処置と
基礎看護

救急体制の整備と救急車の要請基準

ここに注目！

緊急連絡体制の図で全体的な流れを把握し，キーワードを覚えておこう。

Check! 1 学校内における救急処置の意義

学校保健安全法 第7条
学校には，健康診断，健康相談，保健指導，救急処置その他の保健に関する措置を行うため，保健室を設けるものとする。

（1）学校における救急処置の医学的意義
突発的な傷病の発生に対して適切な処置を行うことにより，
○児童生徒の生命を守る。
○傷病の悪化の防止や二次災害の防止（クライシス・マネジメント）。
○心身の安全・安心を確保し円滑な教育活動が行えるようにする。

（2）学校における救急処置の教育的意義
○救急処置に伴って，児童生徒の発達段階に即した保健指導を行う。
○心身の健康問題の解決に向けて，理解と関心を深める。
○自ら積極的に解決していこうとする自主的，実践的な態度を育成する。

Check! 2 学校内における救急体制の確立

（1）救急処置計画の作成
○計画内容：救急処置に対する連絡体制，養護教諭不在時の対応，役割分担，記録，応急手当て研修の実施など。
○一般教員用応急手当基準の作成
＊傷病者の症状を見て適切な処置を判断できる基準を作成。
＊学校の実態に即した処置基準を作成して教職員に共通理解を図り，その基準を保健室や職員室等に掲示。
○校内緊急連絡体制図を作成し，職員室，保健室等に掲示
傷病者に「だれが」「どこで」「どんな方法で」「どのような内容について」連絡するか，役割分担を決める。

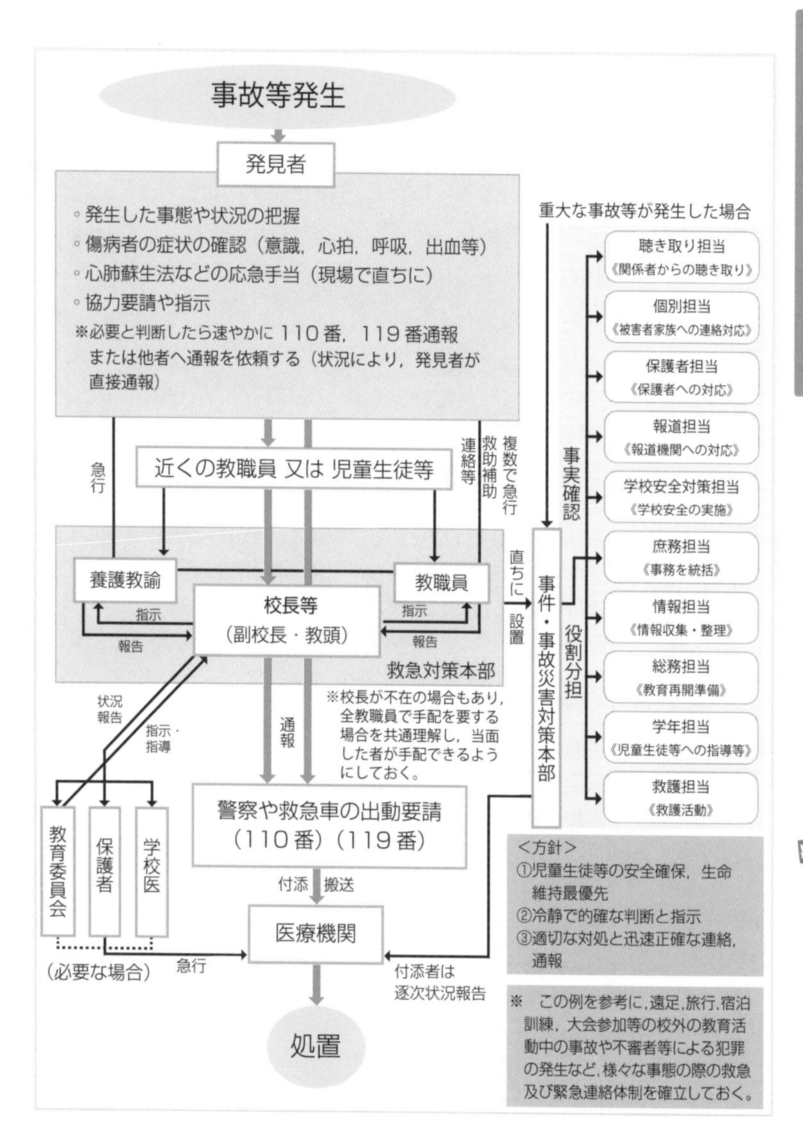
事故等発生
発見者
◦発生した事態や状況の把握
◦傷病者の症状の確認（意識，心拍，呼吸，出血等）
◦心肺蘇生法などの応急手当（現場で直ちに）
◦協力要請や指示
※必要と判断したら速やかに110番，119番通報
または他者へ通報を依頼する（状況により，発見者が
直接通報）
急行
近くの教職員 又は 児童生徒等
連絡等
複数で急行
救助補助
養護教諭
教職員
校長等
（副校長・教頭）
指示
報告
指示
報告
救急対策本部
直ちに設置
重大な事故等が発生した場合
事件・事故災害対策本部
事実確認
役割分担
聴き取り担当
《関係者からの聴き取り》
個別担当
《被害者家族への連絡対応》
保護者担当
《保護者への対応》
報道担当
《報道機関への対応》
学校安全対策担当
《学校安全の実施》
庶務担当
《事務を統括》
情報担当
《情報収集・整理》
総務担当
《教育再開準備》
学年担当
《児童生徒等への指導等》
救護担当
《救護活動》
状況報告
指示・指導
通報
※校長が不在の場合もあり，
全教職員で手配を要する
場合を共通理解し，当面
した者が手配できるよう
にしておく。
教育委員会
保護者
学校医
警察や救急車の出動要請
（110番）（119番）
付添
搬送
医療機関
（必要な場合）
急行
付添者は
逐次状況報告
処置
<方針>
①児童生徒等の安全確保，生命維持最優先
②冷静で的確な判断と指示
③適切な対処と迅速正確な連絡，通報
※ この例を参考に，遠足，旅行，宿泊訓練，大会参加等の校外の教育活動中の事故や不審者等による犯罪の発生など，様々な事態の際の救急及び緊急連絡体制を確立しておく。

出る度

(2) 保健室の救急体制

① 校内緊急連絡体制図・学校医等緊急連絡時に依頼できる医師の連絡先等の掲示(保健室及び職員室等に掲示)
② 救急材料,緊急持ち出し用救急鞄(袋)の整備
③ 担架の位置の明示
④ 緊急連絡カードなど,持ち出ししやすい場所に用意

> 緊急連絡カードの内容例:子どもの氏名,性別,生年月日,保護者名,住所,緊急連絡先,かかりつけの医院・病院,保健調査内容(既往歴,予防接種歴,アレルギー疾患の有無等),など

⑤ 設備,備品,衛生材料等の整備
⑥ 養護教諭不在時でも適切に対応できる体制の整備

(3) 対応における留意点

○教職員が応急手当の技術を習得できるよう研修の機会を設ける。心肺蘇生法,AED(自動体外式除細動器)は誰でもできるようにする。
○保健学習や保健指導を通して児童生徒も簡単な応急手当ができるようにする。
○緊急時の対応を訓練などを通して教職員・児童生徒・保護者等へ周知させる。
○事故を繰り返さないよう,過去の教訓を生かす。
○先入観による重大な見落としがないよう,基本を踏まえて対応に当たる。

Check! 3 教職員の指導監督責任

●事故発生時の教職員の指導監督責任(国家賠償法第1条より)
○児童生徒が学校管理下にある間,担当教員は児童生徒の安全に対して配慮し,事故を防止する注意義務(法的義務)があること。
○教職員が故意または過失により児童生徒に損害を加えたときは,国または公共団体が損害を賠償しなければならないこと。

●安全配慮義務:学校側が責任を負う法的義務。

Check! 4 学校管理下における事故発生時の対応

(1) 第一発見者が行うこと

①現場を離れない
②大声をあげて応援を呼ぶ
③連絡を依頼する
④患者の症状を確認し救急処置を行う

(2) 救急処置の対応の基本

①患者の安静を図り，不安と苦痛を和らげ，症状の悪化を防ぐための適切な救急処置を行う。
②健康観察や問診などによりけがの症状等を手早く正確に把握する。
③「人命尊重」，「生命の安全」を最優先し，一刻を争う手当を優先する。
④医師の診断を阻害する処置は避ける。
⑤地域の医療機関等との連携を日ごろから密にとっておく。
⑥事故発生状況や処置，対応等について，時間的経過に沿って記録はできるだけ詳細に行う。

（3）事後措置

①管理職，担任等の関係者への連絡・報告は速やかに行う。
②保護者への対応は誠意ある態度で臨む。事実関係を確認し正確な説明を行う。
③重大な事故が発生した場合は，該当市町村教育委員会へ，速やかに報告する。その場合，学校は事故対策本部を設置し，報道等への対応は管理職とし，窓口・情報の一本化を図る。
④共済給付の手続きは速やかに行う。
⑤加害者がいる場合，その児童生徒への心のケアも必要である。
⑥事故の教訓を学校全体の安全管理，安全指導に生かす。
⑦自校の事例を分析検討して今後に生かし，再発を防止する。

（4）救急車の要請基準

①救急車の要請の目安
意識喪失，ショック症状，けいれん，激痛，多量出血，骨の変形，大きな開放創，広範囲の熱傷，など
②救急車が到着するまでに行うこと
○到着予定時刻，学校で行うべき処置などを聞く。
○救急車に連絡した電話は開けておく。
○病院に行く準備。
（保護者に連絡，希望病院を聞く，緊急連絡カードの持参，等）。
○救急車を校門まで出迎えて誘導する。
③救急車が到着したら
○患者の容態，行った処置を伝える。
○希望する病院があれば伝える。

※　救急車には事故等の状況をよく把握している者が同乗する（2人同乗が望ましい）。

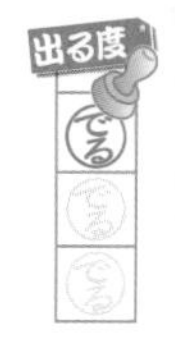

Action 44

救急蘇生法と心肺蘇生法

ここに注目!

救命の連鎖，救急蘇生ガイドライン（一次救命処置の図）の空欄補充，一次救命処置・AEDにかかわる問題の出題がみられる。ガイドラインを確認し，要点を押さえておこう。

Check! 1 救命の連鎖

心停止や窒息という生命の危機的状況に陥った傷病者や，これらが切迫している傷病者を救命し，社会復帰に導くためには「救命の連鎖」が必要である。

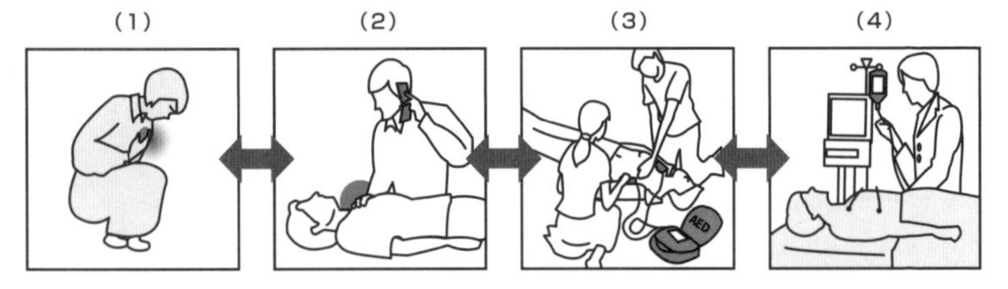

（1）心停止の予防

心停止や呼吸停止となる可能性のある傷病を未然に防ぐこと。

（2）早期認識と通報

突然倒れた人や，反応のない人を見たら，ただちに心停止を疑う。心停止の可能性を認識したら，応援を呼び，救急通報を行う。

（3）一次救命処置（心肺蘇生とAED）

一次救命処置（basic life support：BLS）は，呼吸と循環をサポートする一連の処置。BLSには，胸骨圧迫と人工呼吸による心肺蘇生（cardio-pulmonary resuscitation：CPR）とAEDの使用が含まれる。

（4）二次救命処置と集中治療

二次救命処置（advanced life support：ALS）は，BLSのみで心拍が再開しない患者に対して，薬物や医療機器を用いて行うもの。心拍再開後は，必要に応じて専門の医療機関で集中治療を行う。

Check! 2 市民が行う一次救命処置（BLS）の手順

■ 市民用 BLS アルゴリズム
［『JRC 蘇生ガイドライン 2020』一般社団法人日本蘇生協議会監修，p.20，2021 年，医学書院］

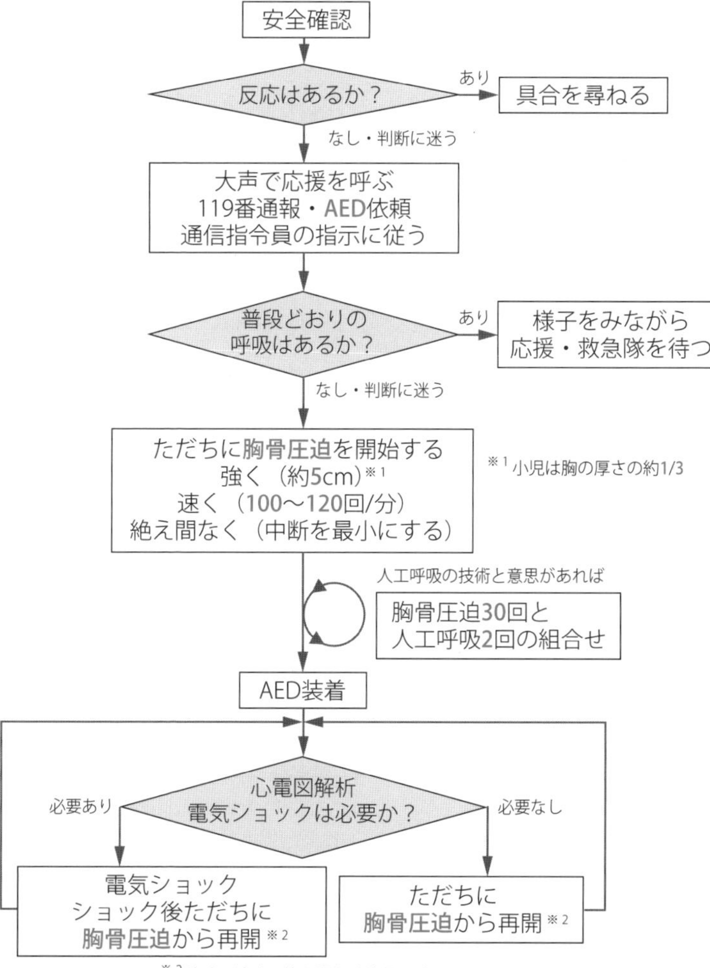

出る度 でる でる でる

＊感染症の流行期においては，傷病者の顔にあまり近づきすぎないようにする，圧迫開始前にはマスク・ハンカチ・衣服等で傷病者の鼻と口を覆う，成人には人工呼吸を実施しない，といったことが考えられる。また，救命処置終了後の石鹸使用によるすみやかな手洗い・洗顔，マスクの装着等に留意が必要である。

Check! 3 心肺蘇生（CPR）の手順

（1）反応の確認

○傷病者の肩を軽くたたきながら大声で呼びかける。何らかの応答やしぐさがなければ「反応なし」とみなす。判断に迷う，わからない場合も心停止の可能性を考えて行動する。

（2）救急通報

○その場で大声で叫び，周囲に注意喚起，応援を呼ぶ。
○周囲の者に救急通報（119 番通報）と AED の手配を依頼する。
○周囲に人がいなければ，自分で 119 番通報を行い，近くに AED があることがわかっていれば持ってくる。
○反応の有無を迷った場合も 119 番通報し，通信指令員の指導に従う。

（3）呼吸の確認（10 秒以内）と，心停止の判断

呼吸の状態	実行すること
◎胸と腹部の動きがない　→「呼吸なし」と判断。 ◎死戦期呼吸（しゃくりあげるような不規則な呼吸） ◎呼吸の判断に迷う・わからない場合。	心停止とみなし， ただちに胸骨圧迫を開始する。
反応はないが普段どおりの呼吸がある。	呼吸状態の継続観察をしながら救助隊を待つ。呼吸が認められなくなったり普段どおりでない呼吸に変化した場合は，ただちに胸骨圧迫を開始する。

（4）胸骨圧迫

①傷病者を仰臥位に寝かせ，救助者は傷病者の胸の横にひざまずく。
②胸骨（胸の左右の真ん中にある縦長の平らな骨）の下半分に一方の手のひらの付け根（手掌基部）を当て，その手の上にもう一方の手を重ねて置く。
③垂直に体重が加わるよう両肘をまっすぐに伸ばし，圧迫部位（自分の手のひら）の真上に肩がくるような姿勢をとる。
④傷病者の胸が約 5 cm（6 cm を超えない）沈み込むように，強く，速く絶え間なく，圧迫を繰り返す。手のひらの付け根だけに力が加わるように

する。中断は最小にする。圧迫のテンポは1分間に100～120回。
⑤小児では両手または片手で，胸の厚さの1/3沈み込む程度の圧迫。

（5）胸骨圧迫と人工呼吸

○訓練を受けていない救助者や，訓練を受けたことがあっても気道確保と人工呼吸の技術または意思がない場合は，胸骨圧迫のみを行う。
○救助者が人工呼吸の訓練を受けており，それを行う技術と意思がある場合は，胸骨圧迫と人工呼吸を30：2の比で行う。

気道確保 ↓	●**頭部後屈あご先挙上法**：傷病者の喉の奥を広げ，空気の通り道を確保。 ①片手で傷病者の額を押さえ，もう一方の手の指先を傷病者のあごの先端，骨のある硬い部分に当てて押し上げる。 ②傷病者の顔がのけぞるような姿勢（頭部後屈）になり，あご先が持ち上がる（あご先挙上）。
人工呼吸	●**口対口人工呼吸** ①頭部後屈あご先挙上法で気道を確保したまま，口を大きく開いて傷病者の口を覆って密着させ，息を吹き込む。このとき，吹き込んだ息が傷病者の鼻から漏れ出さないように，額を押さえているほうの手の親指と人差し指で傷病者の鼻をつまむ。 ②傷病者の胸が上がるのが見てわかる程度の量を約1秒間かけて吹き込む。 ③吹き込んだらいったん口を離してから，もう一度息を吹き込む。 ④息を吹き込むにつれて傷病者の胸が持ち上がるのを確認。 ◎うまく胸が上がらない場合でも，吹き込みは2回まで。 ◎吹き込みを行う間の胸骨圧迫の中断は10秒未満。 ※　感染防護具…口対口人工呼吸による感染の危険性は極めて低いが，可能であれば感染防護具を使用する。傷病者に危険な感染症があることが判明している場合や，血液等による汚染がある場合は，感染防護具を使用すべきである。

■ 胸骨圧迫をする場所

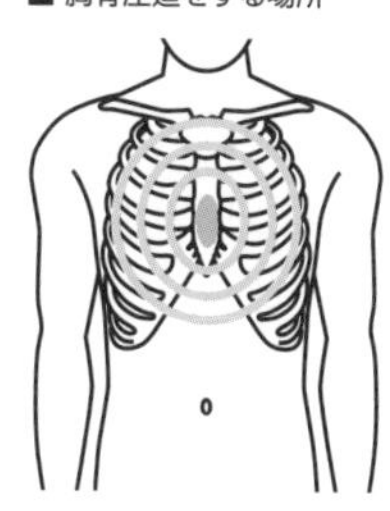

■ 頭部後屈あご先挙上法による気道確保

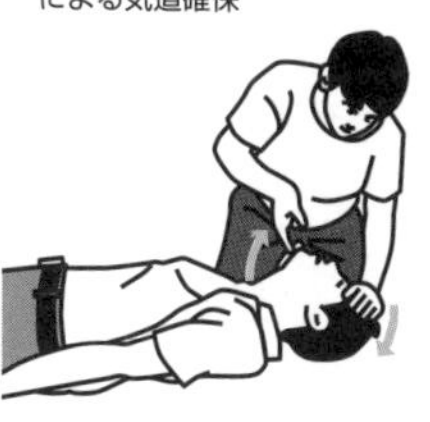

■ 口対口人工呼吸の②

Check! 4 AED 使用の手順

心肺蘇生を行っている途中でAEDが届いたら，すぐにAEDを使う準備に移る。

（1）電源を入れる（ふたを開けると自動的に電源が入るタイプもある）

（2）電極パッドの貼り付け

パッドを貼る位置は，胸の右上（鎖骨の下で胸骨の右）と，胸の左下側（脇の下5～8cm 下，乳頭の斜め下）

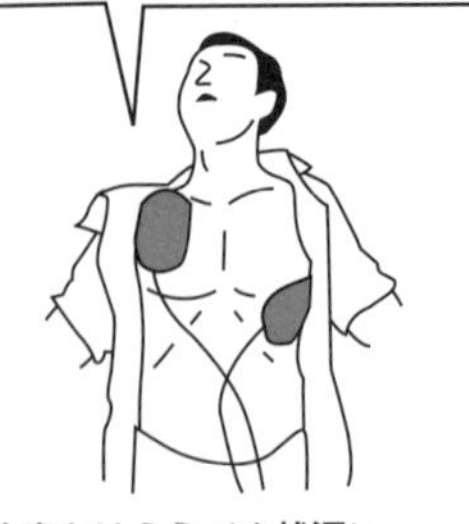

①傷病者の胸から衣服を取り除き，胸をはだける。衣服を取り除けない場合は**衣服を切る**。

② AED のケースに入っている電極パッドを袋から取り出す。

③電極パッドや袋に描かれているイラストに従って，2枚の電極パッドを肌に直接貼り付ける。胸骨圧迫は続ける。

④未就学の小児：小児用パッドや小児用モードがあれば使用する。

<注意をはらうべき状況>

○傷病者の胸が濡れている→乾いた布やタオルで胸を拭いてから電極パッドを貼る。

○貼り薬がある→電極パッドを貼り付ける位置に貼られている場合には剥がす。残っている薬剤は拭き取ってから電極パッドを貼る。

○医療器具が胸に植込まれている→電極パッドは植え込み部分の出っ張りを避けて貼る。

（3）心電図の解析

電極パッドが肌にしっかり貼られると，「体から離れてください」などの音声とともに AED は心電図の解析を自動的に始める。

（4）電気ショックと心肺蘇生の再開

電気ショックが必要な場合には，「ショックが必要です」などの音声とともに自動的に充電を開始する。

電気ショック必要	①周囲の人に傷病者の体に触れないよう声をかけ，誰も触れていないことを確認する。 ②充電完了後，連続音やショックボタンの点灯とともに電気ショックを促す音声が流れるので，ショックボタンを押し電気ショックを行う（オートショック AED も認可された）。 ③電気ショック後は，音声メッセージに従い，ただちに胸骨圧迫から心肺蘇生を再開する。
電気ショック不要	ただちに胸骨圧迫から心肺蘇生を再開する。

（5）心肺蘇生と AED の手順の繰り返し

○ AED は2分おきに自動的に心電図解析を始める。そのつど音声の指示に従う。以後も心肺蘇生とAEDの手順を繰り返す。
○救急隊など，二次救命処置（ALS）を行うことができる救助者に引き継ぐまで，心肺蘇生と AED の手順を続ける。
○ AED の電源は切らず，パッドは貼付したままにしておく。

Check! 5 気道異物

気道異物による窒息とは，食事中に食べ物が気道に詰まるなどで息ができなくなった状態である。いったん起こると死に至ることも少なくない。

（1）窒息の発見

苦しそう，顔色が悪い，声が出せない，息ができないなどがあれば窒息の可能性がある。喉が詰まっているのかなどと問いかけて，声が出せないでうなずくようであればただちに気道異物への対処を行う。

○窒息のサイン：親指と人差し指で喉をつかむしぐさ。気道閉塞のために呼吸ができないことを周りに伝える方法。
○強い咳ができる場合にはまだ窒息には至っておらず，自然に異物が排出されることもあるが，大声で助けを求め，注意深く見守る。

（2）119 番通報と異物除去

反応がある場合	＊窒息と判断したら，ただちに 119 番通報を誰かに依頼，背部叩打法を試みる。効果がなければ，腹部突き上げ法を試みる。異物が取れるか反応がなくなるまで続ける。 ＊明らかに妊娠していると思われる女性や高度な肥満者には背部叩打のみを行う。 ＜腹部突き上げ＞ ①傷病者の後ろにまわり，ウエスト付近に手を回す。一方の手で臍の位置を確認し，もう一方の手を握りこぶしにして親指側を傷病者の臍より少し上に当てる。 ②臍を確認した手で握りこぶしを握り，手前上方に向かってすばやく突き上げる。 ＜背部叩打＞ 傷病者の後方から手のひらの付け根（手掌基部）で左右の肩甲骨の中間あたりを数回以上力強くたたく。
反応がなくなった場合	＊心肺蘇生の手順を開始。119 番通報をし，近くの人に AED を取ってきてもらうように依頼。心肺蘇生を開始する。 ＊心肺蘇生を行っている途中で異物が見えた場合は取り除くが，見えない場合にはやみくもに口の中に指を入れて探ることはせず，胸骨圧迫を長く中断しないようにする。

Action 45 救急処置

ここに注目！

- 出血時の圧迫部位と動脈名や，症状と体位を組み合わせられるようにしておこう。
- 止血法，三角巾法，固定法について把握し，記述できるようにしておこう。

Check! 1 体位法

●救急時の体位

体位		症状・傷病
仰臥位	頭低足高位（ショック体位）	顔面蒼白，ショック症状，下肢からの出血などがある時
	頭高足低位	顔色が赤い，日射病，熱射病，脳内出血などがある時
	膝屈曲位	腹痛，腹部にけがのある時
側臥位	回復体位（シムス位）	意識がないが呼吸はある時
半座位		自然気胸，心臓虚弱，上半身にけがのある時
起座位		気管支ぜん息など呼吸や胸の苦しさがある時
腹臥位		背部にけがのある時

Check! 2 止血法

●人間の全血液量は体重1kg当たり約80mLである。

●全血液量の1/3を失うと生命に危険，1/2を失うと死亡するといわれる。

（1）出血の種類

動脈性出血	＊鮮紅色の血液が脈を打つように噴き出る。 ＊自然に止血することはない。 ＊短時間で多量の血液を失うため早急に医療機関を受診する。
静脈性出血	＊暗紅色の血液がじわじわと湧き出る。 ＊細い静脈からの出血は量も少なく圧迫により止血する。 ＊太い静脈からの出血は量も多く医療機関の受診が必要。
毛細血管性出血	＊にじみだすような出血で，自然に止血する。

（2）止血の仕方

直接圧迫**止血**	出血している傷口をガーゼや清潔なタオルで直接強く押さえて，数分間圧迫する。
間接圧迫**止血**	傷口より心臓に近い動脈の止血点を手や指で圧迫して，傷口に向かう血液の流れを止める。

（3）止血する動脈名と止血点

傷の部位	動脈の名称	止血点
額・頭頂部	浅側頭動脈	耳の前を圧迫する。
頸部	総頸動脈	鎖骨中央から少し上のところを後下方に向かって圧迫する。
腋の下	鎖骨下動脈	鎖骨のくぼみに指を入れ，第1肋骨に向かって圧迫する。
上腕の上方	腋窩動脈	腋の下を圧迫する。
上腕の下方	上腕動脈	上腕の中間内側を圧迫する。
手　首	尺骨・橈骨動脈	手首の少し上方内側を圧迫する。
手　掌	尺骨・橈骨動脈	手首の少し上方内側を両側から圧迫する。
手　指	指動脈	指のつけ根（指のまた）を両側からつまむように圧迫する。
大　腿	大腿動脈	太腿のつけ根を体重をかけるようにして強く圧迫する。
下　腿	膝窩動脈	膝関節の後ろ側の中心を圧迫する。
足の甲	足背動脈	足関節の中央（足の甲のほう）を圧迫する。
足の裏	後脛骨動脈	内くるぶしから指一本分後方を圧迫する。

Check! 3 包帯法

●**包帯法**：創傷，捻挫，骨折などの治療や救急処置の際に，補助手段として患部に包帯材料などを装着すること。

●**包帯の目的**

① **保護**…創面を覆い，患部の細菌感染や外部の刺激から保護する。創面の分泌物，膿を吸収する。

② **固定**…患部を固定して安静をはかり，痛みを軽減する。
骨折，捻挫などのために用いた副子を正しい位置に固定する。
創面に当てたガーゼを動かないように固定する。

③ **圧迫**…出血部を圧迫して止血したり，腫れを軽減する。

④ **保持**…創傷部を支えて疼痛を軽減し，症状の悪化を防ぐ。
ガーゼや湿布などが動かないように保持する。

⑤ **牽引**…骨折部を伸展して整復する。

Check! 4 三角巾法

●**三角巾**：1辺が 110cm 位の正方形の布を対角線に沿って2等分した布。
●頭・肩・乳房・臀部など包帯では巻きにくい場所に使用する。

Check! 5 固定法

(1) 固定の原則

①骨折が疑われる部位を中心に**2つの関節を固定**する。
②患部に近いところから遠いところへ順に固定する。
③患部に変形が見られる場合，部位を動揺させないように固定する。

(2) 副子（シーネ）

受傷部位の動揺を防ぎ，患者の苦痛を和らげたり，損傷部の悪化を防ぐ。

Check! 6 バイタルサイン，JCS，救命曲線

(1) バイタルサイン

①体温

発熱の程度	
35.9℃以下	低体温
36.0～36.9℃	平熱
37.0～37.9℃	微熱
38.0～38.9℃	中等熱
39.0℃以上	高熱

＊測定法：腋窩検温，口腔検温，
　直腸検温
＊体温の異常

②脈拍数（回/分）

新生児期	120～140
乳児期	120～130
幼児期	100～110
学童期	80～100
成人期	60～80

＊脈拍数：頻脈…1分間に100回以上
　徐脈…1分間に 60 回以下
＊リズム：規則性…整脈
　不規則性…不整脈，結滞
＊緊張度：硬脈…高血圧
　軟脈…低血圧，ショック

③呼吸数（回／分）

新生児期	40～50
乳児期	30～40
幼児期	20～30
学童期	15～25
成人期	16～18

（2）ジャパン・コーマ・スケール（3・3・9度方式，JCS：Japan Coma Scale）

覚醒の程度を9段階で表し，数値が大きいほど意識障害が重症である。

Ⅰ 刺激なしで 覚醒している状態	大体意識清明であるが，何かはっきりしない	1
	見当識（時・場所・人の認識）障害が認められる	2
	自分の名前・生年月日が言えない	3
Ⅱ 刺激によって覚醒する状態 （刺激をやめると眠り込む）	呼びかけによって容易に開眼する	10
	大きな声，または体を揺さぶることで開眼する	20
	痛み刺激によってかろうじて開眼する	30
Ⅲ 刺激をしても 覚醒しない状態	痛み刺激を払いのける動作がある	100
	痛み刺激で手足が動く，顔をしかめる	200
	痛み刺激にまったく反応しない	300

（3）カーラーの救命曲線

緊急事態における時間経過と死亡率の関係を示す。

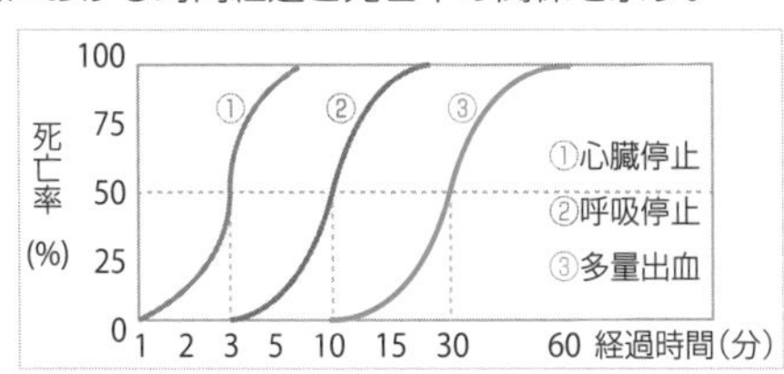

Check! 7 ショック

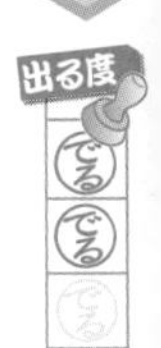

（1）ショックとは

臓器の機能を維持するために必要な血液が供給されず起こる全身の状態。進行すれば重要な臓器への酸素不足，機能障害が起こり死に至る。

（2）ショック症状

顔面蒼白，皮膚が冷たい，目がうつろ，冷や汗，意識がぼんやりする，呼吸が浅く速い，脈拍が弱く速い，虚脱，ぐったりしている，唇は紫色か白っぽい

（3）ショックの対応

①バイタルサインの観察
②保温・安静：ネクタイやベルトを緩め，毛布などで保温する
③ショック体位にする
④救急車要請
⑤反応がなく，普段通りの呼吸がない場合は心肺蘇生法やAEDを用いた一次救命を行う

Action 46

熱中症対策

熱中症の症状，応急手当の空欄補充や，学校で日頃から取り組むべき内容，運動指針に関しての出題が想定される。キーワードを押さえておこう。

Check! 1 熱中症とは

●熱中症とは，熱に中る(あたる)という意味。暑熱環境によって生じる障害の総称である。

●熱中症の発症には，環境（気温，湿度，輻射熱，気流等）及び体（体調，年齢，暑熱順化の程度等）と行動（活動強度，持続時間，水分補給等）の条件が複雑に関係している。

●熱中症には典型的な症状が存在しないため，暑さの中にいて具合が悪くなった場合には，まず熱中症を疑い，応急処置あるいは医療機関へ搬送するなどの措置を講じるようにすることが必要である。

＜熱中症の症状と重病度のめやす＞

重病度	症状のめやす	症状からの分類	原因，対応
軽症	めまい，立ちくらみ	熱失神	足を高くして寝かせる。
	大量の発汗，四肢・腹筋のけいれん，筋肉痛	熱けいれん	水のみの補給時に血液の塩分濃度が低下して起こる。冷所安静，体表冷却，濃いめの食塩水補給。
中等症	全身倦怠感，虚脱感，頭痛，嘔吐	熱疲労	脱水による。医療機関での診察。水分・塩分の十分な補給，水が飲めない場合は点滴。
重症	高体温，意識障害，血液凝固障害，多臓器障害の合併で死亡率が高い	熱射病	体温調節の破綻で起こる。救急車の要請，早急に冷却処置を開始。

Check! 2 熱中症予防の原則

（1）環境条件を把握し，それに応じた運動，水分補給を行うこと

○気温が高いときほど，また同じ気温でも湿度が高いときほど熱中症の危険性は高くなる。環境条件の指標「暑さ指数（WBGT）」で危険度を把握して安全に活動するようにする。

○環境条件・体調に応じた運動量（強度と時間）に留意する。

○汗からは水分と同時に塩分も失われる。塩分も適切に補うためには，0.1～0.2% 程度の塩分補給ができる経口補水液やスポーツドリンク等を利用。

（2）暑さに徐々に慣らしていくこと

○急に暑くなった場合は運動を軽くし，暑さに慣れるまでの数日間は休憩を多くとりながら，軽い短時間の運動から徐々に運動強度や運動量を増やしていくようにする。

（3）個人の条件を考慮すること・個人の状態や体調の考慮

○体調が悪いと体温調節能力も低下し，熱中症につながる。疲労や睡眠不足，発熱，下痢など体調の悪いときには無理に運動をしないようにする。

○運動前，運動中，運動後の健康観察が重要である。

（4）服装・装具の配慮

○暑い時は，服装は軽装にする。吸湿性や通気性のよい素材が適切。

○直射日光は帽子で防ぐようにする。

（5）具合が悪くなった場合の早めの処置

○なるべく早く全身を冷やし，体温を下げることが重要である。

○重症の熱中症が疑われる場合には直ちに医療機関に連絡する。

Check! 3 暑さ指数に応じた注意事項

WBGT（湿球黒球温度）：温度環境を評価する指標。人体の熱収支に影響の大きい「湿度」「輻射等熱環境」「気温」「気流」の4つを取り入れた指標で，乾球温度，湿球温度，黒球温度の値で計算する。

暑さ指数（WBGT）	日常生活の注意事項	熱中症予防のために
31℃以上	外出はなるべく避ける	原則運動は中止
28～31℃	外出は炎天下を避ける	厳重警戒／激しい運動の中止
25～28℃	運動等の際は定期的に十分休息を取る	警戒／積極的に休憩
21～25℃	危険性は少ない。激しい運動時等は注意	注意／積極的に水分補給

Action 47
頭部，腹部の打撲と外傷

ここに注目！

応急処置の正誤問題，養護教諭としての確認項目（問診・視診・触診），触診法の記述問題，医療機関搬送までの保健室での処置に関する記述問題が出題される。経過観察の理由や内臓損傷の症状と確認方法，マックバーネー点等についても，理解を深めておこう。

Check! 1 頭部外傷

●頭部外傷：頭部に外力が作用したために生じるあらゆる損傷。

●頭の内部の異常が疑われる症状…意識障害，頭痛，吐き気，嘔吐，けいれん，手足の麻痺，耳や鼻からの液体漏出や出血，等。

●判断・対応

傷がある場合	◦直接圧迫止血（頭皮の傷は小さくても出血が多い）。 ◦ガーゼなどで傷を保護する。 ◦体位は水平に保つ（出血があっても頭部は高くしない）。 ◦傷が頭蓋骨から脳にまで達している恐れがある場合は，救急車を要請する。 ◦医療機関の受診。
傷はないが，頭を打ったと思われる場合	◦できるだけ安静にする（頭部をなるべく動かさない）。 ◦嘔吐を伴うときは，窒息しないよう静かに顔を横に向け，気道の確保。

一度意識がはっきりしたが，再び意識が不明瞭になる場合	救急車を要請
意識障害やけいれん，頭痛，吐き気などが見られる場合	
耳や鼻から透明な液体や血液が出ている場合	

Check! 2 胸部・腹部・腰部・背部の打撲

(1) 共通のチェックポイント

全身状態をチェックし，異常があれば，すぐに医療機関を受診する。

呼吸のようす	苦しそうに呼吸をしていないか，回数は正常か，胸の動きは正常か
チアノーゼの有無	唇や手足の爪，皮膚が暗い紫色をしていないか
意識の状態	日付や名前が言えるか，今いる場所や，何をしていたかがわかるか，ものがはっきり見えるか
ショックの有無	顔色の良否，虚脱感の有無，冷や汗の有無，脈の異常の有無，呼吸の異常の有無
その他確認すべきこと	外傷の傷口は開いているか，出血の有無，出血量，けがの経緯を本人か目撃者に詳しく聞く

(2) 重症打撲の注意点

- 動かさない。
- 衣服をゆるめて呼吸を楽にする。
- 全身状態を観察し，異常があればすぐに救急車を要請する。
- 心臓が止まっているときは，心肺蘇生を続ける。AED を使用する。
- 出血しているときは，清潔なガーゼなどで止血する。

(3) 各部位の打撲の注意点

胸部	呼吸困難がみられるときは，肋骨骨折，外傷性肺損傷（気胸，血胸）の疑いありのため，救急搬送する。
腹部	脈が弱い，ぐったりしている，顔色が悪い，激しい痛み，尿が赤い，肛門から出血，吐血，発熱，腹壁の緊張があれば要受診。
腰・おしり	歩きにくい，歩けないなどの症状は，胸椎・腰椎・骨盤・大腿骨・尾骨の骨折の疑いがある。救急搬送する。
背中	◦脊椎の損傷の疑いがあるため，できるだけ動かさず，救急搬送する。 ◦首のしびれ，下半身のしびれ，無意識の尿失禁などの症状がある場合は，絶対に動かしてはいけない。

Check! 3 頭痛

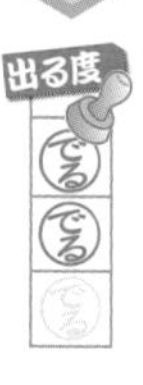

●緊急度の高い頭痛

くも膜下出血	突然激しい頭痛（突然バットで殴られたような痛み）。
脳腫瘍	徐々に痛みが増強する。
脳出血	頭痛とともに意識障害や麻痺や言葉のもつれを伴う。
髄膜炎	発熱，頸部硬直，けいれん，嘔吐，羞明（異常にまぶしさを感じる）を伴う。
熱中症	体温上昇，意識障害を伴う。

- 学校で多いのはかぜ症状の頭痛，寝不足や生活リズムの乱れによる頭痛など。

Check! 4 腹痛

- 学校で多く見られる腹痛は，かぜや消化器に起因する腹痛，月経痛。
- 急性虫垂炎
  - ○学童期に多くみられる。
  - ○初めはみぞおちやへそのあたりに痛みがあり，その後数時間～約 1 日で痛みが右下腹部へ移動する。
  - ○重症化すると腹膜炎を引き起こす恐れがあり，早期手術が必要。
  - ○マックバーネー点：虫垂炎が疑われれる圧痛点。右の上前腸骨棘と臍を結ぶ線で外側 1/3 の点を指す。

Action 48

眼，鼻，耳，口内，顎の外傷

ここに注目！

- 各受傷部位における問診，視診，触診，検査に関する問題や，応急処置の正誤問題などの出題が想定される。
- 傷病発生後に保護者や医療機関に連絡する内容の記述問題にも対応できるようポイントを押さえておこう。

Check! 1 眼の外傷

（1）学校で起こりやすい眼の外傷

網膜剥離	網膜が脈絡膜側から剥がれてしまう状態。 原因：外傷によるものが多い（サッカーや野球などの球技，相撲やボクシングなど慢性的に眼球に外力が加わるスポーツ等）。 症状：網膜が剥がれた部分では物をはっきりと見ることができない。見え方の異常（視力障害，複視，視野狭窄，飛蚊症，光視症）が起こる。
眼窩底骨折	眼窩の底の骨が折れ，眼球や眼筋が落ち込み，眼筋が引っかかっている状態。吹き抜け骨折ともいう。 原因：手のこぶしやボールが眼に当たるとよくみられる。 症状：眼が動かなくなり，物が二重に見えるようになる。

（2）注意事項

○眼の周囲のけが（鼻や顔面，頭部）にも注意して観察する。
○受傷後，数日経過してから眼球内部や眼底・網膜に障害がでることがあるため経過観察が必要。
○眼を打ったと思われる場合には，何が，どのくらいの強さや距離で当たったのか具体的に聞く。
○見え方や視力は片眼ずつ確かめる。視力低下が生じても他の眼が正常に見えていると，本人が負傷に気付かないことがある。

（3）判断・対応

①けがをした眼を覆い，両眼を閉じさせて安静にする。
②冷罨（れいあん）法を行う。

③対応

眼を打ったと思われる場合	眼の動きがおかしい，物が二重に見える，見える範囲が狭くなった，左右で見え方が異なる，見えにくい視野がある，まぶしいなどの症状があれば，保護者へ連絡し，医療機関を受診させる。
眼の異物の場合	◎コップなどに水をためて，眼を開閉させて異物をとる。 ◎眼球に異物が刺さっている場合は，無理に取り除かず医療機関を受診。

Check! 2 鼻の外傷

（1）学校で起こりやすい鼻の外傷

鼻出血	◎局所的誘因：突発性鼻出血，外傷，炎症。キーゼルバッハ部位（鼻中隔の前下部。静脈が多く集まっており，鼻血の好発部位）からのものが多い。 ◎全身的誘因：血液疾患（白血病，血友病，紫斑病など），動脈硬化，高血圧。
鼻骨骨折	◎鼻骨は顔の中で最も骨折しやすい。 ◎学校ではボールなどが当たって受傷する場合が多い。 ◎症状：腫脹，疼痛，鼻出血，変形（鼻骨の位置が左右にずれる，鼻の付け根が陥没するなど）

（2）注意事項

○鼻骨骨折は鏡を見させて変化がないかを確認させる。
○鼻出血が止まった後でも刺激をすると再出血しやすいことを指導する。
○疾病が原因の鼻出血もあるので，繰り返すときは医療機関への受診を指導。
○頭を強打した後のサラサラした鼻血は頭蓋底骨折の疑いがあるため至急救急車を要請する。

（3）判断・対応（鼻出血の場合）

①椅子に座らせ，頭をやや前方に傾け，安静にさせる。
②親指と人差し指で，鼻の付け根のところを強くつまませる。もしくは，両肘を机につけ，両手で鼻の付け根を押さえさせる。この間，口で呼吸させる。
③上記の対応で止まらないときは，清潔なガーゼや綿球などをつめて，再び両手で鼻の付け根を押さえさせる。

④対応

鼻出血の場合	おさまった。	⇒	教室に復帰させる。
	長時間おさまらない。	⇒	保護者に連絡し医療機関を受診させる。
鼻をぶつけた場合	鼻出血のみ	⇒	鼻出血の対応。
	鼻出血と鼻の変形	⇒	保護者に連絡し医療機関を受診。
	鼻の変形のみ	⇒	

Check! 3 耳の外傷

(1) 学校で起こりやすい耳の外傷

鼓膜損傷	原因：ボールが耳に当たったりぶたれたりして，鼓膜が傷ついたことによるもの。 症状：痛み，音が聞こえにくい，耳がつまった感じ，など。

(2) 注意事項

頭を強打した後に耳から出血することがある。サラサラした出血は頭蓋底骨折の疑いがあるため至急救急車を要請。

(3) 判断・対応

①耳の中に水分が入らないように患部を氷のうで冷やす。

②傷がある場合は耳の中に水が入らないようにして傷口を洗い流し，清潔なガーゼなどで覆う。

③聞こえ方の異常や痛みが見られた場合は耳を保護し，医療機関を受診させる。

④対応

以下の症状がある場合は，保護者に連絡し，早急に医療機関を受診する。

- ○耳介が内出血している。放置すると耳介血腫（カリフラワーのように変形した耳）になる。
- ○耳の聞こえが悪い，耳鳴りがする，頭痛がする。
- ○耳の穴から出血する（中耳，内耳の損傷が疑われる）。

Check! 4 口の外傷

(1) 学校で起こりやすい口の外傷

唇や口の中を切ることが多い。

(2) 判断・対応

- ○土などが顔面についていれば流水などで洗う
- ○口腔含嗽（ぶくぶくうがい）を行い，汚れや血を洗い流す。
- ○傷口に清潔なガーゼを当て，しばらく押さえて止血する。

○傷が小さい場合は処置後，教室復帰させる。
○大きい傷・深い傷の場合はガーゼを当てて止血し，医療機関を受診させる。

Check! 5 歯の外傷

（1）学校で起こりやすい歯の外傷

歯が抜けた，歯がぐらつく，歯が欠けた・折れた，歯が歯茎に埋まる

（2）注意事項

○外見的には異常が見られなくても後に支障がでることがあるので，医療機関への受診を保護者に助言する。
○後に外見上の問題を生じることもあるため慎重に対応する。
○歯の治療：保険診療と自由診療がある。「日本スポーツ振興センターの給付対象は，保険診療の範囲である」ことを受診の前に保護者に知らせる。

（3）判断・対応

①うがいをさせる。
②出血がみられる場合はガーゼで押させて止血する。
③抜けた歯が元の位置に入れば入れて，清潔なガーゼをかませる。
④元の位置に戻せない場合は，歯を乾燥させないように保存して，なるべく 30 分以内に医療機関を受診させる。
　○ 30 分以内に元の位置に固定できれば元通りになる可能性もある。
　○歯冠部を持ち，歯根膜を傷つけないこと。
　○脱落歯保存液や牛乳等に浸けて乾燥させないこと。
⑤対応

歯の脱落やぐらつき，破折が，	ない	教室に復帰させる。
	ある	保護者に連絡し，医療機関を受診。

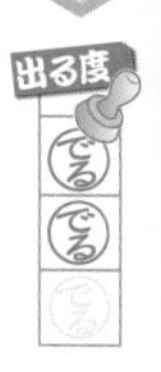

Check! 6 顎の外傷・その他の顔面の打撲

（1）学校で起こりやすい顎の外傷・その他の顔面の打撲

顎関節がずれた，顎骨が折れた

（2）判断・対応

顎を動かさないようにして，医療機関（口腔外科のある病院が望ましい）を受診させる。

（3）上記以外の顔面の打撲

①氷のうで冷やす，安静にする。
②骨折が疑われる場合は，早急に受診する。

49 捻挫，骨折，脱臼，創傷

ここに注目！

- 捻挫等の基本的知識に関する説明や，けがの程度を判断するための問診・視診・触診方法について説明できるようにしておこう。
- 応急処置の注意点，受傷後の体位，RICE の内容の記述，医療機関搬送までの処置について押さえておこう。

Check! 1 捻挫，骨折，打撲，つき指，脱臼の基本的知識

（1）捻挫とは

関節に引っ張りやひねりなどの無理な力が加わり，関節の靭帯や関節包などが損傷する状態。足首の内反ねんざが多い。

（2）骨折とは

外力により骨が壊れること。

●種類

骨折	強い外部の力が加わったことで生じる。
疲労骨折	同じ場所に弱い力が繰り返し長時間加わることで生じる。
病的骨折	骨全体が弱っていたり，骨の一部が溶けていたりして生じる。

●分類

開放性骨折	創を通じて骨折部と外界が交通しているもの。
粉砕骨折	骨折部が複雑に粉砕したもの。
裂離骨折（剥離骨折）	骨に付いている筋肉・腱が強く収縮し，骨が一緒に剥がれたもの。
非開放性骨折（皮下骨折）	体の中で骨折していて皮膚の損傷はないもの。

（3）打撲とは

○鈍性の外力によって生じた傷で，皮膚や筋肉などに損傷が見られるが，靭帯や骨には変化がないもの。

○全身のあらゆる部位に起こる。胸腹部の打撲では内臓の損傷を伴うこともある。

○打撲によっては激しい腫れが生じて神経や血管への圧迫が持続し，適切な処置が施されないと機能障害が現れて後遺症を残すこともある。

（4）つき指とは

指先にボール等が当たったり何かを突いたりして指関節が腫れた状態。引っ張るなどの誤った処置は行わない。

（5）脱臼とは

関節頭および関節窩の関節面が，正常な運動範囲を越えて接触を失った状態。

＜外傷性脱臼が起こりやすい関節＞

肩関節	逆手をとられていたときなど	指関節	強い突き指など
肘関節	手をねじったときなど	顎関節	大きく口を開けたときなど

（6）捻挫・骨折・打撲・突き指・脱臼に共通した主な症状

○受傷した部位や程度により症状が異なる

患部の痛み，歩けない・動かせないなどの運動障害，腫れ，皮下出血，変形，関節可動域の制限，など

○骨折，脱臼が疑われる場合

＊介達痛（痛みを訴える部位から少し離れた骨部を軽くたたいたときの患部の痛み）

＊変形

＊関節の変形や患肢の短縮

＊一般的に，捻挫や打撲に比べて痛みが強い

＊ショック症状がみられることがある

（7）判断と対応

腫れが少なく 患部を動かせる場合	＊RICE処置（P.138参照） ＊経過観察 ＊教室復帰。痛みや腫れが悪化するようであれば，再度保健室に来室するよう指導する
痛みが続く，腫れが強い， 関節の変形がある， 動かせない，歩けない場合	＊RICE処置 ＊固定 ＊安静を保つ ＊速やかに医療機関を受診させる
関節の変形や開放創が ある場合	＊救急車を要請する ＊可能な範囲でRICE処置，固定をする ＊ガーゼ等で傷を保護する
首や腰，背中などの 外傷の場合	＊救急車を要請する ＊動かさない（神経に損傷を与えることを防ぐため）

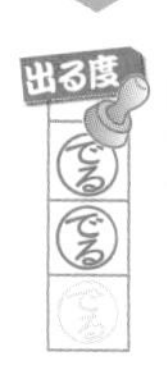

Check! 2 RICE 処置

RICE 処置は，打撲，捻挫，突き指などの外傷時に実施する処置をさす。

安静（Rest）	患部を安静にすることで，受傷部位の運動を抑え，痛みを軽減するとともに，出血や腫脹を軽減させる。	
	方法	包帯，副木，三角巾などで固定する。
冷却（Ice）	患部を冷却することで，患部の組織の血管を収縮させ，出血（内出血）や腫れの進行を最小限にとどめることができる。また，痛みを軽減させる。	
	方法	◎氷のう，氷水，瞬間冷却パックなどを使用し，15～20 分を目安とする。 ◎痛みが強くなったり，皮膚の感覚が低下したら，冷却を中断する。
圧迫（Compression）	患部を圧迫することで，出血（内出血）や腫れを抑える。	
	方法	◎弾性包帯などを患部に巻いて圧迫する（指先には包帯を巻かない。弾性包帯を巻いた後は指先のしびれや冷感を頻回に確認する）。 ◎アイシングとともに行うと効果的。 ◎学校における救急処置としては少ない。
挙上（Elevation）	患部を心臓より高く挙上して安静にし，腫れを抑える。	
	方法	◎足の外傷は，クッションや処置枕等を使用して挙上する。 ◎歩行時は足を下げざるを得ないため，移動後は再び足を挙上するよう指導する。 ◎前腕や手指は三角巾を使用して挙上する。

Check! 3 擦り傷，切り傷，刺し傷の基本的知識

（1）擦り傷，切り傷，刺し傷とは

擦り傷	＊外的摩擦により表層が面で損傷を受けた傷。 ＊皮膚の症状：軽度の場合は，表皮や真皮の途中までがこすり取られる。皮下組織は無傷。点状の出血が特徴。
切り傷	＊刃物・ガラス片などが体表面を移動し，表皮および皮下組織が線状に損傷を受けた傷。 ＊皮膚の症状：傷の面が平滑で，出血が多い。
刺し傷	＊釘や針などの鋭利なものが表皮や皮下に刺さってできた点状の傷。 ＊皮膚の症状：表皮及び皮下に点状に傷ができる。

（2）判断と対応

○範囲が狭く，汚染の少ない擦り傷や浅い切り傷の場合
　＊水道水で傷口を洗う
　＊ガーゼなどで保護する

○広範囲の汚染が見られる擦り傷や真皮までの深さに達している擦り傷の場合
　＊水道水で傷口を洗う
　＊ガーゼなどで保護する
　＊医療機関を受診させる

○切り傷で傷が深く，血管を傷つけ，出血を起こしている場合
　＊止血法を行う
　＊速やかに医療機関を受診させる
　＊大量出血による意識障害が疑われる場合は，救急車を要請する

○刺し傷の場合
　＊刺さったものは**無理に抜かない**
　＊ガーゼで保護する
　＊速やかに医療機関を受診させる

○**モイストヒーリング**（湿潤環境下での創傷治癒促進）
　＊傷を乾かさず，潤わせた状態で治療する方法。傷・火傷いずれの場合も，付着した泥や砂，死んだ組織を**水で洗い流して**から，**消毒**をしないまま適切な被覆材でカバーする。

Check! 4 スポーツ障害

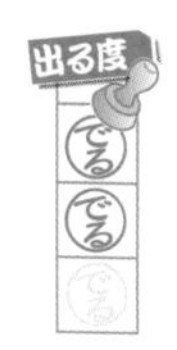

（1）オスグッド病

○成長期にランニングやジャンプ動作を繰り返すことで骨端軟骨に隆起や剥離を起こし，痛みや腫れ，骨の隆起が生じた状態。

○運動前後に大腿四頭筋の十分なストレッチ，運動後にはストレッチの後に患部を**冷却**。

（2）野球ひじ

○ボールを投げる動作の繰り返しでひじに負担がかかって起こる。9割以上は内側型。

○専門医を受診し，十分に治るまで安静にする。

Action 50

熱傷

ここに注目！

- 熱傷の程度の空欄補充，症状の選択，各熱傷程度の応急手当について，冷却の効果とリスクについて，キーワードを覚えておこう。
- 熱傷の面積の算定について確認しておこう。

Check! 1 熱傷の基礎知識

(1) 熱傷とは

熱傷とは，熱による皮膚損傷のことである。

(2) 主な症状

程度	深さ	外見	症状
Ⅰ度熱傷	表皮	皮膚が赤くなる。	痛みやヒリヒリする感覚がある。
Ⅱ度熱傷	真皮層まで（浅層・深層）	皮膚は腫れぼったく赤くなり，水疱（水ぶくれ）になるところもある。	真皮浅層：強い痛みと，焼けるような感覚がある。 真皮深層：痛みや皮膚の感覚がわからなくなる。
Ⅲ度熱傷	皮下組織まで	皮膚は乾いてかたく，弾力性がなく，蒼白になり，場所によってはこげている。	痛みの感覚や皮膚の感覚がわからなくなる。

○体表面積 20～30%以上の広範囲の熱傷は重症。高度医療機関での治療を急ぐ。

○気道熱傷（熱やガスを吸入した場合）は気道が腫れて，窒息の危険性がある。

(3) 熱傷の程度

○熱傷の面積・深さ，部位，原因（熱・薬品）によって決まる。一般的には，熱傷が深いほど，面積が広いほど重症になる。

○乳児や高齢者が熱傷した場合や気道を熱傷した場合は重症度が高くなる。

○熱傷の面積の算定法

＊「手掌法（しゅしょう）」：受傷者の手のひらの面積が体表面積の１%に相当する。

＊「９の法則」：体表面積を１区画９%として計算する法則。

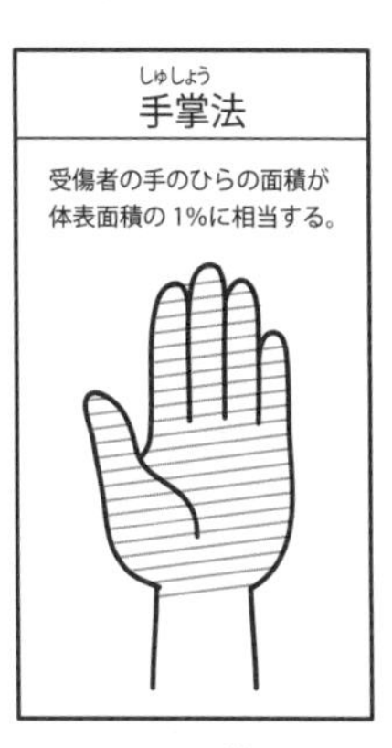

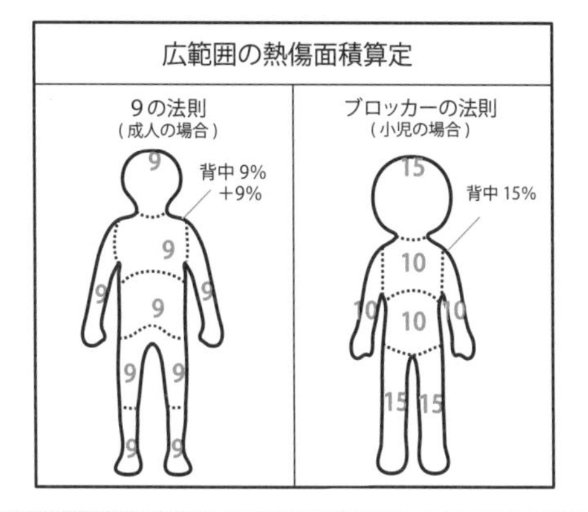

Check! 2 判断・対応

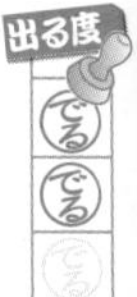

（1）すぐに冷やす

○水道水などの清潔な水，または濡れたタオルや氷水を入れたビニール袋などで冷やす。

○衣服着用時に熱傷した場合は，衣服の上から流水をかける。無理に衣服を取ろうとすると，皮膚を傷つける可能性がある。

（2）ガーゼなどで保護する

○感染防止と痛み軽減のため（空気に触れるとヒリヒリする）。

○感染予防のため水疱は破らない。

○感染予防･診療の妨げを防ぐため熱傷部位には軟膏，消毒薬などを塗らない。

（3）対応

指1本程度のⅠ度熱傷	＊処置の後は教室へ復帰させる。 ＊経過観察は継続する。 ＊痛みが悪化する場合は，再度保健室に来室するよう指導する。
手のひら程度のⅠ度の熱傷・指1本程度のⅡ度の熱傷	医療機関を受診
Ⅲ度の熱傷の場合	救急車を要請
化学薬品による熱傷の場合	＊なるべく早く流水で流す。 ＊他の部位に付着していないか確認する。 ＊薬品名を確認の上，医療機関を受診する。 ＊衣服や靴などに薬品が付着した場合は速やかに脱がせる（薬品が皮膚に直接接触しないよう注意）。

Action 51 その他の救急処置

ここに注目!

各疾患や状況別の対応について，ポイントをしっかり押さえておこう。

Check! 1 慢性疾患における対応

(1) 気管支ぜん息の場合

①症状

○軽いせきからぜん鳴（ゼーゼー，ヒューヒュー）

○呼吸困難（陥没呼吸，肩呼吸），など。

②対応

(ア) 安静（坐位の保持）

一般的に，臥位よりも座位の方が呼吸は楽になる。

(イ) 理学療法（腹式呼吸，排痰）

ゆっくりと腹式呼吸をして，痰が出るようであれば，水を飲んで痰を吐き出しやすくする。

(ウ) 急性発作治療薬の吸入と内服

ベータ刺激薬が一般的な急性発作治療薬。軽い発作は急性発作治療薬により多くの場合速やかに改善するが，効果が持続するのは数時間である。発作の程度が重い場合には医療機関に搬送する。

※　学校での急性発作治療薬の使用は児童生徒本人の判断となるが，事前に保護者・本人と使用時や環境整備について話し合っておく。

(エ)（重篤な場合）救急搬送，一次救命処置

(2) てんかんの場合

てんかんの発作を把握できている場合は，保護者や医療機関と連携し対応する。

①症状

手足のけいれん，まぶたや頬をピクピクさせる，口をモグモグさせる，全身や手足を一瞬ピクっとさせる，頭をコクンとする，ガクッと崩れる，全身がけいれん，など。意識があるもの，ないものがある。

②対応

安全な場所に寝かせる。

→衣服を緩め，呼吸が楽にできるようにする。

→けいれんがおさまったら，回復体位（シムス位）をとらせる。
→発熱がみられる場合は，冷罨法を行う。
→発作が 10 分以上続く場合，バイタルサインや一般状態に異常がみられる場合は，救急車を要請する。

（3）貧血の場合

貧血は，血液中の赤血球数や血色素量が少なくなった状態である。無理なダイエットや偏食なども原因のひとつである。徐々に進行している場合は症状が現れにくく，血液検査で初めて判明することもある。

脳貧血

①症状

一時的な脳血流低下により，めまい，ふらつき，失神などに至る状態をさす。起立性低血圧などが該当する。

○脳貧血を繰り返す場合は医療機関への受診を助言する。
○睡眠不足や疲労，欠食や体調不良が原因であることが多い。

②対応

衣服を緩めて楽にさせる（襟元やベルトなど）。

→足を高くして脳の血流量を増やす体位をとる（転倒して頭部に外傷がある場合は水平位にする）。
→冷や汗が出ている場合は，拭き取る。
→体が冷えている場合は，毛布などで保温する。

症状が改善したと判断した場合	＊教室に復帰させる。 ＊無理をしないように指導する。 ＊経過観察をする。
症状が回復しないと判断した場合	＊保護者に連絡し，迎えにきてもらう。 ＊保護者に医療機関の受診を助言。 ＊経過観察をする。
ふらつき・転倒による外傷がみられた場合	＊脳貧血の対応とともに，外傷への対応も行う。

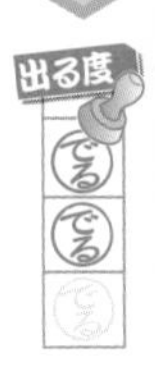

Check! 2 けいれん性疾患

（1）けいれんとは

○けいれんは，発作的に生じる骨格筋の不随性の収縮をさす。
○主な疾患として，熱けいれん，髄膜炎，低血糖，頭部外傷，頭蓋内出血，過換気症候群，熱中症，があげられる。

○熱がなく全身性のけいれんと意識障害がある場合はてんかんの可能性が高い。また，学校で遭遇する全身性のけいれんはてんかんであることが多い。

（2）判断・対応

㋐ 安全な場所に寝かせる。人が集まりやすい場合には遠ざけるなどの配慮。

→衣服を緩め，呼吸が楽にできるようにする。

→発熱がみられる場合は冷罨法を行う。

→けいれん時には口腔内にものを入れない（嘔吐や気道閉塞の危険性）。

→けいれんがおさまったら，気道の確保と嘔吐物の誤嚥を防ぐため回復体位にする（発作が 10 分以上続く場合は救急車を要請する）。

既往歴を把握し， けいれんの原因が特定できる場合	＊保健室で原因疾患の対応をする。 ＊保護者に連絡し迎えに来てもらう。 ＊経過観察をする。
初めてのけいれんなどで， 原因が特定できない場合	救急車を要請する。

㋑ 発作の起こり方，意識障害の有無，持続時間，発作後の状況（再度生じることもある）を，十分に観察する。

※　既往歴や服薬の状況を把握しておくことが大切である。

※　発作時の対応については，保護者と事前に話し合い確認しておくこと。

※　規則正しい生活や，疲れ，ストレスに関し，日頃の指導に留意する。

Check! 3 過換気症候群

●ストレスや感情の高ぶり，過度の運動などで呼吸が速くなり，血液中の二酸化炭素が減り，血液がアルカリ性に傾いて，様々な症状が現れた状態。

●息苦しさを感じて恐怖を感じるため，気持ちを落ち着かせる。

●腹式呼吸やゆっくりした呼吸を促して，呼吸を整えさせる。

●ペーパーバック法は実施しない（顕著な低酸素状態に陥る場合がある）。

●ぜん息発作との見きわめが必要である。

Check! 4 脳脊髄液減少症

●脳脊髄液が漏れ出し減少することで，起立性頭痛（立位によって増強する頭痛）などの頭痛，頸部痛，めまい，倦怠，不眠，記憶障害等の症状を呈する疾患。スポーツ外傷などの後に起こりうるとされている。

●事故が発生した後，児童生徒等に頭痛やめまい等の症状が見られる場合は，安静を保ちつつ医療機関で受診か保護者に連絡し受診を促す対応が必要。

●事故後の後遺症として通常の学校生活に支障が生じているにもかかわらず，単に怠慢である等の批判を受けることがある。養護教諭を含む教職員等が理解を深め連携することが必要である。

Check! 5 ハチに刺された場合

(1) 種類別症状

ミツバチ	*刺されたときは痛みがあるが，すぐに治まる。 *刺されたところは若干赤く腫れる。 *患部に針が刺さって残っているときは抜去する。 *針はハンカチや布などでこすると自然に抜ける。
アシナガバチ	*赤く大きな腫れが残る。 *じんましんや発熱，嘔吐などの症状がみられることもある。
スズメバチ	*刺されると激痛が走る。 *刺されたところが広範囲に赤く腫れる。 *重症の場合は発熱，嘔吐，呼吸困難，肝機能障害が起こることもある。 *アナフィラキシーショック症状に陥ると命にかかわる。

(2) 判断・対応

刺された箇所の周囲を強くつまんで毒を出すか，吸引器で吸い出す。

→刺された部位を水（できれば流水）で洗い，冷やす。

→抗ヒスタミン軟膏またはステロイド軟膏を塗る。

＜早急な受診が必要である場合＞

○ 30 分ほど経過観察し，発疹，吐き気，呼吸困難などの症状が出現。

○目を刺された。

○当該者は以前刺されて発疹や吐き気などが出た（再び刺されるとアナフィラキシーショック症状を起こす可能性）

○一度に何か所も刺された（特に首や頭，顔，心臓に近いところは注意）。

※　ハチを見かけたら，その場から身を低くして離れる。

※　ハチはにおいに敏感に反応するため注意する。

Check! 6 ヘビに咬まれた場合

咬まれた箇所に2つの牙の跡が	ない	無毒蛇と判断。傷口を水などで丁寧に洗う。
	ある	有毒蛇と判断。 毒を絞りだし，早急に医療機関を受診する。

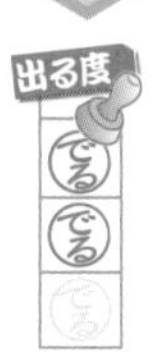

チェックテスト

空欄〔　　　〕に該当する正しい語句を答えよ。

Q１ しゃくりあげるような不規則な呼吸の状態を〔　　　〕という。 →120ページ

Q２ 人間の全血液量は体重１kg 当たり約〔　①　〕である。全血液量の〔　②　〕を失うと生命に危険，〔　③　〕を失うと死亡するといわれる。 →124ページ

Q３ 臓器の機能を維持するために必要な血液が供給されず起こる全身の状態を指し，進行すれば重要な臓器への酸素不足，機能障害が起こり死に至る状態のことを〔　　　〕という。 →127ページ

Q４ 暑熱環境によって生じる障害の総称を熱中症といい，そのうち〔　　　〕は意識障害や高体温となり重症である。 →128ページ

Q５ 緊急度の高い頭痛として，突然バットで殴られたような激しい頭痛がする〔　①　〕，徐々に痛みが増強する〔　②　〕，頭痛とともに意識障害や麻痺や言葉のもつれを伴う〔　③　〕などがあげられる。 →131ページ

Q６ 虫垂炎が疑われる圧痛点で，右の上前腸骨棘と臍を結ぶ線で外側１/３の点を〔　　　〕という。 →131ページ

Q７ 打撲，捻挫，突き指などの外傷時に実施する RICE 処置には，〔　①　〕，〔　②　〕，〔　③　〕，〔　④　〕があげられる。 →138ページ

Q８ 一時的な脳血流低下により，めまい，ふらつき，失神などに至る状態を〔　①　〕という。救急処置としては，衣服を緩めて楽にさせる，〔　②　〕する体位をとる（転倒して頭部に外傷がある場合は〔　③　〕にする），冷や汗が出ている場合は拭き取る，体が冷えている場合は毛布などで保温することがあげられる。 →143ページ

Q９ ストレスや感情の高ぶり，過度の運動などで呼吸が速くなり，血液中の二酸化炭素が減り，血液がアルカリ性に傾いて，様々な症状が現れる状態を〔　①　〕という。〔　②　〕や〔　③　〕を促して呼吸を整えさせる。低酸素状態に陥る場合があるため〔　④　〕は実施しないようにする。 →144ページ

解答

Q1　死戦期呼吸　Q2 ①80mL　②1/3　③1/2　Q3　ショック　Q4　熱射病　Q5 ①くも膜下出血　②脳腫瘍　③脳出血　Q6　マックバーネー点　Q7 ①安静　②冷却　③圧迫　④挙上　Q8 ①脳貧血　②足を高く　③水平位　Q9 ①過換気症候群　②腹式呼吸　③ゆっくりした呼吸　④ペーパーバック法

第６章
養護教諭に必要な専門的知識

自律神経

ここに注目！

- 交感神経系，副交感神経系が各器官に対してどのように作用するか基本知識を押さえておこう。
- キーワードについて覚えておこう。

Check! 1 自律神経の特徴

●自律性：意思とは無関係に反射や情動によって内臓機能が調整されている。
●二重支配：大部分の臓器が交感神経と副交感神経の両方に支配されている。
●拮抗支配：二重支配をする交感神経と副交感神経が効果器に対して互いに逆の効果を発揮すること。

Check! 2 交感神経系

●交感神経末端からノルアドレナリンが放出され，効果器を刺激。
●身体活動が盛んになったときに，諸臓器・組織をその状態に適応させるようにはたらく。精神的に興奮したり不安があるとはたらきが活発になる。
●興奮すると心臓と呼吸が促進され，気管支は拡張し，瞳孔は散大，消化器は抑制される。また血管が収縮するため血圧が上昇し，汗腺が刺激されて汗の分泌が増加する。

Check! 3 副交感神経系

●副交感神経末端からはアセチルコリンが放出され，効果器を刺激する。
●身体がリラックスしているときにはたらく。心臓と呼吸は抑制されて心拍と呼吸はゆっくりとなり，気管支は収縮し，瞳孔は縮小する。消化管の運動と消化液の分泌は促進され，消化・吸収が盛んになる。
●交感神経の分布は広く，内臓のみならず血管・皮膚・骨格筋にも分布するのに対し，副交感神経は内臓への分布が主であり，皮膚や骨格筋には分布しない。

■ 交感神経と副交感神経

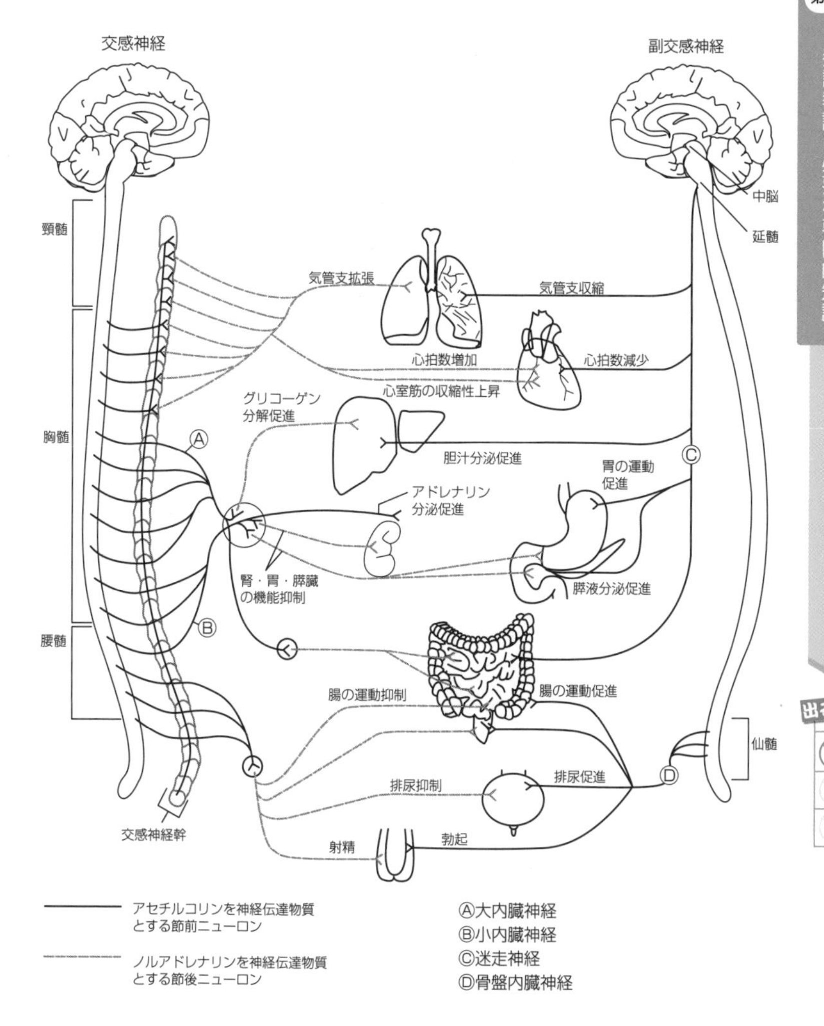

アセチルコリンを神経伝達物質とする節前ニューロン

ノルアドレナリンを神経伝達物質とする節後ニューロン

Ⓐ大内臓神経
Ⓑ小内臓神経
Ⓒ迷走神経
Ⓓ骨盤内臓神経

出る度

Action 53

人体構造図

ここに注目！

人体構造図が示され，骨・筋肉の名称を問う問題が出題される。確実に覚えておこう。

Check! 1 骨格系

（1）骨の形態と構造

骨格は，おもに骨からできている。骨は関節によってつながれており，互いに自由に動くことができる。軟骨や繊維性の結合組織も骨格の一部であり，関節に加わったり，骨どうしをつないだりしている。

（2）形態による骨の名称

形によって長骨，短骨，扁平骨，不規則形骨などとよばれ，骨の内部構造にも多少の違いがある。

（3）骨の重要なはたらき

①骨組みとして身体を支持し，筋によって動かされて運動を行い，重要な臓器を保護する。（頭蓋・胸郭・骨盤など）

②カルシウムの貯蔵庫（体内のカルシウムの99%を貯蔵）

③骨髄で赤血球・白血球・血小板をつくる。

■ 骨の構造

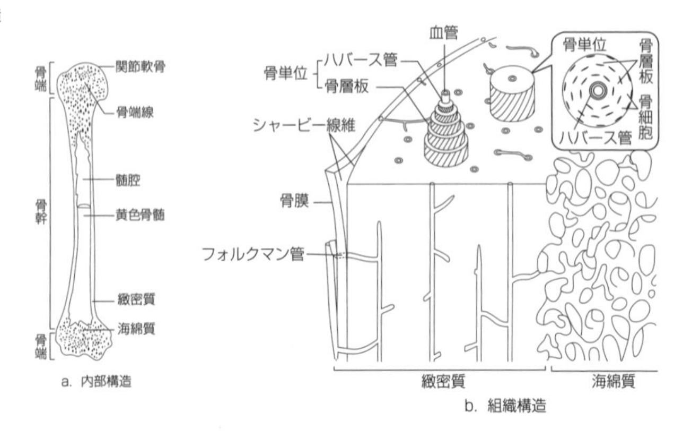

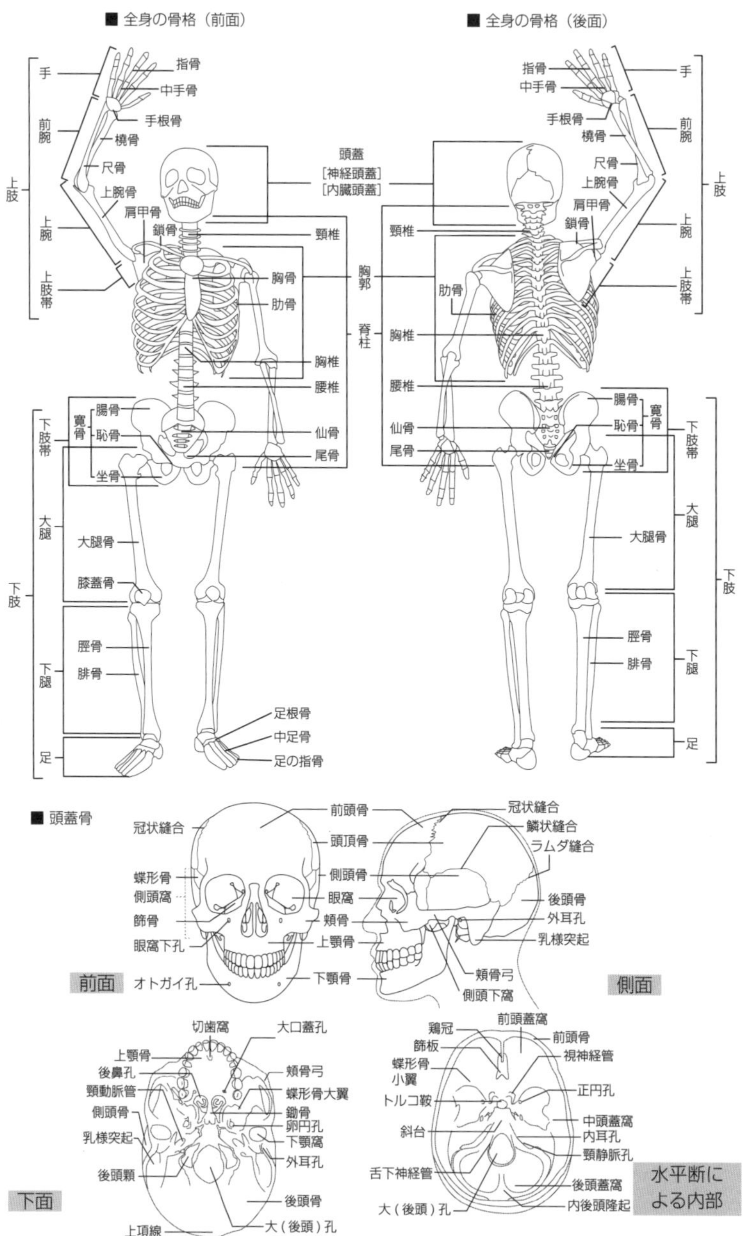
■ 全身の骨格（前面）
■ 全身の骨格（後面）
手
指骨
中手骨
手根骨
前腕
橈骨
尺骨
上腕骨
肩甲骨
上肢
上腕
鎖骨
上肢帯
頭蓋
［神経頭蓋］
［内臓頭蓋］
頸椎
胸骨
肋骨
胸郭
脊柱
胸椎
腰椎
腸骨
寛骨
恥骨
坐骨
仙骨
尾骨
下肢帯
大腿
大腿骨
膝蓋骨
下肢
下腿
脛骨
腓骨
足
足根骨
中足骨
足の指骨
■ 頭蓋骨
前頭骨
冠状縫合
頭頂骨
蝶形骨
側頭窩
側頭骨
眼窩
篩骨
頬骨
眼窩下孔
上顎骨
オトガイ孔
下顎骨
前面
鱗状縫合
ラムダ縫合
後頭骨
外耳孔
乳様突起
頬骨弓
側頭下窩
側面
切歯窩
大口蓋孔
後鼻孔
頸動脈管
蝶形骨大翼
鋤骨
卵円孔
下顎窩
後頭顆
後頭骨
上項線
大（後頭）孔
下面
鶏冠
前頭蓋窩
篩板
視神経管
蝶形骨小翼
トルコ鞍
正円孔
斜台
中頭蓋窩
内耳孔
頸静脈孔
舌下神経管
後頭蓋窩
内後頭隆起
水平断による内部
出る度
でる
でる
でる

Check! 2 筋系

（1）筋組織の種類

骨格筋	心筋	平滑筋
骨格を動かす	心臓壁をつくる	内臓や血管の壁をつくる
横紋筋（筋繊維の中に縞模様がある）		横紋なし
随意筋 （運動系の支配を受け，意思の力で収縮・弛緩できる）	不随意筋 （収縮は意思の影響を受けない）	

（2）骨格筋の作用

関節運動の軸と範囲は，関節の形状によりほぼ決まっている。身体の運動は，拮抗筋のはたらきによる逆方向の運動とともに行われる。

○**屈曲／伸展**：骨どうしの角度を小さく（屈曲），または大きく（伸展）する
〈例〉膝関節を曲げる（屈曲），伸ばす（伸展）

○**外転／内転**：骨を中心軸から遠ざける（外転），近づける（内転）
〈例〉上腕を横に上げる（外転），脇腹に近づける（内転）

○**外旋／内旋**：骨の長軸に対し外に向ける（外旋），内に向ける（内旋）
〈例〉つま先を外に向ける（外旋），内に向ける（内旋）

○**回外／回内**：外旋と内旋に相当する前腕のねじりの運動
〈例〉手首をまわして親指を身体から遠ざける（回外），近づける（回内）

■ 関節の一般構造（滑膜性連結）

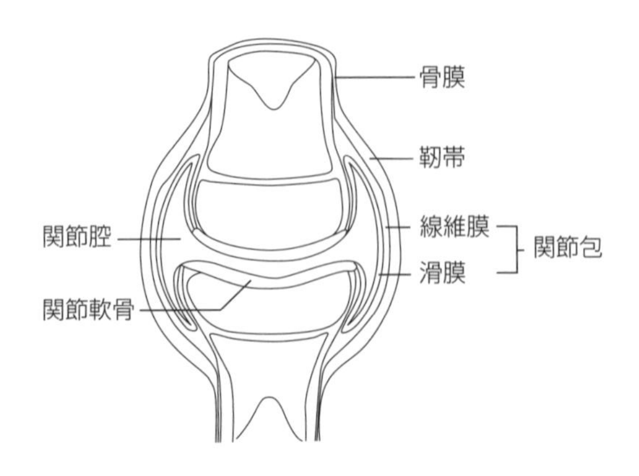

■ 股関節と膝関節

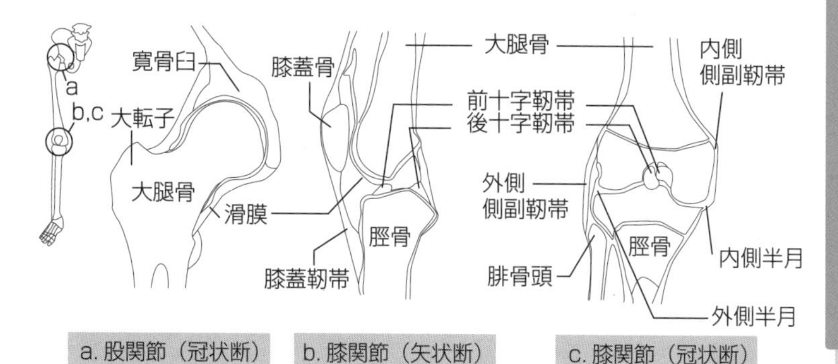

■ 全身表層の筋（前面）　■ 全身表層の筋（後面）

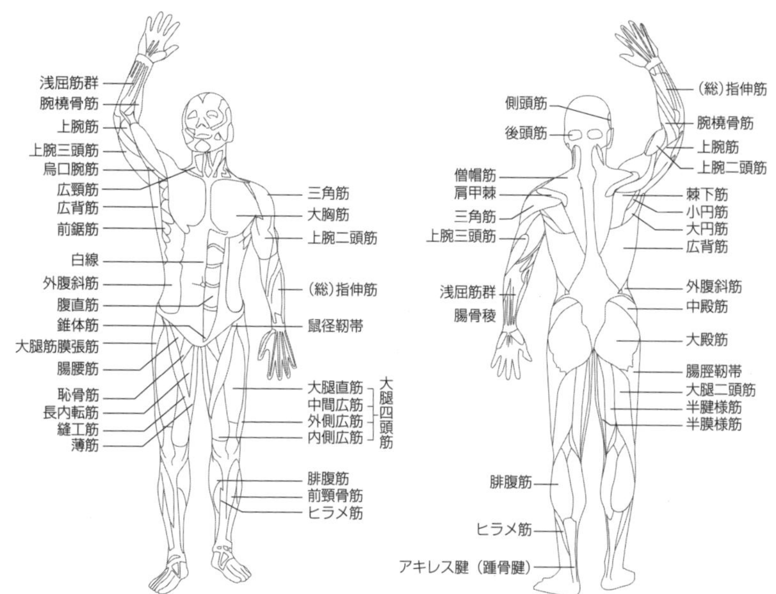

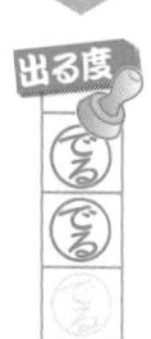

脳

ここに注目！

- **脳の断面図による名称は確実に覚えておこう。**
- **脳の各部位（大脳・間脳・小脳・脳幹）の機能について，整理して覚えておこう。**

Check! 1 中枢神経系

中枢神経系は，脳と脊髄からなる。

<table>
<tr><td rowspan="6">中枢神経系</td><td rowspan="2">脳</td><td>場所：頭蓋のなか</td></tr>
<tr><td>◎大脳・間脳・小脳・脳幹からなり，機能が細かく分かれる。</td></tr>
<tr><td rowspan="4">脊髄</td><td>場所：脊柱のなか</td></tr>
<tr><td>◎ 31 対の脊髄神経（末梢神経）が出る：頸神経（8対），胸神経（12 対），腰神経（5対），仙骨神経（5対），尾骨神経（1対）。</td></tr>
<tr><td>◎反射などの情報処理を行う。</td></tr>
<tr><td>脊髄神経に対応して，脊髄分節を頸髄，胸髄，腰髄，仙髄という。</td></tr>
</table>

Check! 2 大脳

大脳は，人の脳の大部分を占めている。

- **大脳皮質**：大脳の表面を覆う**灰白質**。大脳皮質の下には**白質**が広がり，その内部には**灰白質**のかたまりである**大脳基底核**がある。
- **大脳皮質**は**前頭葉**・**頭頂葉**・**後頭葉**・**側頭葉**に区分される。

前頭葉	思考や感情，運動をつかさどる	頭部の運動を受け持つ運動野の近くに**運動性言語野**（**ブローカ中枢**，**ブローカ野**）がある。言語に必要な筋を支配して発語させる中枢で，障害により発語ができなくなる（**運動性失語症**）。
側頭葉	聴覚や嗅覚，記憶をつかさどる	聴覚野の後方に聴覚野の一種である**感覚性言語野**（**ウェルニッケ中枢**，**ウェルニッケ野**）がある。障害により言語の理解ができなくなり（**感覚性失語症**），発話はできても相手の言葉が理解できず，会話が成立しない。

●大脳の左右差

○右半球は身体の左側，左半球は身体の右側の運動・感覚を支配する。
○言語中枢のある方（通常は左）が優位半球，ない方が劣位半球。
○優位半球は言語的・分析的なはたらきに優れ，劣位半球は映像的・音楽的なはたらきに優れている。

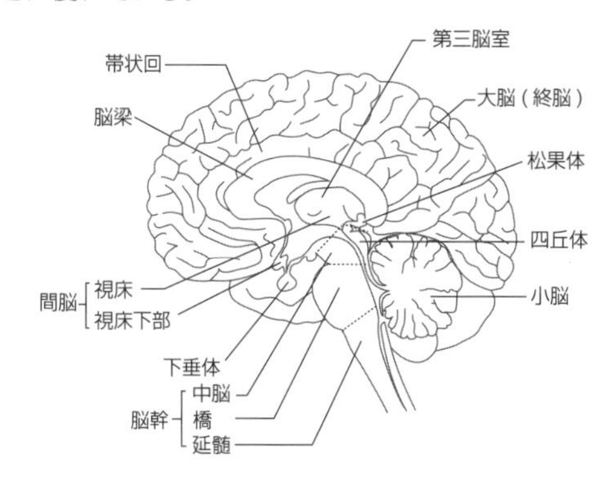

Check! 3 間脳

間脳は，中脳の前方に続き，左右の大脳半球にはさまれている。
上方の視床と下方の視床下部に分かれ，後上部には松果体，前下部には下垂体が突き出す。

視床	大脳皮質に向かう感覚系の神経経路の中継点であり，下位脳から大脳皮質への中継も行う。視床の尾側部にある内側膝状体は聴覚の中継を，外側膝状体は視覚の中継を行う。
視床下部	生命維持に不可欠な本能行動や感情に駆り立てられる情動行動を支配する。体温調整中枢，性中枢，摂食・満腹中枢，飲水中枢のほか，下垂体の内分泌を調整する部位など自律機能の中枢がある。

Check! 4 小脳

小脳は，橋と延髄の背側にあり，中脳・橋・延髄と連結している。身体の平衡および運動・姿勢の制御を行う。

Check! 5 脳幹

脳幹は，大脳と小脳に隠れた脳の中軸部で，中脳・橋・延髄に分かれる。意識・呼吸・循環など，生命維持に必要な機能の中枢部位。

Action 55

心臓

- 心臓の解剖図が示され，名称を問う問題が出題される。各部の名称は確実に覚えておこう。
- 心臓のポンプ機能（血液の流れ）を問う問題が出題される。しっかり覚えておこう。

Check! 1 循環器系

循環器系は心臓と血管で構成される。

循環器系	心臓	血液の流れを起こすポンプの役割。
	血管	血液を通すポンプの役割。
		動脈：心臓から出る血液を通す。 静脈：心臓に戻る血液を通す。 毛細血管：動脈と静脈をつなぐ。 リンパ管：毛細血管からもれ出た液を回収して静脈に戻す。

Check! 2 心臓

（1）心臓のポンプ機能

■ 心臓の構造

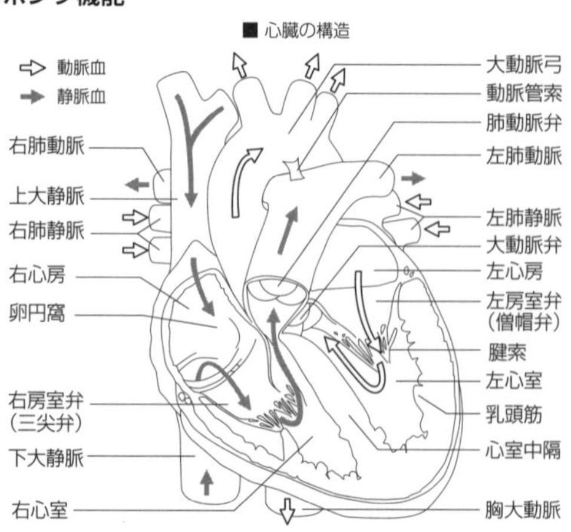

●心臓は，ポンプ機能のうえでは右心と左心の２つのポンプに分かれ，それぞれが心房と心室からできている。心房と心室の間（房室弁）および心室からの出口（動脈弁）には血液の逆流を防ぐ弁が備わっており，心臓は４つの部屋と４つの弁を備えてポンプ機能を果たしている。

＜ポンプの構成＞

◎上・下大静脈→　右心房→［右房室（三尖）弁］
→　右心室→［肺動脈弁］→　肺動脈。
◎肺静脈　→　左心房→［左房室（僧帽）弁］
→　左心室→［大動脈弁］→　大動脈。

（2）構造

心臓は心房と心室に分けられる。心房は心房中隔によって，心室は心室中隔によって左右に仕切られている。心臓壁は，心内膜・心筋層・心外膜の３層からなる。

（3）冠状循環・冠状動静脈

心臓に分布する血管を冠状動静脈といい，その血液循環を冠状循環という。

（4）心臓の自動性と歩調とり

○心臓の自動性：心臓みずから周期的に興奮して収縮・拡張を繰り返す性質。
○歩調とり（ペースメーカー）：洞房結節の細胞が起こす収縮・拡張のリズム。

（5）心電図

○心電図では，通常，P 波，QRS 群（QRS 波），T 波が記録される。
○各波形の高さ（電圧）と幅（持続時間）の正常値を以下に示す。

名称	電圧（mV）	持続時間（秒）	心臓の動きとの対応
P 波	0.2 以下	0.06 ～ 0.10	心房の興奮に対応
QRS 群	0.5 ～ 1.5（～ 5）	0.08 ～ 0.10	心室全体に興奮が広がる時間
T 波	0.2 以上	0.10 ～ 0.25	心室の興奮からの回復に対応

Check! 3 血液の主なはたらき

①赤血球：主にヘモグロビンによる酸素の運搬。
②白血球：食作用や抗体産生などの生体防御機能。
③血小板：止血作用。
④血　漿：血漿タンパクが細胞のアミノ酸供給源，膠質浸透圧の維持，血液の酸塩基平衡，血液凝固などに関与。

Action
56 眼球

- 眼球断面図が示され，名称を問う問題が頻出している。空欄補充問題に対応できるよう，しっかり覚えておこう。
- 学校でよくみられる屈折異常などについて，キーワードを覚えておこう。

Check! 1 眼の構造

視覚器は，眼窩の中におさまる**眼球**を中心とし，眼瞼，涙器，眼筋などが付属してできている。

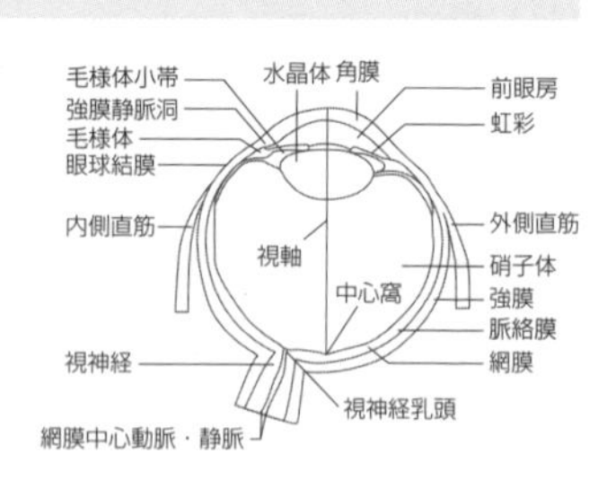

（1）眼球繊維膜（外膜）

眼球壁の最外層をなす**コラーゲン繊維**を主体とする膜。前方の一部は透明な**角膜**だが，残りの大部分は**強膜**というかたい白い膜。

（2）眼球血管膜（ブドウ膜）

血管の豊富な膜。**脈絡膜**と前方に突き出す**毛様体**，**虹彩**からなる。

脈絡膜	強膜の内面にある薄い膜で，**血管と色素細胞**に富み，赤黒い。眼球内部を暗くし，眼球壁に栄養を与える。
毛様体	毛様体筋により**水晶体**と連結している。毛様体表面の上皮細胞は，眼房水の分泌を行う。毛様体筋は，副交感神経（動眼神経，毛様体神経節を経由）に支配される。
虹彩	**瞳孔**を取り囲む。血管・神経・色素に富み，内部には**瞳孔の大きさを調整**する2群の平滑筋がある。目の色は虹彩の結合組織に含まれる**メラニン**細胞の量の違いにより生じる。

（3）網膜（眼球内膜）

○光は**角膜**，**前眼房**，**水晶体**，**硝子体**を通って**網膜**に達する。網膜で感じた光は**視神経**を通って脳に運ばれる。

○色素上皮（外）の側から，視細胞の層，双極細胞の層，神経節細胞の層などがある。双極細胞は視細胞からの刺激を神経節細胞に伝え，同じ層にあるほかの神経細胞とともに網膜内で情報処理を行う。

（4）眼房水：角膜と水晶体の間には眼房水で満たされる眼房があり，角膜・水晶体・硝子体に栄養を与える。虹彩により前眼房と後眼房に分けられる。

（5）水晶体：前後両面が凸のレンズで，遠方視で薄く，近方視で厚くなる。

○老眼：加齢とともに水晶体がかたくなり，遠近調整が困難になる。

○白内障：高齢になると水晶体が白濁し，視力障害がおこる。

（6）硝子体：水晶体の後ろにあり，眼球の後ろ約3/5を占めるゼリー状の物質。

Check! 2 眼球付属器

（1）**眼瞼・結膜**：必要に応じて光を遮断し，眼球を保護する。

（2）**涙器**：眼球の上外側にある漿液腺。涙液は乾燥を防ぎ保護する。

（3）**眼筋（外眼筋）**：眼窩には眼球を動かす6つの外眼筋。4つの直筋（上直筋，下直筋，内直筋，外直筋）と2つの斜筋（上斜筋，下斜筋）があり，3本の脳神経（動眼神経，滑車神経，外転神経）に支配される。

Check! 3 屈折異常

（1）近視：屈折力に比べて眼軸が長く，遠方の物体の像が網膜の前方に生じる状態。凹レンズで矯正する。

（2）遠視：遠方の物体の像が網膜の背後で結び，凸レンズで矯正する。

（3）乱視：水晶体の水平方向と垂直方向で屈折力が異なるもの。

Check! 4 夜盲症

（1）夜盲症：暗順応と明順応に必要なビタミンAが欠乏すると，暗所での視力が低下する夜盲症（鳥目）となる。

（2）明順応：暗所から明所に移ったときのまぶしさに慣れる過程。

（3）暗順応：明所から暗所に移ると，次第に見えはじめる過程。

Check! 5 眼球に関する反射

（1）対光反射：網膜に入る光の量により，瞳孔の大きさが反射的に調節される。

（2）輻輳反射：近いものを注視すると，両眼の視軸が鼻側に寄る（内転）が，このとき反射的に瞳孔が収縮する。

（3）瞬目反射・角膜反射：角膜や眼の周囲の皮膚にものが触れたり眼前に急に物体が近づいたりすると反射的に眼瞼が閉じる（瞬目反射）。角膜の刺激によるものは角膜反射という。

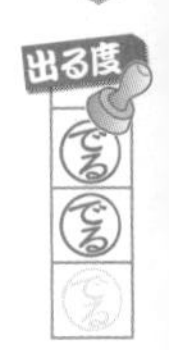

耳

ここに注目！

耳の解剖図が示され，各部位の名称を問う問題が出題される。しっかり覚えておこう。

Check! 1 耳の構造

音を鼓膜まで伝える外耳，鼓膜の振動を耳小骨を通して奥に伝える中耳，音や平衡を感じる内耳の３つの部分に分かれる。

■ 耳の構造

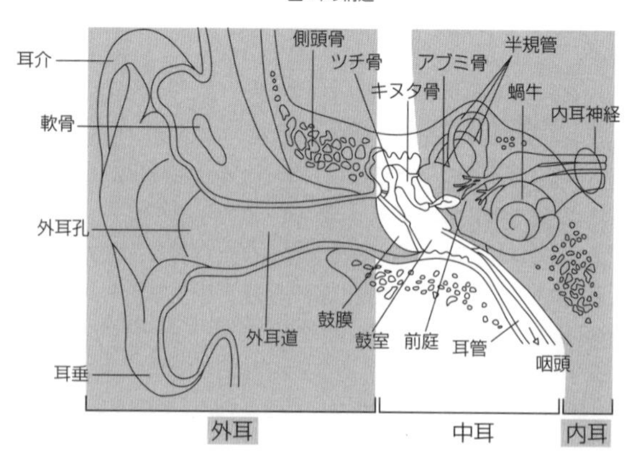

Check! 2 外耳

- 外耳：耳介と外耳道からなる。外耳道は長さ約 3.5cm で，S 状に軽く曲がっており，耳介を上後方に引っぱることで奥の鼓膜をみることができる。
- 軟骨部には耳道腺，毛，脂腺が存在し，異物が入ってくるのを防ぐ。

Check! 3 中耳

- 中耳：外耳道から鼓膜を隔てた奥にある。
- 鼓室：中耳の主要部である空洞。耳小骨が音波を振動にかえて内耳に伝える。
- 鼓室は耳管によって咽頭につながっている。耳管は普段は閉じているが，嚥下の際に開き，外耳と中耳の間に生じた気圧差を解消するのに役立つ。

- 鼓室の中には，ツチ骨・キヌタ骨・アブミ骨という３個の耳小骨があり，鼓膜の振動を内耳に連なる前庭窓（卵円窓）に伝える。

Check! 4 内耳

- 内耳：音の振動や平衡の情報を感知する器官。
- 内耳は蝸牛（音の振動を感知），前庭（頭部の傾きを感知），半規管（頭部の回転を感知）からなる。

Check! 5 聴覚伝導路

蝸牛管の基底板上にあるラセン器（コルチ器）の有毛細胞（感覚細胞）で受容された聴覚の情報は，蝸牛神経を通り，延髄や視床などの複数の中継核を経由した後，大脳皮質側頭葉の聴覚野（聴覚中枢）に投射する。

Check! 6 難聴

- 難聴：音の聞こえが悪くなる症状。

伝音性難聴	内耳まで音が伝わりにくい。 最大の原因は，内耳の病変。中耳炎，耳硬化症など。
感音性難聴	内耳や中枢に障害がある。 薬剤（ストレプトマイシンなど）による副作用が原因となるものがある。

Check! 7 平衡感覚

- 体がどちらを向いているか，どれくらい傾いているか，動いているかなどの情報を受け取るのが平衡感覚である。
- 一般的に、平衡感覚は体に働く加速度を内耳が受け取る形で得られる。
- 前庭の卵形嚢と球形嚢は，互いに直角な２つの面内の直線加速度を，それぞれ感知する。この部位には，有毛細胞（感覚細胞）があり，有毛細胞の感覚毛が傾いて興奮し，信号を中枢に送る。
- 半規管には，互いに直角な３つのループがあり，有毛細胞が回転による内リンパの動きによって興奮し，その面内での回転加速度を感知する。
- 前庭と半器官の感覚情報は，内耳神経を通して中枢に伝えられる。

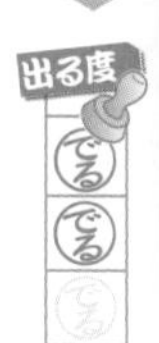

Action 58

皮膚

皮膚の断面図が示され，各部位の名称を問う問題が出題される。答えられるよう，覚えておこう。

Check! 1 皮膚の組織構造

●皮膚は表面から，上皮組織からなる表皮，繊維性結合組織からなる真皮，疎性結合組織からなる皮下組織の３層に分かれる。
●表皮と真皮を合わせたものが皮膚の本体である。

■ 皮膚の組織構造

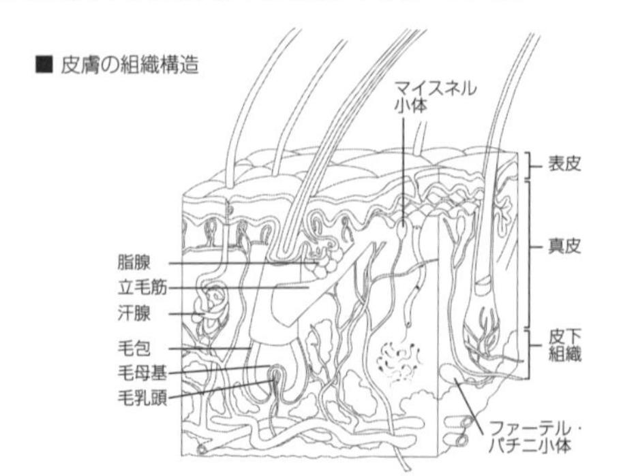

Check! 2 表皮

●表皮は重層扁平上皮であり，上皮細胞は角化をする。
●角化：細胞内にタンパク質が蓄積して細胞が硬くなる現象。細胞分裂によって生じた上皮細胞は，しだいに上行しながら角化していき，約４週間を経て表層から垢として剥離する。表皮の中に血管はない。

Check! 3 真皮

真皮は繊維性結合組織であって，皮膚の機械的な強靭さをつくりだす。細胞外マトリックス（細胞外基質）の主成分はコラーゲン繊維で，少量の弾性繊維を含む。表皮に向かって毛乳頭が突き出し，毛細血管や神経終末が入り込んでいる。

Check! 4 皮下組織

皮下組織は，**疎性結合組織**で，**脂肪細胞**の集団が集まっている。浅層にある皮膚の本体と，深層にある骨格や筋との間をゆるくつないで，じょうぶな皮膚が**身体の動き**を妨げないようにする。また，**脂肪**を貯蔵して，体熱の喪失を防いだり，外力に対するクッションの役割を果たす。

Check! 5 皮膚の付属器

毛と爪は，表皮の細胞が変化して生じたものである。また，皮膚には，表面に汗や皮脂を分泌する**皮膚腺**が付属する。

<table>
<tr><td>毛</td><td colspan="2">ほぼ全身の皮膚に存在し，皮膚の保護や保温に役立つ。</td></tr>
<tr><td>爪</td><td colspan="2">指背の末端部で表皮が分化してできたもの。</td></tr>
<tr><td rowspan="3">皮膚腺</td><td colspan="2">皮膚には毛に付属する脂腺のほか，汗を分泌する汗腺がある。</td></tr>
<tr><td>脂腺</td><td>脂肪性の分泌物を出して，皮膚や毛の表面をやわらかくなめらかにする。</td></tr>
<tr><td>汗腺</td><td>◎エクリン腺（小汗腺）：全身の皮膚に分布し，水分に富んだ薄い汗を出す。手掌と足底でよく発達している。
◎アポクリン腺（大汗腺）：腋窩や耳道などに分布が限られており，脂肪やタンパク質に富んだ汗を出す。</td></tr>
</table>

Check! 6 皮膚の機能

●４つの重要な働き

①身体内部を外界の影響から**保護**すること
②外界についての情報を**感覚**として受け取ること
③発汗や血流調節によって**体温を調節**すること
④水分や一部の物質を**汗として排出**すること

●その他

○緻密な皮膚は水分の過剰な**蒸発を防ぐ**。
○皮膚に含まれるメラニンは，発がん性のある紫外線が皮膚深部に到達することを防ぐ。
○**吸収機能**（**経皮吸収**）。
○紫外線によりビタミンDを合成する（ビタミンDの産生）。

Action

59 消化器系

- 消化器系の解剖図が示され，名称を問う問題が頻出している。きちんと覚えておこう。
- 各器官の機能についても要点を覚え，空欄補充や選択問題に対応できるようにしておこう。

Check! 1 消化器系

■ 消化器系器官の全体図

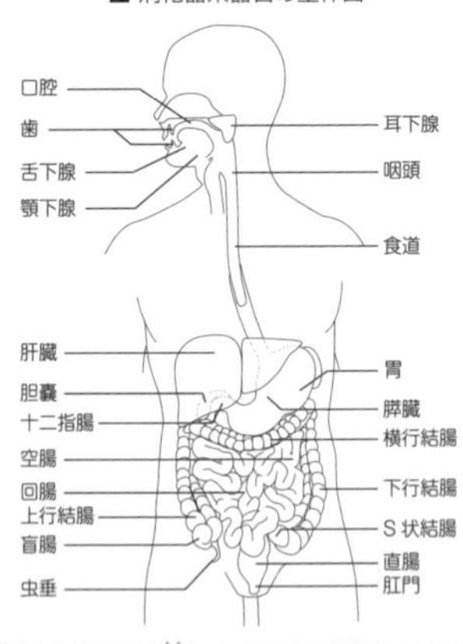

●口から取り入れた食物は胃・小腸へと移送される間に，消化管内に分泌される消化液中の消化酵素の作用を受けて消化される。
●消化液は胃や小腸などの消化管の細胞，口腔内の唾液腺（耳下腺，顎下腺，舌下腺など）や膵臓，肝臓から分泌される。
●消化された栄養素や水分，各種の電解質は，主として小腸壁から吸収される。
●吸収された栄養素は大部分が肝臓に送られて合成・分解・解毒される。
●吸収されなかった残りは，大腸で水分が吸収されたのち便として排泄される。

Check! 2 胃

●胃腺を構成する細胞には，塩酸（胃酸）を分泌する壁細胞，消化酵素であるペプシノゲンを分泌する主細胞，粘液を分泌する副細胞の３種類がある。

塩酸（胃酸）	＊胃内容の殺菌・消毒作用。 ＊ペプシノゲンに作用してペプシン（タンパク質分解酵素）に変える。 ＊ペプシンの作用の促進。 ＊十二指腸でのセクレチン分泌を促し膵液の分泌を促進する。
消化酵素（ペプシノゲン）	主細胞から分泌されたペプシノゲンは塩酸の作用によりペプシンとなり，タンパク質を分解する。

粘液（ムチン）	副細胞から分泌された粘液は胃の内面を覆い，胃粘膜が塩酸によって傷害されるのを防ぐ。

●胃の機能

①食べたものを一時的に貯蔵し，十分に消化して少しずつ腸へ送る
②胃酸による殺菌作用，酵素の活性化，鉄のイオン化
③ペプシンによるタンパク質の消化
④粘液分泌による胃壁の保護
⑤消化管ホルモンの一種であるガストリンの分泌による胃液分泌促進
⑥内因子放出によるビタミン B_{12} の吸収促進

●胃で吸収されるものは，少量の水とアルコールのみで，その他の物はまったく吸収されない。

Check! 3 膵臓

膵臓の大部分は膵液をつくる外分泌部からなるが，その間にインスリンなどのホルモンを出す膵島（ランゲルハンス島）が散在する。

Check! 4 肝臓

●肝臓の機能

代謝機能	＊グリコーゲンの合成と分解：血糖値が高い時は，膵臓から分泌されるインスリンの刺激に応じて肝細胞が血液中のグルコースを取り込み，グリコーゲンにかえて肝臓内に貯蔵する。 血糖値が低下すると膵臓から分泌されるグルカゴンに反応してグリコーゲンを分解しグルコースにかえ，血糖値を正常範囲に維持する。 ＊血漿タンパク質の生成：アルブミン，グロブリン，フィブリノゲンなどの血漿タンパク質を合成。 ＊脂質代謝：中性脂肪，コレステロールなどを合成。 ＊ホルモン代謝：エストロゲン（女性ホルモン）やバソプレシン（抗利尿ホルモン，ADH）などを不活化する。
解毒・排泄機能	脂溶性の有害物質を毒性の低い物質にかえて尿中に排泄したり，胆汁として腸管内に排泄したりする。
胆汁の産生	肝細胞により産生され，脂肪の消化の役割を果たす。
貯蔵機能	鉄やビタミン類を貯蔵。血液の貯蔵部位でもある。
胎児期の造血機能	胎児期には赤血球産生の場として重要。

歯

ここに注目！

歯の構造に関する名称を問う問題が頻出している。空欄補充や適語選択できるよう，きちんと覚えておこう。

Check! 1 学校における歯科保健活動の基本的な考え方

- 教育活動の一環として行われ，子供の生涯にわたる健康づくりの基盤を形成し，心身ともに健全な国民の育成を期す活動。
- 子供の健康づくりに対する意識や行動の芽生えを，歯・口を題材として支援。
- 問題発見・解決型の学習として位置付けることが可能であり，各学校の教育目標の具現化あるいは教育課題の解決に効果をもたらす。

Check! 2 歯の構造

- 歯の突き出した部分を歯冠，粘膜に埋もれた部分を歯根といい，その大部分は歯槽という骨の容器の中にはまり込んでいる。
- 切歯と犬歯は食物を切断し，小臼歯と大臼歯は食物をすりつぶして細かく粉砕する。
- 歯の本体は，以下の３種類の硬組織でつくられている。

エナメル質	歯冠の表面をおおう。水晶にも負けない硬さがある，人体で最も硬い組織である。
象牙質	硬さが少し劣り，歯髄腔の内面に並ぶ細胞が象牙質の中に細い突起を送り出している。生きている組織で，虫歯の際に痛みを感じたり，わずかに成長したりすることがある。
セメント質	薄い骨質。歯根は，このセメント質におおわれていて，歯槽の骨との間を歯根膜という結合組織がつないでいる。

Check! 3 乳歯と永久歯

乳歯	◎生後６～７か月から乳歯が生え始め（萌出），満１歳ごろに上下８本，２歳までには上下 10 本ずつが生えそろう。

	◎上下左右に各々切歯２本，犬歯１本，小臼歯２本が並び計 20 本。 ６～13 歳頃に永久歯に生え変わる。
永久歯	◎最初に生えるのは第１大臼歯で，第３大臼歯は思春期以後に生えてくるが，異常な生え方をしたり，萌出しないことも多い。 ◎永久歯はすべて生えそろうと計 32 本となる。

歯・口の健康づくり

●各発達段階における重点及び内容

発達段階		歯・口の状況	重点	内容
小学校	低学年	第一大臼歯や中切歯の萌出 前歯部の交換開始	＊自分の歯や口の健康状態を理解し，自らの健康を保持増進する態度や習慣を身に付けられるようにする。 ＊むし歯や歯肉の病気の予防に必要な歯のみがき方，望ましい食生活などを理解し，歯や口の健康を保つのに必要な態度や習慣を身に付ける。 ＊歯・口の健康つくりから全身の健康つくりへの保健行動を展開できるようにする。	＊好き嫌いなく，よく噛んで食べる習慣づくり。 ＊自分の歯や口の健康状態の理解。 ＊むし歯や歯肉の病気の予防に必要な歯のみがき方や食生活。 ＊全身の健康つくりへと行動を広げることができる。
	中学年	犬歯・小臼歯の交換期 第一大臼歯のむし歯発生 歯肉炎の増加		
	高学年	口腔環境の悪化 歯肉炎の増加 第二大臼歯の萌出		
中学校		口腔環境の悪化 歯肉炎の増加 第二大臼歯のむし歯の発生 外傷歯の増加	＊健康課題を自ら発見して解決し，生活習慣の改善など毎日の生活に生かす。 ＊歯・口の健康つくりを基礎として，心身の健康つくりへ展開できるようにする。 ＊スポーツ等による歯・口の外傷について理解し，予防しようとする態度を育成する。	＊自分の歯や口の健康状態の理解。 ＊むし歯や歯肉の病気等の予防に必要な歯のみがき方や食生活。 ＊歯周病や口臭の原因と生活習慣の改善方法の理解と実践。 ＊運動やスポーツでの外傷の予防の意義や方法の理解と実践。
高等学校		歯周病の増加 外傷歯の増加	＊健康課題を自ら発見して解決し，生涯にわたって進んで健康によい生活行動が実践できるようにする。	

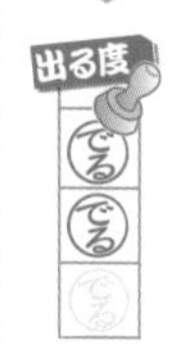

Action 61

食育・栄養

- 学校における食育の推進，養護教員としてのかかわり方を確認しよう。
- 給食時における安全に配慮した食事の指導の在り方や，窒息への対処方法についても確認しておこう。

Check! 1 学校における食育の推進

(1) 食に関する指導の目標

○食事の重要性，食事の喜び，楽しさを理解する。
○心身の成長や健康の保持増進の上で望ましい栄養や食事のとり方を理解し，自ら管理していく能力を身に付ける。
○正しい知識・情報に基づいて，食物の品質及び安全性等について自ら判断できる能力を身に付ける。
○食物を大事にし，食物の生産等にかかわる人々へ感謝する心をもつ。
○食事のマナーや食事を通じた人間関係形成能力を身に付ける。
○各地域の産物，食文化や食にかかわる歴史等を理解し，尊重する心をもつ。

(2) 個別的な相談指導の進め方

個別的な相談指導は，その生徒にとって望ましい食生活の形成に向けた改善を進めていく活動である。食習慣以外の生活習慣や心の健康とも関係することが考えられるため，学級担任，養護教諭，栄養教諭，他の教職員，スクールカウンセラー，学校医，主治医などとの密接な連携と共通理解，保護者への助言・支援や働きかけにより適切に対応することが大切である。

＜指導上の留意点＞

○個別指導の際に特別扱いということで児童生徒の心の過大な重荷になったり，いじめのきっかけにならないよう，実態を踏まえたきめ細かな配慮をすること。
○児童生徒の心（人格）を傷つけないよう，無理なく指導すること。
○保護者との連絡は密にとり，プライバシーの保護にも十分留意すること。
○解決を焦らずに長い間をかけて指導する必要があり，当面は目標をひとつに絞って具体的な指導方法を考え進めること。
○改善目標は対象の児童生徒との合意により決定していくことが大切であ

り，児童生徒が自ら決めた目標を設定することが望ましい。
○個に応じた指導計画を作成し，詳細に記録し，評価を行いながら，対象の児童生徒にとって適正な改善へ導くこと。
○対象の児童生徒と保護者が満足する成果を上げられるよう努めること。

Check! 2 栄養に関する知識

(1) 五大栄養素

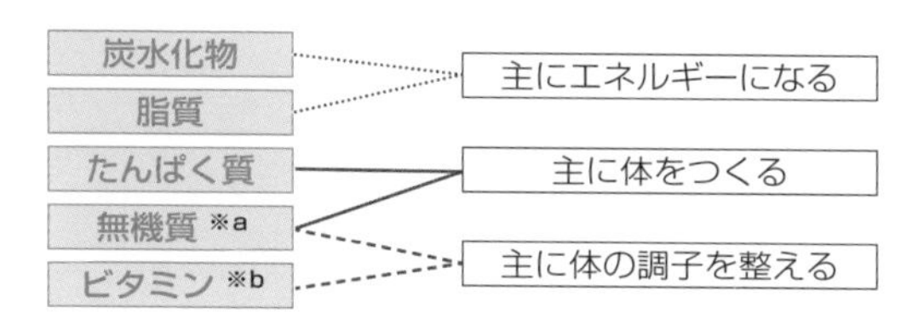

(2) ※a 無機質（ミネラル）

微量栄養素として食品からの摂取が欠かせないものである。

①多量ミネラル：1 日の摂取量が 100mg 以上

②微量ミネラル：1 日の摂取量が 100mg 未満

鉄，亜鉛，銅，マンガン，ヨウ素，セレン，クロム，モリブデン。

※　鉄は，女性の場合，経血で失われ貧血に繋がりやすいので注意が必要。

(3) ※b ビタミン

微量栄養素。食品から摂取する必要のある有機化合物である。

①水溶性ビタミン

②脂溶性ビタミン

ビタミン A，ビタミン D，ビタミン E，ビタミン K

多量ミネラル	過剰症
ナトリウム	高血圧症等
カリウム	腎機能低下時は制限の場合あり
カルシウム	泌尿器系結石等
マグネシウム	下痢等
リン	骨密度減少（カルシウム量と関連）

水溶性ビタミン	欠乏症
ビタミン B_1	脚気，浮腫等
ビタミン B_2	口角炎，成長停止等
ナイアシン	口舌炎，胃腸炎等
ビタミン B_6	湿疹，貧血等
ビタミン B_{12}	神経疾患，倦怠感等
葉酸	妊娠中の欠乏等
パントテン酸	めまい，抗体低下等
ビオチン	食欲低下，吐き気等
ビタミン C	壊血病等

Action 62 性教育

ここに注目！

養護教諭として性教育をどう捉えるか，まとめておこう。

Check! 1 学校における性教育

学校における性教育は，児童生徒等の**人格の完成**と**豊かな人間形成**を究極の目的とし，人間の性を人格の基本的な部分として生理的側面，心理的側面，**社会的側面**などから総合的にとらえ，**科学的知識**を与えるとともに，児童生徒等が**生命尊重**，**人間尊重**，**男女平等の精神**に基づく正しい異性観をもつことによって，自ら考え，判断し，意志決定の能力を身に付け，**望ましい行動**を取れるようにすることを目的とする。

［文部科学省「学校における性教育の考え方，進め方」（平成 11 年）より］

（1）学習指導要領解説：体育編，保健体育編の「性」にかかわる内容より

思春期の体の変化

○思春期には，体つきに変化が起こり，人によって違いがあるものの，男子はがっしりした体つきに，女子は丸みのある体つきになるなど，**男女の特徴**が現れることを理解できるようにする。

○思春期には，初経，精通，変声，発毛が起こり，また，**異性への関心**も芽生えることについて理解できるようにする。さらに，これらは，個人差があるものの，大人の体に近づく現象であることを理解できるようにする。なお，指導に当たっては，**発達の段階**を踏まえること，学校全体で**共通理解**を図ること，**保護者の理解**を得るなどに配慮することが大切である。

［小学校学習指導要領／第2章／第9節 体育／第3学年及び第4学年／2 内容／G 保健(2)(ア)，(イ)の解説］

生殖にかかわる機能の成熟

思春期には，下垂体から分泌される性腺刺激ホルモンの働きにより**生殖器の発達**とともに**生殖機能**が発達し，男子では射精，女子では月経が見られ，**妊娠**が可能となることを理解できるようにする。また，身体的な成熟に伴う性的な発達に対応し，個人差はあるものの，**性衝動**が生じたり，**異性への関心**などが高まったりすることなどから，**異性の尊重**，**性情報への対処**など性に関する適切な態度や**行動の選択**が必要となることを理解でき

るようにする。[中学校学習指導要領／第2章／第7節 保健体育／第2 保健分野／2 内容／(2)ア(イ)の解説]

現代の感染症とその予防

感染症のリスクを軽減し予防するには，衛生的な環境の整備や検疫，正しい情報の発信，予防接種の普及など社会的な対策とともに，それらを前提とした**個人の取組**が必要であることを理解できるようにする。その際，**エイズ**及び性感染症についても，その**原因**，及び**予防**のための個人の行動選択や社会の対策について理解できるようにする。

[高等学校学習指導要領／第2章／第6節 保健体育／第2款 各科目／第2 保健／2 内容／(1)ア(イ)の解説]

（2）養護教諭の役割

- 養護教諭は**専門性**を生かし，性教育の**計画立案**や教職員の**研修**などに積極的に協力する。
- 保健室の機能を通じて得られる児童生徒等の性にかかわる様々な情報などを整理し，**個別の指導**に適切に反映させる。
- **健康相談**活動において，児童生徒等の様々な性に係る問題の観察や背景の分析，解決のための支援や関係者との連携などをすすめる。

Check! 2 身体的な基本的知識

（1）男性器(左)と女性器(右)

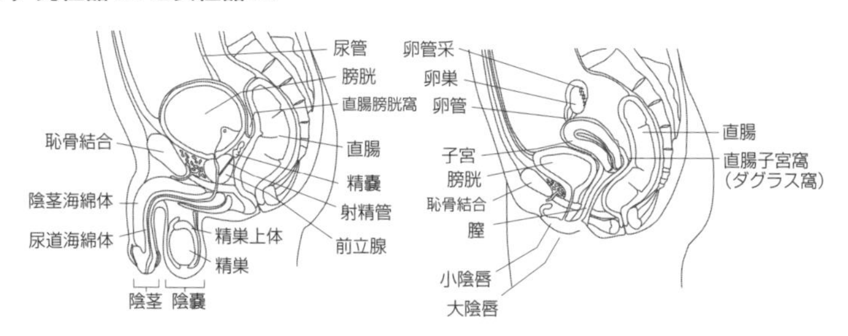

（2）月経

- ○女性の体は，**卵胞ホルモン**(**エストロゲン**)と**黄体ホルモン**(**プロゲステロン**）により，月経周期・変化を繰り返す。
- ○**月経前症候群**（PMS）：月経前(黄体期）に様々な不調が起こる。
- ○子宮内膜症：慢性疾患。**激しい生理痛**の場合は注意する必要がある。

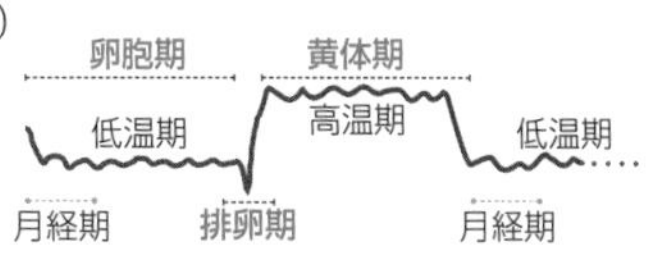

Action 63

喫煙・飲酒・薬物乱用

ここに注目!

喫煙・飲酒・薬物乱用防止の指導において必要な視点について把握し，養護教諭の専門性をどのように生かせるか確認しておこう。

Check! 1 薬物乱用とは

●薬物乱用は，薬物を社会的許容から逸脱した目的や方法で自己使用することと定義づけられる。1回の使用であっても乱用に当たるといえる。

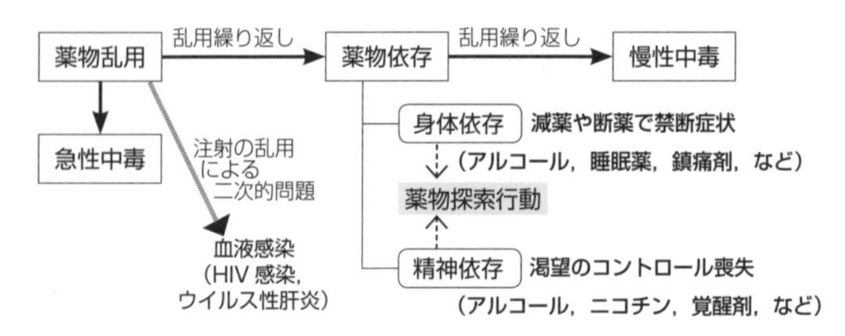

●薬物依存とは薬物乱用を繰り返した結果，使用への自己コントロールを失った状態であり，言動の異常や身体的異常を指すわけではない。

●薬物依存症という障害がもたらす二次的な問題として，本人の健康を害するだけではなく，家族を巻き込み対人関係上の問題が頻発し社会生活上の問題に発展，ひいては社会全体の問題となることがあげられる。

Check! 2 学習指導要領解説における「喫煙」「飲酒」の記載

(1) 小学校学習指導要領解説：体育編 [第5学年及び6学年／G保健／(3)病気の予防より]

○飲酒については，判断力が鈍る，呼吸や心臓が苦しくなるなどの影響がすぐに現れることを理解できるようにする。長い期間の飲酒は肝臓などの病気の原因となることや，低学年からの喫煙・飲酒は特に害が大きいこと，未成年の喫煙・飲酒は法律により禁止されていること，好奇心や周りからの誘いがきっかけで開始する場合があることについても触れる。

(2) 中学校学習指導要領解説：保健体育編 [保健分野／2内容／(1)健康な生活と疾病の予防より]

○喫煙については，煙の中にニコチン，タール及び一酸化炭素などの有害物質が含まれていること，その作用で毛細血管の収縮，心臓への負担，運動能力の低下など様々な急性影響が現れること，常習的喫煙でがんや心臓病などの疾病を起こしやすくなること，依存症になりやすいことを理解できるようにする。

○飲酒については，酒の主成分のエチルアルコールが中枢神経の働きを低下させ，思考力，自制力，運動機能が低下したり，事故を起こしたり，急激な大量飲酒による急性中毒で意識障害や死に至ること，常習的な飲酒は肝臓病や脳の疾病等の疾病を起こしやすくすること，依存症になりやすいことについて理解する。

（3）高等学校学習指導要領解説：保健体育編 ［保健／３内容／(1)現代社会と健康より］

○喫煙や飲酒は，生活習慣病などの要因となり心身の健康を損ねることを理解できるようにし，周囲の人々や胎児への影響などにも触れるようにする。

○好奇心，自分自身を大切にする気持ちの低下，周囲の人々の行動，マスメディアの影響，ニコチンやエチルアルコールの薬理作用などが，喫煙や飲酒の開始や継続の要因となることにも適宜触れるようにする。

Check! 3 学習指導要領解説における「薬物乱用」の記載

（１）［小学校学習指導要領解説：体育編］ ［第５学年及び６学年／Ｇ保健／(3)病気の予防より］

○薬物乱用については，シンナーなどの有機溶剤を取り上げ，一回の乱用でも死に至ることがあり，乱用を続けると止められなくなり，心身の健康に深刻な影響を及ぼすことを理解できるようにする。その際，覚醒剤を含む薬物乱用は法律で厳しく規制されていることにも触れるようにする。

（２）［中学校学習指導要領解説：保健体育編］ ［保健分野／２内容／(1)健康な生活と疾病の予防より］

○薬物乱用については，覚醒剤や大麻を取り上げ，摂取によって幻覚を伴った激しい急性の錯乱状態や急死などを引き起こすこと，薬物の連用により依存症状が現れ，中断すると精神や身体に苦痛を感じるようになるなど様々な障害が起きることを理解する。

○薬物乱用は，個人の心身の健全な発育や人格の形成を阻害するだけでなく，社会への適応能力や責任感の発達を妨げるため，暴力，性的非行，犯罪など家庭･学校･地域社会にも深刻な影響を及ぼすこともあることを理解する。

○乱用行為は，好奇心，なげやりな気持ち，過度のストレスなどの心理状態，断りにくい人間関係，宣伝・広告や入手し易さなどの社会環境によって助長されること，それらに適切に対処する必要があることを理解する。

○体育分野との関連からフェアなプレイに反するドーピングの健康への影響についても触れる。

（３）［高等学校学習指導要領解説：保健体育編］ ［保健／３内容／(1)現代社会と健康より］

○コカイン，MDMAなどの**麻薬**，覚醒剤，大麻など薬物の乱用は，心身の健康，社会の安全などに対して深刻な影響を及ぼすことから，**決して行ってはならない**ことを理解する。**危険ドラッグ**にも触れる。
○自分の体を大切にする気持ちや社会の規範を守る意識の低下，周囲の人々からの誘い，断りにくい人間関係，**インターネット**を含み薬物が手に入りやすい環境等があることにも触れる。

Check! 4 喫煙・飲酒・薬物乱用の防止

●一次予防である**健康教育**と**社会環境**の改善が，本質的解決につながる。
●**正しい知識**の普及，健全な価値観や規範意識の育成などの**個人への働きかけ**，法的な規制や行政的な対応など**社会環境への対策**が必要であることを理解する。
●家族や周囲の人々の喫煙，飲酒，薬物乱用は，**受動喫煙**のように子供に身体的影響を与え，本来子供が持っている喫煙，飲酒，薬物乱用を忌避しようとする健康な感覚の発達を妨げ，その健康行動に影響を与える。特に，家族など身近にアルコール依存症者や覚せい剤乱用者がいると，子どもの**精神的発達**や**社会への適応性**に著しい悪影響が及ぶこともあるとの指摘もある。
●ライフスキルを基盤とした指導方法：ティームティーチングによるフィールドワーク，ブレインストーミング，ディベート，ケーススタディ，ロールプレイング

Check! 5 薬物乱用防止教育の充実強化

（1）学校における薬物乱用防止教育
○小学校の体育科，中学校及び高等学校の保健体育科，**特別活動**の時間はもとより，**道徳**，総合的な学習の時間等の学校の教育活動全体を通じて指導が行われるよう引き続き周知を図る。
○児童生徒が薬物乱用の危険性・有害性のみならず，薬物乱用は好奇心，**投げやり**な気持ち，過度の**ストレス**などの心理状態，断りにくい**人間関係**，宣伝・広告や入手しやすさなどの社会環境などによって助長されること，また，それらに適切に**対処**する必要があることを理解できるようにするため，指導方法の工夫が行われるよう一層の周知を図る。

（2）薬物乱用防止教室
＜「**第六次薬物乱用防止五か年戦略**」（令和５年：薬物乱用対策推進会議）**での位置づけ**＞
○薬物乱用防止教室は，**学校保健計画**において位置付け，すべての中学校及び高等学校において年１回は開催するとともに，地域の実情に応じて小学校においても開催に努める。

○薬物等に関する専門知識を有する警察職員，麻薬取締官，学校薬剤師，矯正施設職員，保健所職員，税関職員等が連携し，学校等における薬物乱用防止教室を充実強化する。

○開催に際して広報車を活用するなどして，児童生徒の薬物乱用根絶意識の向上を図る。

○学校警察連絡協議会，研修，講演等を通じた**情報交換**を実施することで，学校と警察等の関係機関との連携を一層強化する。

<必要な内容>

○薬物乱用は特別な問題ではなく，**誰の身近にも起こり得る問題**であること。

○乱用される薬物は，**所持**することも禁止されていること。

○対象となる児童生徒の発育・発達段階を十分考慮した内容や指導方法であること。

○薬物の誘惑に負けない気持ちを持つことが充実した人生につながるという**積極的なメッセージ**。

○児童生徒がおかれている環境を非難するなど，児童生徒や家族を傷つける可能性のある内容は避けること。問題を児童生徒に押しつけてしまうのではなく，**一緒に考える姿勢**を大切にすること。

○乱用される薬物の**入手方法や使用方法**を教えることとなる情報は必要ない。

○薬物乱用者や薬物依存の患者（タレント等を含む）の治療，更生等にかかわる情報は，簡単に薬物依存から抜け出せるイメージを与える可能性もあるため，**第一次予防**が主である学校での防止教育では注意が必要である。

○児童生徒が依存性薬物を**乱用するか否か**を決めることはできない。「薬物を使用するか否かは本人（子供）自身が決めることである」といった表現が使われている情報は伝え方に注意が必要である。

Check! 6 養護教諭による指導

●養護教諭は，健康に関する**専門知識**を有し，心や体の健康問題に対して保健指導や健康相談に当たっていることから，様々な教育活動の場で，喫煙，飲酒，薬物乱用防止に関する指導を行い，効果を上げることができる。その際，集団や個人及び組織などへの**計画的な指導**と適宜の指導が考えられる。

●薬物乱用防止教室開催に当たっては，中心人物の一員として**企画**を進める（テーマ，日時，講師選出，責任者確認等）。

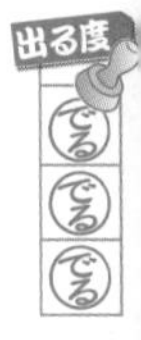

Action 64

発達障害

発達障害の可能性があり特別な支援が必要な小・中学生の，通常の学級に在籍する推計は約 8.8%。事例問題も想定して要点を押さえておこう。

「発達障害」とは，自閉症，アスペルガー症候群その他の広汎性発達障害，学習障害，注意欠陥多動性障害その他これに類する脳機能の障害であってその症状が通常低年齢において発現するものとして政令で定めるものをいう。

［発達障害者支援法第２条より］

Check! 1 広汎性発達障害

対人相互的反応の障害	コミュニケーションをはじめ人との自然なやり取りや交流に困難を生じる。
強迫的傾向	限られた事柄にのみ過度に没頭したり同じ行動パターンを繰り返したりする。

＋

①言葉の発達に明らかな遅れがある場合	➡ ① 自閉症
②言葉の発達に遅れがない場合	➡ ② アスペルガー症候群
③同じような特徴が軽度に見られる場合	➡ ③ 特定不能型の発達障害

④高機能自閉症

３歳位までに現れ，①他人との社会的関係の形成の困難さ，②言葉の発達の遅れ，③興味や関心が狭く特定のものにこだわる，行動の障害である自閉症のうち，知的発達の遅れを伴わないもの。	
症状	視線が合いにくい，人見知りが激しい，一人で遊ぶなど。
対応	本人に無理のない範囲で学校生活への参加を通じて対人的能力と社会性の向上をめざす。

Check! 2 学習障害（LD）

基本的には全般的な知的発達に遅れはないが，聞く，話す，読む，書く，計算する又は推論する能力のうち特定のものの習得と使用に著しい困難を示す様々な状態を指すもの。	
原因	中枢神経系の機能障害が推定されるが，学習困難とは異なる。

症状	聞く，話す，読む，書く，計算する，推論する能力のうち，特定のものの習得や使用に著しい困難を示す。
対応	教科の成績に大きなアンバランスがある場合には留意が必要である。学習面の遅れがあることにより，メンタルヘルスの問題を生ずることがあるので注意。

Check! 3 注意欠陥多動性障害（ADHD）

年齢や発達に不釣り合いな注意力，または衝動性・多動性を特徴とする行動の障害で，社会的な活動や学業の機能に支障をきたすもの。	
原因	中枢神経系に何らかの要因による機能不全があると推定される。
症状	**多　動**：じっとしていない，落ち着きなく動き回るなど。 **衝動性**：質問の途中で答えてしまうなど抑制すべき行動を抑えることができない。 **不注意**：注意を払うことが苦手でケアレスミスをするなど。 ※　LD と並存する場合もみられる。
対応	気が散りにくいように座席の位置や教室内のレイアウトを配慮するなどの環境調整と，ADHD の特性の理解に則った対応が必要。

Check! 4 チック

顔をしかめたり肩をすぼめるなどのように，突然起こる，素早く，ひきつったような体の動きや発声が反復して起きる状態。	
症状	**運動チック**：目をパチパチさせることが最も典型的。複雑運動チック（地団太を踏むなど意図的に見えるチック）もある。
	音声チック：せき払いをするように言葉を発するチック（複雑音声チック）。
対応	学校ではチックをやめるよう叱らないと同時に，児童生徒の特徴の一つとして受け入れて自然体で接すること。

Check! 5 反抗挑戦性障害・行為障害

反社会的，攻撃的あるいは反抗的な行動を繰り返し，それが年齢や発達水準から大きく逸脱し，生活に支障をきたしている状態。	
症状	**反抗挑戦性障害**：大人の要求や規則に積極的に背き，大人と口論し，他人を故意にいらだたせ，自分の失敗を他人のせいにする傾向がある。 **行為障害**：人や動物に対する攻撃性，暴力的行為，窃盗など。
対応	医療，保健，福祉，司法などの関連機関が連携して対応する（児童相談所が中心となることが多い）。

性同一性障害

ここに注目!

- 学校の支援体制で留意が必要と思われる事項について確認しよう。
- 養護教諭ができることについて考えておこう。

Check! 1 性同一性障害に係る児童生徒についての特有の支援

(1) 学校における支援体制について

○最初に相談を受けた者だけで抱え込むことなく，組織的に取り組むことが重要であり，学校内外にサポートチームを作り，支援委員会やケース会議等を適時開催しながら対応を進めること。

○当事者である児童生徒やその保護者に対し，情報を共有する意図を十分に説明・相談し理解を得つつ，対応を進めること。

(2) 教育委員会等による支援について

○教職員の資質向上の取組としては，人権教育担当者や生徒指導担当者，養護教諭を対象とした研修等の活用が考えられる。

性同一性障害の定義 (性同一性障害者の性別の取扱いの特例に関する法律 第2条より)

生物学的には性別が明らかであるにもかかわらず，心理的にはそれとは別の性別であるとの持続的な確信を持ち，かつ，自己を身体的及び社会的に他の性別に適合させようとする意思を有する者であって，そのことについてその診断を的確に行うために必要な知識及び経験を有する2人以上の医師の一般に認められている医学的知見に基づき行う診断が一致しているものをいう。

(3) 学校生活の各場面での支援について

○学校においては，性同一性障害に係る児童生徒への配慮と，他の児童生徒への配慮との均衡を取りながら支援を進めることが重要である。

○性同一性障害に係る児童生徒が求める支援は，当該児童生徒が有する違和感の強弱等に応じ様々であり，また，当該違和感は成長に従い減ずることも含め変動があり得るものとされていることから，学校として先入観をもたず，その時々の児童生徒の状況等に応じた支援を行うことが必要である。

○他の児童生徒や保護者との情報の共有は，当事者である児童生徒や保護者の意向等を踏まえ，個別の事情に応じて進める必要がある。

○医療機関を受診して性同一性障害の**診断**がなされない場合であっても，児童生徒の悩みや不安に寄り添い**支援**していく観点から，医療機関との相談の状況，児童生徒や保護者の意向等を踏まえつつ，支援を行うことは可能である。

<学校における支援の事例>

*服装…自認する性別の制服・衣服や，体操着の着用を認める。
*更衣室…保健室・多目的トイレ等の利用を認める。
*トイレ…職員トイレ・多目的トイレの利用を認める。
*呼称の工夫…校内文書（通知表を含む）を児童生徒が希望する呼称で記す。自認する性別として名簿上扱う。
*授業…体育または保健体育において別メニューを設定する。
*水泳…上半身が隠れる水着の着用を認める（戸籍上男性）。補習として別日に実施，またはレポート提出で代替する。
*修学旅行等…ひとり部屋の使用を認める。入浴時間をずらす。

Check! 2 性同一性障害に係る児童生徒や「性的マイノリティ」とされる児童生徒に対する相談体制等の充実

●学級・ホームルームにおいては，いかなる理由でも**いじめ**や**差別**を許さない適切な生徒指導・人権教育等を推進することが，悩みや不安を抱える児童生徒に対する**支援**の土台となる。

●教職員としては，悩みや不安を抱える児童生徒の**良き理解者**となるよう努めることは当然であり，性同一性障害に係る児童生徒だけでなく，**性的マイノリティ**とされる児童生徒全般に共通するものである。

●児童生徒から相談を受けた際は，当該児童生徒からの信頼を踏まえつつ，まずは悩みや不安を**聞く姿勢**を示すことが重要である。

●自身のそうした状態を**秘匿**しておきたい場合があること等を踏まえつつ，学校においては，日頃より児童生徒が**相談**しやすい環境を整えていくことが望まれる。

●教職員自身が**心ない言動**を慎むことはもちろん，戸籍上の性別によく見られる服装や髪型等としていない場合等，性同一性障害等を理由としている**可能性**を考慮し，そのことを一方的に否定したり**揶揄**したりしないこと等が考えられる。

※　**性的マイノリティ**とは，性的少数派を意味する。**自殺念慮**の割合等が高いことが指摘されており，教職員の理解の促進が必要である。

※　LGBTは，女性同性愛者，男性同性愛者，両性愛者，身体的性別と性自認が一致しない人，の総称。

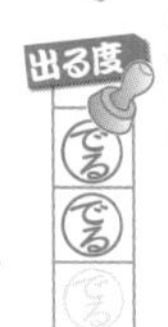

Action 66

心的外傷後ストレス障害（ＰＴＳＤ）

ここに注目！

- 心的外傷後ストレス障害（PTSD）について，具体的な症状をきちんと覚えておこう。
- 事例問題にも対応できるよう，対応の基本は押さえておこう。

Check! 1 基本概念

地震・火事などの被災，事件・事故の被害や目撃，親しい人の急死など，強い恐怖・戦慄・無力感に襲われるような，生命にかかわりかねない出来事を体験または目撃したことによる後遺症が，一過性で収まらずに持続している状態をさす。

Check! 2 症状

（１）再体験症状の例

○フラッシュバック（恐怖体験時の情景が生々しく想起されて動揺する）
○夢にトラウマ（次ページ参照）体験が現れる
○トラウマを連想する場面で苦痛を感じる
○（幼児の場合）遊びの中でトラウマ場面を再現する

（２）回避・麻痺症状の例

○トラウマを想起させる場所や状況を避ける
（例えば，事故を目撃した道を通らない等）
○トラウマの中心部分（性被害等）が思い出せない
○周りとの間に隔絶を感じる
○未来がないような感覚を持つ等の症状が含まれる

（３）覚せい亢進症状の例

○過剰な警戒感（すぐにビクッとする等）
○不眠
○イライラ
○集中困難，等

※　これらに加え，一人にされたり，電気を消すのを異常に恐がったり，幼児返りのような行動（心理的退行）を示すことがある。

※　子どもはトラウマ体験を報告しない場合があること，トラウマが犯罪被害の場合，“自分が悪い”という誤った罪責感を本人が抱きやすいことに注意する必要がある。

Check! 3 治療方針と関係者の対応

●放置すると慢性化し，生活に大きな障害が現れるため，なるべく早期に児童精神科を受診する必要があるが，本人の意志とトラウマへの過敏性に充分配慮する。

●治療法として，抗うつ剤や安定剤を用いた症状の軽減，それらと並行した精神療法，眼球運動を活用したトラウマの脱感作療法（ＥＭＤＲ）などがある。

●周囲の対応としては，本人に大丈夫であるという安心感を与えつつ，なるべく普通に穏やかに接することが重要である。

●誰でも恐い目に遭うと同様の症状が現れること，症状は必ず良くなることを伝えた上，無理のない範囲で学校生活に参加させていくことが肝要である。

Check! 4 トラウマ

(1)「トラウマ」とは

○もともと“けが”を意味する言葉であるが，それを現在の“心的外傷”の意味に用いたのは精神分析の創始者フロイトである。

○当初は，心因性の症状（歩けなくなる，失神する，等）を生み出すような情緒的にショッキングな出来事を指していたが，最近では，長く記憶にとどまる辛い体験を一般にトラウマと呼ぶことが多い。

(2) PTSD におけるトラウマ（心的外傷）

○災害や事件など生命の危機や身体の保全が脅かされるような状況を体験するか目撃し，強い戦慄や恐怖を味わった場合に限定されている。

○一般的な意味でのトラウマは時間の経過とともに自然に解消することがあるが，PTSD の場合には治療が必要である。

67 児童虐待

ここに注目！

- 児童虐待の種類については，法文における用語の定義を確実に覚えておこう。
- 養護教諭として，虐待の早期発見や児童生徒への対応等，事例問題にも対応できるよう要点を押さえておこう。

Check! 1 児童虐待の種類（児童虐待の防止等に関する法律第２条より）

（1）身体的虐待

児童の身体に外傷が生じ，又は生じるおそれのある暴行を加えること。

（2）性的虐待

児童にわいせつな行為をすること又は児童をしてわいせつな行為をさせること。

（3）ネグレクト

児童の心身の正常な発達を妨げるような著しい減食又は長時間の放置，保護者以外の同居人による身体的虐待・性的虐待または心理的虐待と同様の行為の放置その他の保護者としての監護を著しく怠ること。

（4）心理的虐待

児童に対する著しい暴言又は著しく拒絶的な対応，児童が同居する家庭における配偶者に対する暴力その他の児童に著しい心理的外傷を与える言動を行うこと。

Check! 2 児童虐待の発生要因

①生活の中で大きなストレス（夫婦家族関係，生活の経済的困窮，離婚・再婚，家族の死や失業，倒産など）が加わり危機的状況に陥っている。

②悩みや困ったときの支援者がなく，孤立・孤独感がある。

③望まない妊娠などで育児に対する様々な準備が不足していた。

④未熟児，多胎，アレルギー体質などにより子どもの養育に著しい困難を伴う。

⑤親が育った子ども期の養育環境の中に，愛されたという実感がないため，我が子への愛着形成がうまくいかない。

Check! 3 保健室等における児童虐待の早期発見

（1）健康診断

健康診断は，身体測定，内科検診や歯科検診をはじめとする各種の検診や検査が行われることから虐待を発見しやすい機会である。

（2）保健室等での子どもへの対応

養護教諭が行う応急手当や健康相談活動など，保健室等では，児童生徒の訴えに耳を傾け，サインを見逃さないようにし，情報を総合的に評価して「虐待の疑い」の早期発見に努めることが大切である。

（3）時間経過に伴う挫傷の色調変化

受傷原因の説明と外傷との矛盾を見極めるためには，時間経過に伴う挫傷（打撲傷）の色調変化を知っておくことである。

外傷の発生時期に関する説明が時間経過に伴う挫傷の色調の目安（下表）とあまりにもかけ離れているときは，虐待を疑う必要がある。

（4）身体的虐待と不慮の事故による外傷部位の相違

＜時間経過にともなう挫傷色調のめやす＞

時間経過	挫傷色調の変化
受傷直後	赤みがかった青色
1～5日後	黒っぽい青から紫色
5～7日後	緑色
7～10日後	緑がかった黄色
10日以上	黄色っぽい茶色
2～4週間	消退

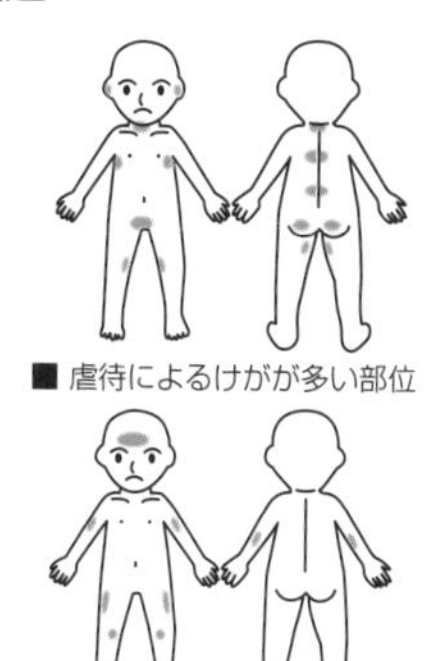
■ 虐待によるけがが多い部位

■ 事故でけがをしやすい部位

Check! 4 学校及び教職員に求められている役割

［児童虐待の防止等に関する法律より］

①児童虐待の早期発見に努めること（努力義務）（第5条）

②虐待を受けた児童の保護・自立支援に関し，関係機関への協力に努めること（努力義務）（第５条）

③虐待防止のために児童及び保護者への教育又は啓発に努めること（努力義務）（第5条）

④虐待を受けたと思われる児童について，児童相談所等へ通告すること（義務）（第6条）

※　国・地方公共団体の講ずべき措置：学校の教職員等に対する研修等，虐待等防止等のために必要な体制の整備。

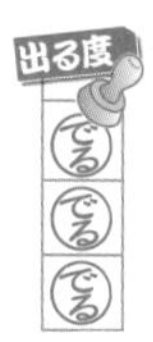

いじめ

ここに注目！

養護教諭として，いじめ問題にどうかかわれるのか把握しておこう。

学校においては，いじめ問題への取組の徹底をはかっているが，依然としていじめによる自殺が発生するなど痛ましい事案が生じている。

養護教諭は，学校のいじめ対策組織において，児童生徒の心身の健康問題の早期発見・対応面での実効性を深く認識することが求められる。

特に，**長期休業日**が終了した学期始め等の時期にあっては，児童生徒の心身の状況や行動に変化が現れやすいことから注意が必要である。

Check! 1 いじめの定義

(1) いじめ防止対策推進法 第2条①

この法律において「いじめ」とは，児童等に対して，当該児童等が在籍する学校に在籍している等当該児童等と一定の人的関係にある他の児童等が行う**心理的**又は**物理的**な影響を与える行為（**インターネット**を通じて行われるものを含む。）であって，当該行為の対象となった児童等が**心身の苦痛**を感じているものをいう。

(2) 文部科学省「児童生徒の問題行動等生徒指導上の諸問題に関する調査」（平成18年度以降）

「いじめ」とは，「当該児童生徒が，一定の人間関係のある者から，**心理的**，**物理的**な**攻撃**を受けたことにより，**精神的**な**苦痛**を感じているもの。」とする。なお，起こった場所は**学校の内外**を問わない。

＊「攻撃」とは，仲間はずれや集団による無視など直接的にかかわるものではないが，心理的な圧迫などで相手に苦痛を与えるものも含む。

※　いじめの中には，**犯罪行為**として早期に警察に相談するのが重要なものや，児童生徒の**生命・身体**や**財産**に重大な被害が生じるものとして直ちに**警察**に通報することが必要なものが含まれる。

Check! 2 いじめる心理

●いじめの背景にあるいじめる側の心理を読みとることも重要である。不安や葛藤，劣等感，欲求不満などが潜んでいることが少なくない。対応の方向性への示唆が得られるだけでなく，その視点から児童生徒の生活をみることでいじめの未然防止にもつながる。

●いじめの衝動を発生させる原因としては，①心理的ストレス（過度のストレスを集団内の弱い者への攻撃によって解消しようとする），②集団内の異質な者への嫌悪感情（凝集性が過度に高まった学級集団などにおいて，基準から外れた者に対して嫌悪感や排除意識が向けられる），③ねたみや嫉妬感情，④遊び感覚やふざけ意識，⑤いじめの被害者となることへの回避感情，などがあげられる。

Check! 3 いじめ問題への対応

●いじめに取り組む基本姿勢は，人権尊重の精神を貫いた教育活動を展開することである。「いじめは人間として絶対に許されない」という意識を一人一人の児童生徒に徹底させるとともに，教職員自らそのことを自覚し，保護者や地域に伝えていくことが必要である。

●いじめが生じた場合には，いじめられている児童生徒に非はないという認識に立ち、組織的対応によって問題の解決を図る。心の傷の回復に向けた本人への働きかけを行うと同時に，学校全体として社会性をはぐくむ取組につなげていくことも大切である。

<いじめの早期発見と早期対応 >

○いじめを許さない学校づくりを進めるとともに，児童生徒が発する小さなサインを見逃すことのないよう日ごろから丁寧に児童生徒への理解を進め，早期発見に努めることが大切である。

○表面の行動に惑わされることなく内面の感情に思いをはせ，違和感を敏感に感じとる必要がある。

○アンケートや面接を通して児童生徒の声が教員に届くように，相談したいという信頼関係を日常的に築いておく。

○いじめ発見のルートは，①本人の訴え，②教職員による発見（担任，養護教諭，事務職員など），③他からの情報提供（児童生徒，保護者，地域，関係機関など）に大別される。

○多面的な情報を付き合わせて全体像を把握し的確な対応を行うためには，協働的な生徒指導体制が機能していることが不可欠の前提となる。

Action 69

学校における医薬品の取扱い

ここに注目！

学校内での一般用医薬品の取扱い方，児童生徒に使用する際の注意点について要点を覚えておこう。

Check! 1 セルフメディケーションとは

●**世界保健機関（WHO）の定義**（平成12年）

セルフメディケーションとは，自分自身の健康に責任を持ち，軽度な身体の不調（minor ailments）は自分で手当てすることである。

●我が国では新たな一般用医薬品の販売制度が開始（平成21年度）。以来，医薬品の使用は，自己責任の視点がより重要となってきている。

●学校での医薬品の使用は「学校は医療機関ではない」が原則。

Check! 2 医薬品とは（医薬品，医療機器等の品質，有効性及び安全性の確保等に関する法律上の定義）

医薬品	病気の診断，治療，予防などに使用する目的とされるもの。
医薬部外品	吐き気などの不快感の防止，あせも，ただれ等の防止を目的に使用されるもの。また，脱毛，育毛，口臭，体臭等の美容目的に使用されるもの。
化粧品	身体の清潔，美化，皮膚や毛髪を健やかに保つ目的で使用されるもの。

＜購入方法からみた医薬品の違い＞

医薬品	医療用医薬品	医師・歯科医師の診断に基づく処方箋が原則必要。薬局で薬剤師から購入可能。
	一般用医薬品	薬局や薬店・ドラッグストアにて，薬剤師等の薬の専門家から助言を得ながら，自らの判断で購入可能。
	要指導医薬品	薬剤師から対面でのみ購入可能。
医薬部外品，化粧品		薬局や薬店・ドラッグストア以外でも買うことができるもの。

一般用医薬品はOTC（Over the Counter）医薬品，市販薬，大衆薬ともよばれる。副作用のリスクの程度に基づいて第一類～第三類に分類される。

Check! 3 学校における医薬品取扱いの考え方

（1）共通理解の必要性

○学校においては，児童生徒に**要指導医薬品**，**第一類医薬品**の提供は適当ではない（原則として**一般用医薬品**を提供しない）。

○一般用医薬品を購入する際は，可能な限り安全性の高い**第三類医薬品**とする。

○一般用医薬品の管理責任者は**校長**である。購入や管理に関しては必ず校長に相談し，学校医等の指導・助言を受けて決定し，取り扱いには教職員の共通理解を図ることが必要である。

○医療用医薬品は，原則として**児童生徒本人**が保管・管理する。やむを得ない場合は学校で預かることはできるが，教職員への周知徹底や共通理解による校内体制の確立が必要である。

（2）養護教諭の役割

○年度当初に，保健調査票，**学校生活管理指導表**，保護者等の連絡内容から児童生徒の**既往歴**や**アレルギー疾患**の有無などについて収集・把握し，学級担任や学校医との共通理解に努める。

○一般用医薬品の**保管**や**使用状況**などについて一般用医薬品管理簿などに記録し，校長への**報告**及び**相談**に努める。

○**保健主事**と協力して，教職員，児童生徒及び**保護者**等に対して，**一般用医薬品**の利用について共通理解を図る。

○**緊急時の対応**について校長及び保健主事に相談し，教職員への共通理解を図る。また，個別保管記録の作成など当該児童生徒の緊急時に備える**体制づくり**を行う。

○学校の救急用医薬品として**修学旅行**などに持っていく**一般用医薬品**については，学校医，学校歯科医または学校薬剤師の指導・助言に基づいて，**校長**に**相談**して決定する。

○児童生徒が医療用医薬品を使用する際には，**プライバシー**を守り，**安全**に使用できる**環境の整備**が必要である。

（3）医療用医薬品の使用について

＊食物などによるアレルギー患者の**アナフィラキシー**発現時の**エピペン**®，**てんかん**発作時の**ジアゼパム**（**ダイアップ**®），**ブコラム**®などの使用については，生命が危険な場合，自ら使用ができない本人に代わって**教職員**が使用することは医師法違反にならないと考えられる。

＊**人命救助**の観点からやむを得ず行った行為と認められる場合，刑事・民事の責任についても法令規定により，責任が問われないと考えられる。

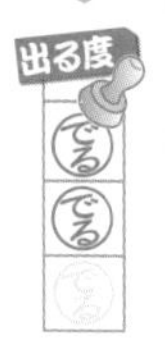

チェックテスト

空欄〔　　〕に該当する正しい語句を答えよ。

Q 1　〔　　　〕は，人の脳の大部分を占めている。 →154ページ

Q 2　大脳皮質は，〔　①　〕の表面を覆う〔　②　〕。 →154ページ

Q 3　〔　①　〕は，生命維持に不可欠な〔　②　〕などを支配する。また，下垂体の〔　③　〕を調整するなど自律機能の中枢がある。→155ページ

Q 4　血糖値が高い場合は，〔　①　〕から分泌される〔　②　〕の刺激に応じて肝細胞が血液中の〔　③　〕を取り込み，〔　④　〕にかえて肝臓内に貯蔵する。 →165ページ

Q 5　薬物乱用は，薬物を〔　①　〕から逸脱した目的や方法で自己使用することと定義づけられ，〔　②　〕の使用であっても乱用に当たるといえる。
→172ページ

Q 6　性同一性障害とは，生物学的には性別が明らかであるにもかかわらず，〔　①　〕にはそれとは別の性別であるとの〔　②　〕な確信を持ち，かつ，自己を〔　③　〕及び〔　④　〕に他の性別に適合させようとする意思を有する者であって，そのことについてその〔　⑤　〕を的確に行うために必要な知識及び経験を有する〔　⑥　〕人以上の医師の一般に認められている医学的知見に基づき行う診断が一致しているものをいう。 →178ページ

Q 7　「児童虐待の防止等に関する法律」について，各問いに答えよ。

⑴規定されている児童虐待の種類をあげよ。 →182ページ

⑵虐待を受けたと思われる児童について児童相談所等へ〔　①　〕することが義務として規定されているほか，努力義務として，児童虐待の〔　②　〕に努めること，虐待を受けた児童の〔　③　〕に関し，関係機関への協力を行うこと，〔　④　〕のための児童及び保護者への〔　⑤　〕に努めること，が規定されている。 →183ページ

Q 8　いじめに取り組む基本姿勢は，〔　①　〕を貫いた教育活動を展開することである。「〔　②　〕」という意識を一人一人の児童生徒に徹底させるとともに，教職員自らそのことを自覚し，保護者や地域に伝えていくことが必要である。 →185ページ

解答

Q1　大脳　Q2 ①大脳　②灰白質　Q3 ①視床下部　②本能行動　③内分泌　Q4 ①膵臓　②インスリン　③グルコース　④グリコーゲン　Q5 ①社会的許容　②１回　Q6 ①心理的　②持続的　③身体的　④社会的　⑤診断　⑥2　Q7 ⑴身体的虐待，性的虐待，ネグレクト，心理的虐待　⑵①通告　②早期発見　③保護・自立支援　④虐待防止　⑤教育又は啓発　Q8 ①人権尊重の精神　②いじめは人間として絶対に許されない

第 7 章
学校保健計画と学校安全計画

学校保健安全法

ここに注目！

学校保健安全法の条文について，空欄補充問題が頻出している。概要について理解し，条文を確実に覚えておこう。

Check! 1 学校保健安全法

（1）学校保健法から学校保健安全法へ

学校保健安全法：学校保健法を改正・改称し，平成21年4月1日より施行。

（2）法改正の概要

①学校保健

○養護教諭を中心に関係教職員等と連携した組織的な保健指導の充実

○地域の医療関係機関等との連携による児童生徒等の保健管理の充実

○全国的な学校の環境衛生水準を確保するための基準の法制化

②学校安全

○子どもの安全を脅かす事件，事故及び自然災害に対応した総合的な学校安全計画の策定による学校安全の充実

○各学校における危険発生時の対処要領の策定による的確な対応の確保

○警察等関係機関，地域ボランティア等と連携した学校安全体制の強化

Check! 2 学校安全にかかわる法令等

（1）法的根拠

①学校保健安全法（学校安全について）

第26条（学校安全に関する学校の設置者の責務）

学校の設置者は，児童生徒等の安全の確保を図るため，その設置する学校において，事故，加害行為，災害等（略）により児童生徒等に生ずる危険を防止し，及び事故等により児童生徒等に危険又は危害が現に生じた場合（危険等発生時）において適切に対処することができるよう，当該学校の施設及び設備並びに管理運営体制の整備充実その他の必要な措置を講ずるよう努めるものとする。

第27条（学校安全計画の策定等）

学校においては，児童生徒等の安全の確保を図るため，当該学校の施設及び設備の安全点検，児童生徒等に対する通学を含めた学校生活その他の日常生活における安全に関する指導，職員の研修その他学校における安全に関する事項について計画

を策定し，これを実施しなければならない。

第28条（学校環境の安全の確保）

校長は，当該学校の施設又は設備について，児童生徒等の安全の確保を図る上で支障となる事項があると認めた場合には，遅滞なく，その改善を図るために必要な措置を講じ，又は当該措置を講ずることができないときは，当該学校の設置者に対し，その旨を申し出るものとする。

第29条（危険等発生時対処要領の作成等）

学校においては，児童生徒等の安全の確保を図るため，当該学校の実情に応じて，危険等発生時において当該学校の職員がとるべき措置の具体的内容及び手順を定めた対処要領（危険等発生時対処要領）を作成するものとする。

② 校長は，危険等発生時対処要領の職員に対する周知，訓練の実施その他の危険等発生時において職員が適切に対処するために必要な措置を講ずるものとする。

③ 学校においては，事故等により児童生徒等に危害が生じた場合において，当該児童生徒等及び当該事故等により心理的外傷その他の心身の健康に対する影響を受けた児童生徒等その他の関係者の心身の健康を回復させるため，これらの者に対して必要な支援を行うものとする。この場合においては，第10条の規定を準用する。

第30条（地域の関係機関等との連携）

学校においては，児童生徒等の安全の確保を図るため，児童生徒等の保護者との連携を図るとともに，当該学校が所在する地域の実情に応じて，当該地域を管轄する警察署その他の関係機関，地域の安全を確保するための活動を行う団体その他の関係団体，当該地域の住民その他の関係者との連携を図るよう努めるものとする。

②学校保健安全法施行規則（安全点検について）

第28条（安全点検）

法第27条の安全点検は，他の法令に基づくもののほか，毎学期1回以上，児童生徒等が通常使用する施設及び設備の異常の有無について系統的に行わなければならない。

② 学校においては，必要があるときは，臨時に，安全点検を行うものとする。

第29条（日常における環境の安全）

学校においては，前条の安全点検のほか，設備等について日常的な点検を行い，環境の安全の確保を図らなければならない。

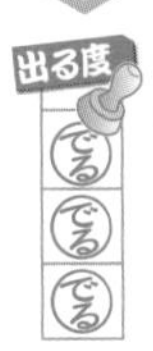

（2）留意事項 ［文部科学省「学校保健法等の一部を改正する法律の公布について（通知）」（平成20年）］

危険等発生時対処要領の作成等について

2 第3項の「その他の関係者」としては，事故等により心理的外傷その他の心身の健康に対する影響を受けた保護者や教職員が想定されること。また，「必要な支援」としては，スクールカウンセラー等による児童生徒等へのカウンセリング，関係医療機関の紹介などが想定されること。

Action 71 学校における安全管理と安全教育

- 学校安全における養護教諭の役割や安全教育（防災含む）の意義・目標・領域・学習内容，評価について確認しておこう。
- 文部科学省発出「学校事故対応に関する指針【改訂版】」についても確認しておこう。

Check! 1 学校安全の定義

（1）学校安全のねらい

児童生徒等が自ら安全に行動し，他の人や社会の安全に貢献できる資質・能力を育成するとともに，児童生徒等の安全を確保するための環境を整えること。

（2）学校安全の領域

「生活安全」「交通安全」「災害安全」。新たな危機事象の出現などにも柔軟に対応し，学校保健や生徒指導など様々な関連領域と連携して取り組むことが重要。

- 生活安全：学校・家庭など日常生活で起こる事件・事故。誘拐や傷害などの犯罪被害防止。
- 交通安全：様々な交通場面における危険と安全，事故防止。
自転車交通ルール等の周知徹底（乗車用ヘルメット着用の努力義務）。
- 災害安全：地震・津波災害，火山災害，風水（雪）害等の自然災害。火災や原子力災害。

（3）学校安全の活動

児童生徒等が自らの行動や外部環境に存在する様々な危険を制御して，自ら安全に行動したり，他の人や社会の安全のために貢献したりできるようにすることを目指す安全教育と，児童生徒等を取り巻く環境を安全に整えることを目指す安全管理，そして両者の活動を円滑に進めるための組織活動という3つの主要な活動から構成。

（4）安全教育と安全管理

- 安全教育：児童生徒等自身に，日常生活全般における安全確保のために必要な事項を実践的に理解し，自他の生命尊重を基盤として，生涯を通じて安全な生活を送る基礎を培うとともに，進んで安全で安心な社会づくりに参加し貢献できるような資質・能力を育成することを目指す。

●安全管理：事故の要因となる学校環境や児童生徒等の学校生活等における行動の危険を早期に発見し，それらを速やかに除去するとともに，万が一，事故等が発生した場合に，適切な応急手当や安全措置ができるような体制を確立して，児童生徒等の安全の確保を図ることを目指す。

○対人管理：児童生徒等の心身状態の管理及び様々な生活や行動の管理

○対物管理：学校の環境の管理

●学校における安全管理・組織活動は，主に学校保健安全法に基づいて実施。

Check! 2 安全教育の目標と評価

（1）各段階における安全教育の目標

①小学校

安全に行動することの重要さ，「生活安全」「交通安全」「災害安全」に関しての危険要因や事故などの防止について理解したうえで，日常生活における安全の状況を判断し自ら安全な行動ができるようにすると同時に，周りの人たちの安全にも配慮できるようにする。また，簡単な応急手当ができるようにする。

②中学校

地域の安全上の課題を踏まえて，交通事故や犯罪等の実情，災害発生のメカニズムの基礎や地域の災害事例，日常の備えや災害時の助け合いの大切さを理解する。日常生活における危険を予測して，自他の安全のために主体的に行動できるようにすると同時に，地域の安全にも貢献できるようにする。また，心肺蘇生等の応急手当ができるようにする。

③高等学校

安全で安心な社会づくりの意義，地域の自然環境の特色と自然災害の種類，過去に生じた災害の規模や頻度等，我が国の様々な安全上の課題を理解する。自他の安全状況を適切に評価して，安全な生活を実現するために適切に意思決定を行い行動できるようにする。また，地域社会の一員として自らの責任ある行動や地域の安全活動への積極的な参加など，安全で安心な社会づくりに貢献できるようにする。

④特別支援学校及び特別支援学級

児童生徒等の障害の状態や特性及び発達の程度など，さらに地域の実態

等に応じて，安全についての資質や能力を育成することを目指す。

（2）安全教育の評価

- カリキュラム・マネジメントの一環として，安全教育において児童生徒等の意識の変容などの教育課程の実施状況に関する各種データの把握・分析を通じて，安全教育に関する取組状況を把握・検証し，その結果を教育課程の改善につなげていく。
- 安全教育を評価するための方法：質問紙法，面接法，観察法，ポートフォリオ，作文，レポート，作品，話し合いなど
- 評価方法には短所・長所があることを理解し，いくつかの方法を併用して，評価を進めていくことが必要。また，児童生徒等だけではなく，保護者への質問などから得られた情報も貴重である。

Check! 3 学校防災

（1）防災教育

様々な危険から児童生徒等の安全を確保するための安全教育の一部。

ねらい	自然災害等の現状，原因及び減災等について理解を深め，現在及び将来に直面する災害に対して的確な思考・判断に基づく適切な意志決定や行動選択ができるようにする。
	地震，台風の発生等に伴う危険を理解・予測し，自らの安全を確保する行動ができるとともに，日常的な備えができるようにする。
	自他の生命を尊重して安全で安心な社会づくりの重要性を認識し，学校や家庭，地域社会の安全活動に進んで参加・協力し，貢献できるようにする。

（2）防災管理

○火災や自然災害による事故の要因となる学校環境や通学を含む学校生活における危険を予測し，それらの危険を速やかに除去する。

○災害の発生時及び事後に，適切な応急手当や安全な措置が実施できる体制を確立して児童生徒等の安全を確保する。

○被災後の心のケアに配慮したり，授業再開を図ること。

Check! 4 学校における危機管理の意義

（1）目的

○児童生徒等や教職員等の生命や心身等の安全を確保すること。

○（万が一事件・事故が発生した場合）適切かつ迅速に対処し，被害を最小限に抑えること／事件・事故の再発防止と教育の再開に向けた対策を講じ

ること。

（2）危機管理の三段階

○事前：安全な環境を整備し，事故等の発生を未然に防ぐ／事故等の発生に対して備える

○発生時：事故等の発生時に適切かつ迅速に対処し，被害を最小限に抑える

○事後：危機が一旦収まった後，心のケアや授業再開など通常の生活の再開を図る／再発の防止を図る

（3）危機管理の２つの側面

事前の危機管理（リスク・マネジメント）	事件・事故が起こる危険を早期に予測・発見し，その危険を確実に除去すること。
事後の危機管理（クライシス・マネジメント）	事件・事故が万が一発生した場合に，適切かつ迅速に対処し，被害を最小限に抑えること。また，その再発の防止と通常の生活の再開に向けた対策を講じること。

（4）学校における不審者侵入防止

○校門，校門から校舎の入り口まで，校舎への入り口の３段階のチェック体制の確立。

○不審者侵入時の対応方法等に関する教職員等の対応能力の強化。

○地域ぐるみでの学校防犯活動の強化（スクールガード・リーダー等による見守りの強化）。

Check! 5 危機管理における養護教諭の役割

<養護教諭が参画して取り組む危機管理の取組例>

●救急及び連絡体制の整備

緊急時の校内の救急及び連絡体制の整備，関係機関等との連絡・連携体制の整備，保護者との連絡体制づくり，保健室における救急処置基準等の整備

●避難訓練での実践と習熟

○火災，自然災害，犯罪被害等の避難訓練での救急処置の実施

○救急車で学校から病院へ搬送するまでのシミュレーションの実施

●応急手当の研修の企画と実践

応急手当に関する資料の提供や研修の計画を立て，実施する。

●心のケアの体制づくり

危機管理マニュアルに平時及び緊急時の心のケアの体制づくりを盛り込む。

Action 72

学校保健計画，学校安全計画

ここに注目！

法的根拠の空欄補充問題，内容に関する記述式，正誤選択での出題が想定される。答えられるようにしておこう。

Check! 1 学校保健計画

（1）法的根拠： 学校保健安全法第５条（学校保健計画の策定等）

学校においては，児童生徒等及び職員の心身の健康の保持増進を図るため，児童生徒等及び職員の健康診断，環境衛生検査，児童生徒等に対する指導その他保健に関する事項について計画を策定し，これを実施しなければならない。

（2）留意事項 ［文部科学省「学校保健法等の一部を改正する法律の公布について（通知）」（平成 20 年）］

1　学校保健計画は，学校において必要とされる保健に関する具体的な実施計画であり，毎年度，学校の状況や前年度の学校保健の取組状況等を踏まえ，作成されるべきものであること。

2　学校保健計画には，法律で規定された①児童生徒等及び職員の健康診断，②環境衛生検査，③児童生徒等に対する指導に関する事項を必ず盛り込むこととすること。

3　学校保健に関する取組を進めるに当たっては，学校のみならず，保護者や関係機関・関係団体等と連携協力を図っていくことが重要であることから，学校教育法等において学校運営の状況に関する情報を積極的に提供するものとされていることも踏まえ，学校保健計画の内容については原則として保護者等の関係者に周知を図ることとすること。このことは，学校安全計画についても同様であること。

（3）計画の内容と作成手順

○学校保健計画は，保健主事（教諭又は養護教諭）により立案され，教職員の保健部会等で検討されたのち，職員会議を経て校長の決裁を受ける。

○養護教諭は，保健主事（養護教諭が兼務の場合は職員保健部）と協力し，内容の設定，評価の観点・実施・結果分析（Plan-Do-Check-Action）等を行うため，積極的な役割を果たしていくことが必要である。

Check! 2 学校安全計画

（1）法的根拠：学校保健安全法第 27 条（学校安全計画の策定等）

学校においては，児童生徒等の**安全の確保**を図るため，当該学校の施設及び設備の**安全点検**，児童生徒等に対する通学を含めた学校生活その他の日常生活における**安全に関する指導**，**職員の研修**その他学校における安全に関する事項について計画を策定し，これを実施しなければならない。

（2）留意事項［文部科学省「学校保健法等の一部を改正する法律の公布について（通知）」（平成 20 年）］

1　学校安全計画は，学校において必要とされる安全に関する具体的な実施計画であり，**毎年度**，学校の状況や前年度の学校安全の取組状況等を踏まえ，作成されるべきものであること。

2　学校においては，**生活安全**（防犯を含む），**交通安全**及び**災害安全**（防災）に対応した総合的な安全対策を講ずることが求められており，改正法においては，これらの課題に的確に対応するため，各学校が策定する学校安全計画において，①**学校の施設設備の安全点検**＊1，②**児童生徒等に対する通学を含めた学校生活その他の日常生活における安全指導**＊2，③**教職員に対する研修**＊3に関する事項を必要的記載事項として位置付けたものであること。

＊1　校舎等からの落下事故，設置遊具による事故，地震から想定される被害等も踏まえ，**施設設備の不備や危険箇所の点検・確認**を行うとともに，必要に応じて**補修**，**修繕等の改善措置**を講ずることが求められる。

＊2　児童生徒等に安全に行動する能力を身につけさせることを目的として行うものである。**防犯教室や交通安全教室の開催**，**避難訓練の実施**，**通学路の危険箇所を示したマップの作成**など安全指導の一層の充実に努める。

＊3　必要に応じ警察等との**連携**を図り、学校安全に関する**教職員の資質の向上**に努める。

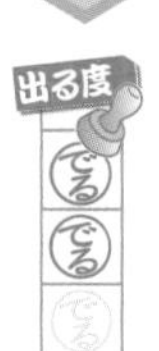

Action 73

災害共済給付

ここに注目！

学校の管理下における，児童生徒の災害の範囲や発生状況について確認しておこう。

Check! 1 学校にかかわる災害共済給付について

（1）災害共済給付とは

災害（負傷，疾病，障害，死亡）に対する医療費，障害見舞金または死亡見舞金の支給をさす。

（2）給付の機関

○学校の管理下における児童生徒等の災害に対し，当該児童生徒等の保護者（当該児童生徒等が成年に達している場合は本人）に災害共済給付を行うのは独立行政法人日本スポーツ振興センターである。

○災害共済給付は，児童生徒等の保護者（当該児童生徒等が成年に達している場合は本人）の同意を得て，学校の設置者とセンターとの間に締結する災害共済給付契約により行う。

Check! 2 学校の管理下の範囲

（1）法令の規定により，学校が編成した教育課程に基づく授業を受けている場合：各教科，特別の教科道徳，総合的な学習の時間，自立活動，特別活動中。

○授業を受けている場合とは，場所的な制限がないものと考える（教室移動とその移動時間，授業中のいたずら，自習時間，などを含む）。

○授業中の学校内でのエスケープも含まれるが，その際，許可を得て忘れ物などのため学校と住居等との間を往復する場合は通学とする。

○教育活動の一環としてボランティア活動に参加する場合も該当するが，学校奨励のものであってもグループや個人で自主的に参加するものは含まない。

（2）学校の教育計画に基づいて行われる課外指導を受けている場合。

○教師の適切な指導の下に行われる課外の部活動（授業として行われるクラブ活動以外の活動）に参加した場合等を含む。

○教師の監督指導の下に行われる林間・臨海学校，キャンプ，ハイキング，水泳指導，競技会の応援，音楽会，写生会，補習授業等への参加を含む。

（3）休憩時間中に学校にある場合，その他校長の指示又は承認に基づいて学校にある場合：休憩時間中，昼食時休憩時間中，始業前の特定時間中，授業終了後の特定時間中。
- ○休憩中に学用品や昼食を買いに出た場合を含む。
- ○始業前・授業終了後の著しく早い・遅い時間は，原則特定時間には含まない。
- ○下校後に学校に遊びに来ていたような場合は含まれない。

（4）通常の経路及び方法により通学する場合
- ○登校中・下校中…単純な遊戯やいたずら，学用品等購入のための短時間の寄り道や回り道，自分の疾病等の療養のため病院等へ通う場合，塾や習い事への経路で短い時間のものなど本部が認める場合，などを含む。
- ○通常の経路…工事中など特別の事情があった場合等を含む。
- ○通常の方法…徒歩，自転車，自動車（原動機付自転車・自動二輪を含む，無免許を除く），バス，鉄道。
- ○自転車等・自動車等への便乗…負傷のため等に限る。

（5）学校外で授業等が行われるとき，その場所，集合・解散場所と住居・寄宿舎との間の合理的な経路，方法による往復中。

（6）学校の寄宿舎にあるとき：寄宿舎の舎屋，敷地内にある間。

Check! 3 負傷，疾病の災害

（1）給付対象となる負傷の範囲…原因である事由が学校の管理下で生じ，療養費用が規定額以上のもの。

<令和４年度の負傷の傾向（多発事項）>
- ①小学校：休憩時間に最も多く発生し全体の約半数を占める。13～14時，10～11時に，運動場・校庭で，遊具では鉄棒，運動指導内容では跳箱，手・手指部が多い。
- ②中学校：課外指導（体育的部活動）中が最も多い。球技中のけがが全体の7割以上を占めている。10～11時，11～12時に，体育館・屋内運動場で，バスケットボール，手・手指部が多い。

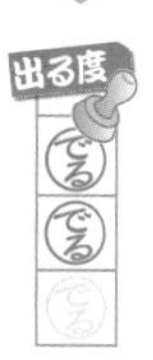

（2）給付対象となる負傷・疾病の範囲…原因である事由が学校の管理下で生じ，療養費用が規定額以上のもの。疾病は，療養に要する費用の額が5,000円以上のもののうち文部科学省令で定めているもの（学校給食等による中毒，ガス等による中毒，熱中症，溺水，異物の嚥下または迷入による疾病，漆等による皮膚炎，外部衝撃等による疾病，負傷による疾病）。

チェックテスト

空欄〔　〕に該当する正しい語句を答えよ。

Q1　学校の〔 ① 〕は，児童生徒等の〔 ② 〕を図るため，その設置する学校において，〔 ③ 〕，〔 ④ 〕，〔 ⑤ 〕等（略）により児童生徒等に生ずる〔 ⑥ 〕を防止し，及び事故等により児童生徒等に危険又は危害が現に生じた場合（危険等発生時）において適切に対処することができるよう，当該学校の施設及び設備並びに〔 ⑦ 〕の整備充実その他の必要な措置を講ずるよう努めるものとする。

［学校保健安全法第〔 ⑧ 〕条］　→190ページ

Q2　学校においては，児童生徒等の〔 ① 〕を図るため，当該学校の施設及び設備の〔 ② 〕，児童生徒等に対する通学を含めた学校生活その他の日常生活における安全に関する指導，〔 ③ 〕その他学校における安全に関する事項について〔 ④ 〕を策定し，これを実施しなければならない。

［学校保健安全法第 27 条］　→190ページ

Q3　学校においては，児童生徒等及び職員の〔 ① 〕の保持増進を図るため，児童生徒等及び職員の〔 ② 〕，〔 ③ 〕，児童生徒等に対する〔 ④ 〕その他保健に関する事項について計画を策定し，これを実施しなければならない。

［学校保健安全法第５条］　→196ページ

Q4　1　学校保健計画は，学校において必要とされる保健に関する具体的な実施計画であり，〔 ① 〕，学校の状況や前年度の学校保健の取組状況等を踏まえ，作成されるべきものであること。

2　学校保健計画には，法律で規定された児童生徒等及び職員の〔 ② 〕，〔 ③ 〕，児童生徒等に対する指導に関する事項を必ず盛り込むこととすること。

［文部科学省「学校保健法等の一部を改正する法律の公布について（通知）」（平成 20 年）］

→196ページ

Q5　災害共済給付とは，災害（〔 ① 〕，〔 ② 〕，〔 ③ 〕，〔 ④ 〕）に対する〔 ⑤ 〕，障害見舞金または死亡見舞金の支給をさす。

→198ページ

解答

Q1 ①設置者　②安全の確保　③事故　④加害行為　⑤災害　⑥危険　⑦管理運営体制　⑧ 26　Q2 ①安全の確保　②安全点検　③職員の研修　④計画　Q3 ①心身の健康　②健康診断　③環境衛生検査　④指導　Q4 ①毎年度　②健康診断　③環境衛生検査　Q5 ①負傷　②疾病　③障害　④死亡　⑤医療費

第 8 章
学校環境衛生基準

Action 74

学校環境衛生の法的根拠と目的

ここに注目！

学校環境衛生の法的根拠に関する空欄補充の問題，目的に関する記述問題が出題される。キーワードを覚えておこう。

Check! 1 法的根拠

(1) 学校教育法

第12条

学校においては，別に法律で定めるところにより，幼児，児童，生徒及び学生並びに職員の健康の保持増進を図るため，健康診断を行い，その他その保健に必要な措置を講じなければならない。

(2) 学校保健安全法

第4条（学校保健に関する学校の設置者の責務）

学校の設置者は，その設置する学校の児童生徒等及び職員の心身の健康の保持増進を図るため，当該学校の施設及び設備並びに管理運営体制の整備充実その他の必要な措置を講ずるよう努めるものとする。

第5条（学校保健計画の策定等）

学校においては，児童生徒等及び職員の心身の健康の保持増進を図るため，児童生徒等及び職員の健康診断，環境衛生検査，児童生徒等に対する指導その他保健に関する事項について計画を策定し，これを実施しなければならない。

第6条（学校環境衛生基準）

文部科学大臣は，学校における換気，採光，照明，保温，清潔保持その他環境衛生に係る事項(略)について，児童生徒等及び職員の健康を保護する上で維持されることが望ましい基準(学校環境衛生基準)を定めるものとする。

② 学校の設置者は，学校環境衛生基準に照らしてその設置する学校の適切な環境の維持に努めなければならない。

③ 校長は，学校環境衛生基準に照らし，学校の環境衛生に関し適正を欠く事項があると認めた場合には，遅滞なく，その改善のために必要な措置を講じ，又は当該措置を講ずることができないときは，当該学校の設置者に対し，その旨を申し出るものとする。

(3) 学校保健安全法施行規則

第1条（環境衛生検査）

学校保健安全法第5条の環境衛生検査は，他の法令に基づくもののほか，毎学年定期に，法第6条に規定する学校環境衛生基準に基づき行わなければならない。

② 学校においては，必要があるときは，臨時に，環境衛生検査を行うものとする。

第2条（日常における環境衛生）

学校においては，前条の環境衛生検査のほか，日常的な点検を行い，環境衛生の維持又は改善を図らなければならない。

(4) 法改正における学校環境衛生

- 平成20年に改定公布された学校保健安全法の第6条①において，文部科学大臣が学校における環境衛生に係る事項について児童生徒等及び職員の健康を保護する上で維持されることが望ましい基準である「学校環境衛生基準」を定めることが規定されたことにより，法的な位置づけが明確となった。
- 学校保健安全法第6条②及び③では，学校の設置者の努力義務及び校長の義務が明確に示された。
- 文部科学省は平成21年に「学校環境衛生基準」を公布した。

Check! 2 学校環境衛生の目的

①児童生徒等の健康を保護し，心身の発育発達を促し，健康の保持増進を図ること
②児童生徒等の学習能率の向上を図ること
③児童生徒等の豊かな情操の陶冶を図ること

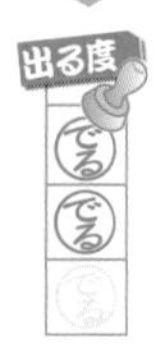

Check! 3 「学校環境衛生基準」の構成

第1　教室等の環境に係る学校環境衛生基準
第2　飲料水等の水質及び施設・設備に係る学校環境衛生基準
第3　学校の清潔，ネズミ，衛生害虫等及び教室等の備品の管理に係る学校環境衛生基準
第4　水泳プールに係る学校環境衛生基準
第5　日常における環境衛生に係る学校環境衛生基準
第6　雑則

Action 75 学校環境衛生活動

ここに注目！

- 学校環境衛生基準に示される定期検査，日常点検及び臨時検査の概略について把握しよう。
- 学校環境衛生活動における養護教諭の役割を確認しておこう。

Check! 1 学校環境衛生活動とは

●学校において，環境維持または改善を図るため，環境衛生検査のほか，日常的な点検を行うことを学校環境衛生活動という。

●学校の教職員（学校医及び学校薬剤師を含む）が，児童生徒等及び職員の心身の健康の保持増進を図るために必要な活動であることを共通理解するとともに，それぞれの職務の特性を生かした役割について，学校保健計画や校務分掌等により明確にする必要がある。

<学校環境衛生活動の概略>

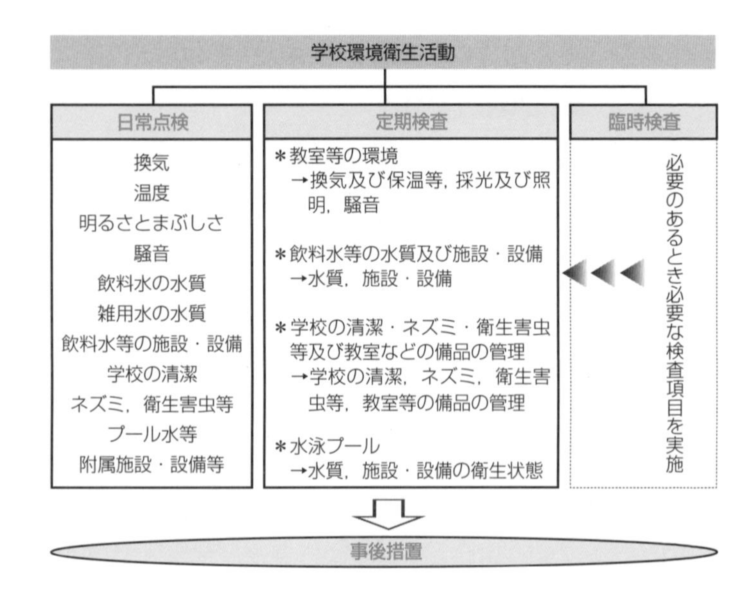

Check! 2 定期検査，日常点検及び臨時検査

定期検査	＊それぞれの検査項目について実態を客観的，科学的な方法で定期的に把握し，その結果に基づいて事後措置を講じるためのものである。 ＊各学校における検査の実施は，校長の責任のもと，確実かつ適切に実施する。 ＊検査の実施に当たっては，その内容により，学校薬剤師が自ら行うほか，指導助言の下に教職員が行う，学校薬剤師と相談の上で外部の検査機関に依頼する，などが考えられる。 ＊検査機関に検査を依頼する場合は任せきりではなく，検査計画の作成や検体採取(または立会い)をし，結果の評価等については学校薬剤師等学校関係者が中心となって行い，適切な検査の実施に努めなければならない。
日常点検	＊点検すべき事項について，毎授業日の授業開始時，授業中，授業終了時等でその環境を官能法にて点検し，その結果を定期検査等に活用したり必要に応じて事後措置を講じたりするためのものである。 ＊校務分掌に基づき教職員の役割を明確にし，確実に実行する必要がある。 ＊身の回りの環境がどのように維持されているかを知る保健教育の一環として，児童生徒等が学校環境衛生活動を行うことも考えられる。
臨時検査(例)	＊感染症または食中毒の発生のおそれがあり，また，発生したとき。 ＊風水害等により環境が不潔になりまたは汚染され，感染症の発生のおそれがあるとき。 ＊新築，改築，改修等及び机，いす，コンピュータ等新たな学校用備品の搬入等により揮発性有機化合物の発生のおそれがあるとき。

Check! 3 学校環境衛生に関する活動における養護教諭の役割

養護教諭は学校薬剤師等と連携して，下記の活動に参画し積極的にかかわる。

①学校環境衛生に関する情報の収集，整理。
②上記①の結果に基づき，学校環境衛生基本計画，実施計画の作成。
③役割分担の下での定期検査，日常点検の実施。
④検査結果のまとめ，報告。
⑤事後措置(環境の維持・改善)。
⑥測定機器の保管・整備。
⑦評価・記録，教材化などによる今後の教育活動への活用。

Action 76

学校環境衛生基準と検査項目

ここに注目！

検査項目，検査回数，基準や検査方法に関する空欄補充問題や正誤問題，検査結果記録の保存期間に関する記述問題は，頻出している。数値を含め覚えておこう。

Check! 1 学校環境衛生基準等

（1）教室等の環境に係る学校環境衛生基準

<table>
<tr><th colspan="3">検査項目</th><th>基準</th><th>検査回数</th></tr>
<tr><td rowspan="15">換気及び保温等</td><td colspan="2">① 換気</td><td>換気の基準として，二酸化炭素は，1,500ppm 以下が望ましい。</td><td rowspan="7">毎学年
2回定期</td></tr>
<tr><td colspan="2">② 温度</td><td>18℃以上，28℃以下が望ましい。</td></tr>
<tr><td colspan="2">③ 相対湿度</td><td>30%以上，80%以下が望ましい。</td></tr>
<tr><td colspan="2">④ 浮遊粉じん</td><td>0.10mg/m³ 以下。</td></tr>
<tr><td colspan="2">⑤ 気流</td><td>0.5m/秒以下が望ましい。</td></tr>
<tr><td colspan="2">⑥ 一酸化炭素</td><td>6ppm 以下。</td></tr>
<tr><td colspan="2">⑦ 二酸化窒素</td><td>0.06ppm 以下が望ましい。</td></tr>
<tr><td rowspan="6">⑧
揮発性有機化合物</td><td>㋐ ホルムアルデヒド</td><td>100 μg/m³ 以下。</td><td rowspan="7">毎学年
1回定期
＊⑧㋐は教室等内の温度が高い時期。⑨は温度及び湿度が高い時期。</td></tr>
<tr><td>㋑ トルエン</td><td>260 μg/m³ 以下。</td></tr>
<tr><td>㋒ キシレン</td><td>200 μg/m³ 以下。</td></tr>
<tr><td>㋓ パラジクロロベンゼン</td><td>240 μg/m³ 以下。</td></tr>
<tr><td>㋔ エチルベンゼン</td><td>3,800 μg/m³ 以下。</td></tr>
<tr><td>㋕ スチレン</td><td>220 μg/m³ 以下。</td></tr>
<tr><td colspan="2">⑨ ダニまたはダニアレルゲン</td><td>100 匹/m² 以下またはこれと同等のアレルゲン量以下であること。</td></tr>
<tr><td>採光及び照明</td><td colspan="2">⑩ 照度</td><td>(ア)教室及びそれに準ずる場所の照度の下限値は，300 lx(ルクス)。教室及び黒板の照度は，500 lx 以上が望ましい。
(イ)教室及び黒板の各最大照度と最小照度の比は，20：1 を超えないこと。</td><td>毎学年
2回定期</td></tr>
</table>

	検査項目	基準	検査回数
（採光及び照明）	（⑩ 照度）	また，10：1 を超えないことが望ましい。 (ウ)コンピュータを使用する教室等の机上の照度は，500 ～ 1,000lx 程度が望ましい。 (エ)テレビやコンピュータ等の画面の垂直面照度は，100 ～ 500lx 程度が望ましい。	
	⑪ まぶしさ	(ア)児童生徒等から見て，黒板の外側 15° 以内の範囲に輝きの強い光源（昼光は窓）がないこと。 (イ)見え方を妨害するような光沢が，黒板面及び机上面にないこと。 (ウ)見え方を妨害するような電灯や明るい窓等が，テレビ及びコンピュータ等の画面に映じていないこと。	毎学年 2回定期
騒音	⑫ 騒音レベル	教室内の等価騒音レベルは，窓を閉じているときは LAeq50dB（デシベル）以下，窓を開けているときは LAeq55dB 以下が望ましい。	毎学年 2回定期

（2）教室等の環境に係る学校環境衛生の検査方法

	検査項目	方法
換気及び保温等	① 換気	二酸化炭素は，検知管法により測定。
	② 温度	0.5 度目盛の温度計を用いて測定。
	③ 相対湿度	0.5 度目盛の乾湿球湿度計を用いて測定。
	④ 浮遊粉じん （検査結果が著しく基準値を下回る場合，以後教室等の環境に変化が認められない限り，次回からの検査省略可能）	相対沈降径 10 μm 以下の浮遊粉じんをろ紙に捕集し，その質量による方法（Low-Volume Air Sampler 法）または質量濃度変換係数（K）を求めて質量濃度を算出する相対濃度計を用いて測定。
	⑤ 気流	0.2m/ 秒以上の気流が測定できる風速計を用いて測定。
	⑥ 一酸化炭素	検知管法により測定。
	⑦ 二酸化窒素	ザルツマン法により測定。
	⑧ 揮発性有機化合物	採取は教室等内の温度が高い時期に行い，吸引方式では 30 分間で 2 回以上，拡散方式では 8 時間以上行う。
	㋐ ホルムアルデヒド	ジニトロフェニルヒドラジン誘導体固相吸着 / 溶媒抽出法により採取し，高速液体クロマトグラフ法により測定。
	㋑ トルエン ㋒ キシレン ㋓ パラジクロロベンゼン ㋔ エチルベンゼン ㋕ スチレン	固相吸着 / 溶媒抽出法，固相吸着 / 加熱脱着法，容器採取法のいずれかで採取し，ガスクロマトグラフ - 質量分析法により測定。

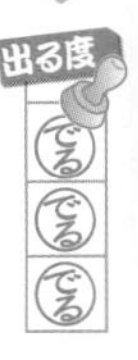

	⑨ ダニまたはダニアレルゲン	＊温度及び湿度が高い時期に，ダニの発生しやすい場所 1 m^2 を電気掃除機で 1 分間吸引しダニを捕集する。ダニは顕微鏡で計数か，アレルゲンを抽出し酵素免疫測定法によりアレルゲン量を測定。 ＊保健室の寝具，カーペット敷の教室等において行う。
採光及び照明	⑩ 照度	＊日本産業規格 C1609 に規定する照度計の規格に適合する照度計を用いる。 ＊教室の照度は，図(略)に示す 9 か所に最も近い児童生徒等の机上で測定し，それらの最大照度，最小照度で示す。 ＊黒板の照度は，図(略)に示す 9 か所の垂直面照度を測定し，それらの最大照度，最小照度で示す。 ＊教室以外の照度は，床上 75 cm の水平照度を測定する（体育施設及び幼稚園等の照度は，それぞれの実態に即して測定）。
	⑪ まぶしさ	見え方を妨害する光源，光沢の有無を調べる。
騒音	⑫ 騒音レベル （検査結果が著しく基準値を下回る場合，以後教室等の内外環境に変化が認められない限り，次回からの検査省略可能）	＊普通教室に対する工作室，音楽室，廊下，給食施設及び運動場等の校内騒音の影響並びに道路その他の外部騒音の影響があるかどうかを調べる。騒音の影響の大きな教室を選び，児童生徒等がいない状態で，教室の窓側と廊下側で窓を閉じたときと開けたときの等価騒音レベルを測定。 ＊等価騒音レベルの測定は，日本産業規格 C1509 に規定する積分・平均機能を備える普通騒音計を用いて，A 特性で 5 分間，等価騒音レベルを測定。 ＊従来の普通騒音計を用いる場合は，普通騒音から等価騒音を換算するための計算式により等価騒音レベルを算出する。 ＊特殊な騒音源がある場合は，日本産業規格 Z8731 に規定する騒音レベル測定法に準じて行う。

※　①～⑦については，学校の授業中等に，各階 1 以上の教室等を選び，適当な場所 1 か所以上の机上の高さにおいて行う。

※　⑧については，児童生徒等がいない教室等において，30 分以上換気の後 5 時間以上密閉してから採取する。

（3）水泳プールに係る学校環境衛生基準

検査項目		基準	検査回数
水質	① 遊離残留塩素	0.4 mg/L 以上。また，1.0 mg/L 以下が望ましい。	使用日の積算が 30 日以内ごとに 1 回
	② pH 値	5.8 以上 8.6 以下。	
	③ 大腸菌	検出されないこと。	
	④ 一般細菌	1 mL 中 200 コロニー以下。	

	検査項目	基準	検査回数
（水質）	⑤ 有機物等	過マンガン酸カリウム消費量が 12 mg/L 以下。	
	⑥ 濁度	2度以下。	
	⑦ 総トリハロメタン	0.2 mg/L 以下が望ましい。	使用期間中の適切な時期に1回以上
	⑧ 循環ろ過装置の処理水	循環ろ過装置の出口における濁度は，0.5 度以下。また，0.1 度以下が望ましい。	毎学年1回定期
施設・設備の衛生状態	⑨ プール本体の衛生状況等	㈠プール水は定期的に全換水するとともに，清掃が行われていること。 ㈡水位調整槽または還水槽を設ける場合は，点検及び清掃を定期的に行うこと。 ※　浄化設備がない場合は，汚染防止のため，1週間に1回以上換水し，換水時に清掃が行われていること。この場合には，腰洗い槽を設置することが望ましい。プール水等の排水時は事前に残留塩素を低濃度にして確認を行う等，適切な処理が行われていること。	毎学年1回定期
	⑩ 浄化設備及びその管理状況	㈠循環浄化式の場合は，ろ材の種類，ろ過装置の容量及びその運転時間が，プール容積及び利用者数に比して十分であり，その管理が確実に行われていること。 ㈡オゾン処理設備または紫外線処理設備を設ける場合には，その管理が確実に行われていること。	
	⑪ 消毒設備及びその管理状況	㈠塩素剤の種類は，次亜塩素酸ナトリウム液，次亜塩素酸カルシウムまたは塩素化イソシアヌル酸のいずれかであること。 ㈡塩素剤の注入が連続注入式である場合は，その管理が確実に行われていること。	
	⑫ 屋内プール ㋐ 空気中の二酸化炭素	1,500 ppm 以下が望ましい。	
	⑫ 屋内プール ㋑ 空気中の塩素ガス	0.5 ppm 以下が望ましい。	
	⑫ 屋内プール ㋒ 水平面照度	200 lx 以上が望ましい。	

<雑則>　臨時に行う検査は，定期に行う検査に準じた方法で行うものとする。定期及び臨時に行う検査の結果に関する記録は，検査の日から5年間保存するものとする。毎授業日に行う点検の結果は記録するよう努めるとともに，その記録を点検日から3年間保存するよう努めるものとする。

Action 77

教室等の環境管理

ここに注目!

基準値に適合しなかった場合の原因や事後措置について，各検査項目ごとに確認しておこう。

Check! 1 教室等の環境に係る学校環境衛生検査の事後措置

（1）換気

○二酸化炭素が1,500ppmを超えた場合は，換気を行うようにすること。

○機械換気でない場合は適切な自然換気を。機械換気は運転時間の検討・工夫・点検，機械の整備。

（2）温度

○冷房・暖房設備使用の場合は温度のみで判断せず，その他環境条件と児童生徒等の健康状態を観察した上で判断し，衣服による温度調節を含め適切な措置を講ずる。窓際の高温度の場合のカーテン使用等(照度低下に留意)。

（3）相対湿度

○30%未満の場合は加湿器の使用(メンテナンス注意)等適切な措置を講ずる。

（4）浮遊粉じん

○0.10mg/m^3を超えた場合は原因を究明し適切な措置を講ずる。換気方法や掃除方法等の改善。チョークの検討。受動喫煙防止措置。

（5）気流

○0.5m/秒超の気流が生じている場合は，空気の温度，湿度または流量を調節する設備の吹き出し口等の適当な調節を行う。

（6）一酸化炭素

○6ppmを超えた場合は，発生原因を究明して適切な措置を講ずる。

（7）二酸化窒素

○基準値を超えた場合は，発生原因を究明して換気を励行，汚染物質の発生を低くする等適切な措置を講ずる。外気濃度が高い場合は自治体に相談。

（8）揮発性有機化合物

○基準値を超えた場合は，発生原因を究明して換気を励行。汚染物質の発生を低くする等適切な措置を講ずる。外気濃度が高い場合は自治体に相談。

（9）ダニ又はダニアレルゲン

○基準値を超える場合は，電気掃除機による掃除を日常的に丁寧に行う等の改善を行う。集じんパックやフィルター等の汚れの状況を確認して吸引能力が低下しないように注意する。

○保健室の寝具は定期的に乾燥。布団カバーやシーツを掛けて使用頻度等を考慮し適切に交換。のり付けすると布団の中からのダニの出現を防げる。

(10) 照度

○暗くなった光源や消えた光源は要因をチェックし，光源交換や修理を行っても照度が不足する場合は増灯する。

(11) まぶしさ

○まぶしさを起こす光源は覆うか，目に入らないような措置を講ずる。

○電子黒板やタブレット端末等を利用する場合，窓からの映り込みの防止対策として，通常カーテンだけでなく，厚手のカーテンや遮光カーテンといった太陽光を通しづらいものの使用を考慮する。

(12) 騒音レベル

○窓を開けたときLAeq55デシベル以上の場合は，窓を閉じる等，音を遮る措置を講ずる。必要に応じて学校の設置者に措置の申し出を行う。

○音に対して過敏な児童生徒等，聴力や発声に障害のある児童生徒等，補聴器をつけている児童生徒等がいる場合は座席の位置を考慮する。

Check! 2 教室等の備品の管理

(1) 黒板面の色彩

○明度，彩度の検査は，黒板検査用色票を用い，毎学年1回定期に行う。

○無彩色の黒板面の色彩は明度が3を超えないこと。

○有彩色の黒板面の色彩は明度及び彩度が4を超えないこと。

○判定基準を満たさない場合は，板面を塗り替えるか取り替える等の適切な措置を講ずる。

○日頃から黒板面を傷つけないように注意する。

(2) ホワイトボードの取り扱い

○定期的に水拭きをする（洗剤は使用しない）。

○常にイレーザーや粉受部に付いたマーカーの粉を取り除き，清潔に保つ。

○汚れたイレーザーは中性洗剤でよく洗い、乾かしてから使用する。

○かすれたマーカーは消えにくくなるため，早めに新品と交換する。

(3) 机・いすの高さ（定期検査については平成30年の学校環境衛生基準改正において削除された）

○日常的に個別対応するに当たり，理想的な学習姿勢をもとに児童生徒が生理的に自然な姿勢であるのかを確認して対応する。

○机面の高さ＝座高／3＋下腿長，いすの高さ＝下腿長，が望ましい。

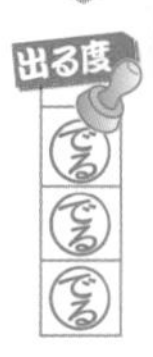

Action 78

飲料水，プールの水質管理

基準値に適合しなかった場合の原因や事後措置について，各検査項目にごとに確認しておこう。

Check! 1 飲料水等の水質及び施設・設備に係る学校環境衛生検査の事後措置

(1) 水道水を水源とする飲料水(専用水道を除く)の水質

○検査の結果が基準に適合しない場合は基準に適合するまで飲用等を中止する。
○原因を究明し，状況に応じて自治体と相談の上，必要な措置を講ずる。

(2) 雑用水の水質

○検査の結果が基準に適合しない場合は原因を究明し，必要な措置を講ずる。
○雨水を利用する場合，塩素消毒装置や貯水槽等の設備の状況を点検し，屋上の利用方法や汚染状況について調べる。

Check! 2 プールの水質の学校環境衛生検査の事後措置

プール水は入泳者や施設の環境により汚染されるため，適正に管理されていないとプール水自体が感染症を拡大する媒体となる恐れがある。水質管理はもちろんであるが，入泳前・入泳途中の用便後には，足洗場・シャワー・腰洗い槽などによる十分な身体の洗浄を励行するなどといった面からも，プール水の汚染の負荷を減らすようにすることが大切である。

(1) 遊離残留塩素

○基準を下回った場合は塩素剤を投入し，一定濃度以上を維持すること。濃度が均一にならない場合，液体や顆粒の塩素剤を散布したり錠剤の塩素剤を入れるなどで基準値以上に保つ。
○塩素安定剤は，遊離残留塩素の消費を減少させ均一性をよくすることから，その使用も検討すること。

(2) pH 値

○ pH が基準から外れている場合は，補給水や pH 調整剤で pH 調整を行う。
○使用する塩素剤の特徴を踏まえ，適切に pH を管理する。

(3) 大腸菌

○検出された場合は，プールの使用を中止し，遊離残留塩素の濃度を 2～

3mg/L 程度に上げて循環ろ過装置を運転しながら塩素消毒の強化を行う。

○ 0.4mg/L 以上 1.0mg/L 以下の遊離残留塩素が確認できたら再検査を行い，大腸菌が検出されないことを確認できた場合にプールの再開を認める。

○再検査で大腸菌が検出された場合は，汚水の流入・消毒設備の不良などが考えられる。プールの衛生管理全体の再検討を行い適切な措置をとる。

（4）一般細菌

○検出された場合は，塩素消毒を強化すること。

○塩素に抵抗力のある一般細菌もあるが，循環ろ過と塩素消毒が適切に行われていれば基準値以下に抑えることができる。

（5）有機物等（過マンガン酸カリウム消費量）

○基準値を超えた場合，入替え式のプールではプール水の一部または全換水する。

○循環ろ過装置を使用しているプールは，循環ろ過装置の使用時間を長くし，過マンガン酸カリウム消費量が減らなければ補給水を増やす。

（6）濁度

○基準値を超えていた場合は，循環ろ過装置の使用時間を長くするなどして，濁度が回復するまで浄化すること。回復できなければ装置の保守点検。

（7）総トリハロメタン

○基準値を超えていた場合は，一部または全換水すること。

Check! 3 日常の点検における事後措置

（1）飲料水の水質

○遊離残留塩素濃度が基準を満たさない場合は，高置水槽，受水槽から直接採水する等，給水経路をさかのぼって遊離残留塩素濃度を追跡し，何らかの汚染が生じていないか点検する。

（2）雑用水の水質

○基準を満たさない場合は，塩素消毒装置や雨水の貯水槽等の設備の状況を点検する。

（3）飲料水等の施設・設備

○排水の状態が悪いときは，排水口や排水溝等の清掃をする。

○汚れていたり滑りやすくなっていたりするときは，清掃を徹底して行い，滑らないための適切な措置をとること。

○施設・設備に故障があるときは，修理をする等適切な措置をとる。

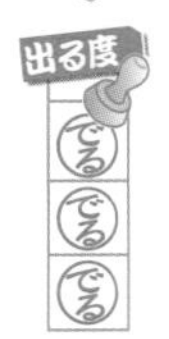

チェックテスト

Q 1　空欄〔　　〕に該当する正しい語句を囲みのなかから選びなさい。

検査項目		基準
換気及び保温等	(1) 換気	換気の基準として，二酸化炭素は，〔　①　〕ppm 以下であることが望ましい。
	(2) 温度	〔　②　〕℃以上，28℃以下であることが望ましい。
	(3) 相対湿度	〔　③　〕%以上，80%以下であることが望ましい。
	(4) 浮遊粉じん	〔　④　〕mg／m^3 以下であること。
(12) 騒音レベル		教室内の等価騒音レベルは，窓を閉じているときは LAeq〔　⑤　〕dB 以下，窓を開けているときは LAeq〔　⑥　〕dB 以下であることが望ましい。

検査項目		方法
換気及び保温等	(1) 換気	〔　⑦　〕は，検知管法により測定する。
	(2) 温度	0.5 度目盛の〔　⑧　〕を用いて測定する。
	(3) 相対湿度	0.5 度目盛の〔　⑨　〕を用いて測定する。

（語句）

ア）乾湿球湿度計	イ）二酸化炭素	ウ）1.0	エ）温度計
オ）2,500	カ）18	キ）55	ク）1,500
ケ）30	コ）酸素	サ）50	シ）0.10

→206, 207ページ

Q 2　空欄〔　　〕に該当する正しい語句を答えよ。

⑴ 教室等について

- ○教室及びそれに準ずる場所の照度の下限値は，〔　①　〕lx とする。また，教室及び黒板の照度は，〔　②　〕lx 以上であることが望ましい。
- ○教室及び黒板のそれぞれの最大照度と最小照度の比は〔　③　〕：1 を超えないこと。また，〔　④　〕：1 を超えないことが望ましい。
- ○テレビやコンピュータ等の画面の垂直面照度は，100～〔　⑤　〕lx 程度が望ましい。 →206, 207ページ

⑵ プールの水質について

- ○ pH 値は〔　①　〕以上〔　②　〕以下であること。
- ○〔　③　〕は検出されないこと。 →208ページ

解答

Q1　①ク）②カ）③ケ）④シ）⑤サ）⑥キ）⑦イ）⑧エ）⑨ア）　Q2 ⑴① 300　② 500　③ 20　④ 10　⑤ 500　⑵① 5.8　② 8.6　③大腸菌

第 9 章
健康診断

Action 79

健康診断の法的根拠と目的

ここに注目!

法律，目的と意義，教育課程上の位置付けについて，キーワードを覚えておこう。

Check! 1 法的根拠

(1) 学校教育法

第12条（健康診断等）

学校においては，別に法律で定めるところにより，幼児，児童，生徒及び学生並びに職員の健康の保持増進を図るため，健康診断を行い，その他その保健に必要な措置を講じなければならない。

(2) 学校保健安全法

第1条（目的）

この法律は，学校における児童生徒等及び職員の健康の保持増進を図るため，学校における保健管理に関し必要な事項を定めるとともに，学校における教育活動が安全な環境において実施され，児童生徒等の安全の確保が図られるよう，学校における安全管理に関し必要な事項を定め，もって学校教育の円滑な実施とその成果の確保に資することを目的とする。

第11条（就学時の健康診断）

市(特別区を含む。以下同じ。)町村の教育委員会は，学校教育法第17条第1項の規定により翌学年の初めから同項に規定する学校に就学させるべき者で，当該市町村の区域内に住所を有するものの就学に当たって，その健康診断を行わなければならない。

第12条（健康診断に基づく市町村教育委員会における措置）

市町村の教育委員会は，前条の健康診断の結果に基づき，治療を勧告し，保健上必要な助言を行い，及び学校教育法第17条第1項に規定する義務の猶予若しくは免除又は特別支援学校への就学に関し指導を行う等適切な措置をとらなければならない。

第13条（児童生徒等の健康診断）

学校においては，毎学年定期に，児童生徒等（通信による教育を受ける学生を除く。）の健康診断を行わなければならない。

② 学校においては，必要があるときは，臨時に，児童生徒等の健康診断を行うものとする。

第14条（健康診断に基づく学校における措置）

学校においては，前条の健康診断の結果に基づき，疾病の予防処置を行い，又は治療を指示し，並びに運動及び作業を軽減する等適切な措置をとらなければならない。

第15条（職員の健康診断）

学校の設置者は，毎学年定期に，学校の職員の健康診断を行わなければならない。

② 学校の設置者は，必要があるときは，臨時に，学校の職員の健康診断を行うものとする。

第16条（健康診断に基づく学校の設置者における措置）

学校の設置者は，前条の健康診断の結果に基づき，治療を指示し，及び勤務を軽減する等適切な措置をとらなければならない。

第17条（健康診断の方法及び技術的基準等）

健康診断の方法及び技術的基準については，文部科学省令で定める。

② 第11条から前条までに定めるもののほか，健康診断の時期及び検査の項目その他健康診断に関し必要な事項は，前項に規定するものを除き，第11条の健康診断に関するものについては政令で，第13条及び第15条の健康診断に関するものについては文部科学省令で定める。

③ 前2項の文部科学省令は，健康増進法（平成14年法律第103号）第9条第1項に規定する健康診査等指針と調和が保たれたものでなければならない。

第18条（保健所との連絡）

学校の設置者は，この法律の規定による健康診断を行おうとする場合その他政令で定める場合においては，保健所と連絡するものとする。

Check! 2 教育課程上の位置付けと健康診断の性格

- 健康診断は，教育課程上では学習指導要領で「特別活動」の学校行事（健康安全・体育的行事）に位置付けられている。
- 健康診断は，学校における保健管理の中核であり教育活動でもある。
- 健康診断は教育活動として位置付けられ，常に教育的配慮が必要である。
- 教育の場での健康診断は，健康であるか，健康上問題があるか，疾病や異常の疑いがあるかというスクリーニング（選別）である。

Check! 3 健康診断の意義

- 健康診断は，医学的見地から個人及び集団の健康状態を把握・評価する。
- 発育・発達や疾病異常に関する現状や問題点を明らかにし，継続的な保健管理や健康相談，健康教育等を通して個人及び集団の課題解決に役立てる。

Action 80

健康診断における留意点と養護教諭の役割

健康診断を実施する上で配慮すべき事項，健康診断における養護教諭の役割について問われる。内容を理解して覚えておこう。

Check! 1 健康診断実施上の留意点

(1) 検査の項目

○原則として，学校保健安全法施行規則に規定された項目について実施する。

○学校の判断でそれ以外の項目を加えて実施する場合

*設置者及び学校の責任で行う。

*実施の目的等と，義務付けではないことを明示する。

*保護者等に周知した上で，理解と同意を得て実施する。

(2) プライバシーの保護及び個人情報の管理

(3) 男女差への配慮

Check! 2 健康診断の事前準備

(1) 実施計画の作成

①健康診断実施に関する情報収集

②健康診断の企画立案，実施計画(案)作成，検討

③実施計画の決定，関係者等への周知

(2) 児童生徒に対しての事前指導の内容

○健康診断の意義，目的，実施計画（要領等）

○検診・検査項目と実施対象者（学年）

○健康診断の受け方（順番，会場の順路，服装，受診態度，等）

○検診・検査当日受診等をできなかった場合の対応方法 等

(3) 学校医や学校歯科医，検査機関等との事前打合せ内容

○検診・検査の日程や会場，実施対象者の人数，教職員の役割分担など

○来校時間，来校者（補助者など）

○検診・検査用の機器や用具の準備（消毒，種類，数，等）

○検診・検査の判定基準，プライバシー保護のための工夫

○保健調査や問診票等から事前に確認すべき事項

○当日，検診・検査を受けられなかった児童生徒への対応方法，等

（4）検診・検査用の機器や用具等の点検，準備，管理

Check! 3 保健調査（学校保健安全法施行規則 第11条参照）

●定期健康診断を的確かつ円滑に実施するため，当該健康診断を行うに当たっては，小学校，中学校，高等学校及び高等専門学校においては全学年において，幼稚園及び大学においては必要と認めるときに，あらかじめ**児童生徒等の発育，健康状態等に関する調査（＝保健調査）**を行うものとされている。

●保健調査にあたっては，**個人のプライバシー**に十分配慮する。

●保健調査で得た内容は，児童生徒等の**ライフスタイル**の情報，学校における日常の健康観察，体力・運動能力調査（新体力テスト）の結果などと併せて活用することで，児童生徒等の**保健管理**及び**保健指導**を適切に行うことが求められる。

●調査票作成では，学校医・学校歯科医等の指導と助言を得る，地域や学校の実態に即した内容のものとする，集計・整理が容易で**客観的分析**が可能なものとする，**継続**して使用できるものとする，などが留意点としてあげられる。

Check! 4 健康診断結果の活用

（1）保健管理における活用

○**心身の健康**：児童生徒の健康課題を把握し，共通理解を図るとともに学校保健計画の立案に役立てる。配慮を要する児童生徒等について把握するとともに，個々に応じた措置を行う。

○**環境の管理**：学習環境を整える。

（2）保健教育における活用

スクリーニングされた疾病・異常の予防や措置に対する指導にとどまらず，児童生徒が自らの健康問題を認識し，より健康な生活を送るためにはどう行動すべきかなどについて指導することが重要である。

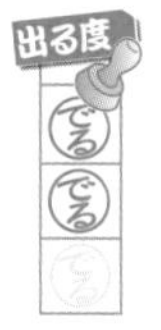

○**教科指導**：体育・保健体育等の教科指導に活用することが望ましい。

○**特別活動**：集団活動を通して，児童生徒の心身の健康を増進し健全な生活態度を育成すべく活用を図る。

（3）組織活動における活用

○児童生徒の健康の問題について，健康診断結果等を踏まえて学校保健委員会で研究協議し，課題解決に向けて実践化を推進する。

○家庭や地域社会との協力関係を確立し，地域保健との密接な連携を図るために活用する。

Action 81

健康診断の種類

健康診断の種類，実施主体，実施時期，検査項目の適語補充や記述問題が頻出している。キーワードは確実に覚えておこう。

Check! 1 健康診断の種類

＜健康診断の種類とその実施時期，実施者及び検査項目のまとめ＞

種類	就学時の健康診断	児童生徒等の健康診断 定期の健康診断	児童生徒等の健康診断 臨時の健康診断	職員の健康診断
法及び規定条項	学校保健安全法 ◦就学時の健康診断の実施（第11条） ◦事後措置の実施（第12条） 学校保健安全法施行令 ◦実施時期（第1条） ◦検査項目（第2条） ◦保護者への通知（第3条） ◦就学時健康診断票（第4条） 学校保健安全法施行規則 ◦方法及び技術的基準（第3条） ◦就学時健康診断票（第4条）	学校保健安全法 ◦健康診断（第13条①） ◦事後措置の実施（第14条） ◦臨時の健康診断の実施（第13条②） 学校保健安全法施行規則 ◦実施時期（第5条） ◦検査項目（第6条） ◦方法及び技術的基準（第7条） ◦健康診断票（第8条） ◦事後措置（第9条） ◦保健調査（第11条） ◦臨時の健康診断（第10条）		学校保健安全法 ◦健康診断の実施（第15条①） ◦臨時の健康診断（第15条②） ◦事後措置の実施（第16条） 学校保健安全法施行規則 ◦実施時期（第12条） ◦検査項目（第13条） ◦方法及び技術的基準（第14条） ◦健康診断票（第15条） ◦事後措置（第16条） ◦臨時の健康診断（第17条）
実施者	学校の設置者（教育委員会）	学校		学校の設置者（教育委員会）

実施時期	学齢簿が作成された後翌学年初めから4月前まで(就学の手続きに支障がない場合にあっては3月前)の間	毎学年定期 (6月30日迄)	必要時	健康診断の時期については施規第5条の規定を準用する。この場合において，同施規第1項中「6月30日まで」とあるのは「学校の設置者が定める適切な時期に」と読み替えるものとする。
検査項目	1. 栄養状態 2. 脊柱及び胸郭の疾病及び異常の有無 3. 視力及び聴力 4. 眼の疾病及び異常の有無 5. 耳鼻咽頭疾患及び皮膚疾患の有無 6. 歯及び口腔の疾病及び異常の有無 7. その他の疾病及び異常の有無	1. 身長及び体重 2. 栄養状態 3. 脊柱及び胸郭の疾病及び異常の有無並びに四肢の状態 4. 視力及び聴力 5. 眼の疾病及び異常の有無 6. 耳鼻咽頭疾患及び皮膚疾患の有無 7. 歯及び口腔の疾病及び異常の有無 8. 結核の有無 9. 心臓の疾病及び異常の有無 10. 尿 11. その他の疾病及び異常の有無 ※　胸囲及び肺活量，背筋力，握力等の機能を検査の項目に加えることができる。(学校保健安全法施行規則第6条②)	必要な検査項目	1. 身長，体重及び腹囲 2. 視力及び聴力 3. 結核の有無 4. 血圧 5. 尿 6. 胃の疾病及び異常の有無 7. 貧血検査 8. 肝機能検査 9. 血中脂質検査 10. 血糖検査 11. 心電図検査 12. その他の疾病及び異常の有無 ※　除くことができる検査項目については，学校保健安全法施行規則第13条②，③に規定されている。

Action 82

検査方法と技術的な基準

ここに注目!

各検査の目的や検査方法，技術的な基準(学校保健安全法施行規則第7条)について，適語補充問題や正誤問題などが見られるので，確実に覚えておこう。

Check! 1 身長・体重

身長	被検査者は裸足で，両かかとを密接し，背，臀部及びかかとを身長計の尺柱に接して直立し，両上肢を体側に垂れ，頭部を正位に保たせて測定する。
	＊被検査者の頭部を正位に保つため頭を正面に向かせて眼耳線を水平にする。 ＊身長計を読む場合は横規を上下させて被検査者の頭頂部に軽く数回接触し，2～3回同じ数値が得られたものを身長として読みとる。 ＊被検査者の身長が検査者よりも高い場合，検査者は踏み台などを用いて横規が自分の眼と同じ高さになる位置で目盛りを読みとる。
体重	＊衣服を脱ぎ，体重計のはかり台の中央に静止させて測定する。ただし，衣服を着たまま測定したときは衣服の重量を控除する。
	＊体重計を水平に保ち，移動したり振動したりしないようにくさび等によって安定を図り指針を零点に調節しておく。

Check! 2 栄養状態

●皮膚の色や光沢，皮下脂肪の厚さ，筋骨の発達，貧血の有無等について検査し，栄養不良又は肥満傾向で特に注意を要する者の発見につとめる。

●栄養状態の判定：視診，成長曲線，肥満度曲線，貧血検査結果等。身長別標準体重をもとに肥満度を算出する。(P.100 参照)

Check! 3 皮膚疾患の有無

●感染性皮膚疾患，アレルギー疾患等による皮膚の状態に注意する。

●全身を観察して発疹の有無を検査し，血色，光沢，弾力，瘢痕などに注意する。

Check! 4 結核の有無 (P.226 参照)

問診，胸部エックス線検査，喀痰検査，聴診，打診その他必要な検査をする。

(1) 問診：小学校（特別支援学校の小学部を含む）の全学年及び中学校（中等教育学校の前期課程及び特別支援学校の中学部を含む）の全学年。

○学校医その他の担当の医師により必要と認める者で，結核に関し専門的知識をもつ者等の意見から当該者の学校の設置者が必要と認める者には胸部エックス線撮影，喀痰検査その他の必要な検査を行う。

（2）胸部エックス線撮影：高等学校（中等教育学校の後期課程及び特別支援学校の高等部を含む）及び高等専門学校の第１学年及び大学の第１学年（結核患者及び結核発病のおそれがあると診断されている者を除く）。

○病変が発見された者及び疑いのある者，結核患者や結核発病のおそれがあると診断された者には胸部エックス線及び喀痰検査を行い，必要に応じ聴診，打診その他を行う。

Check! 5 心臓の疾病及び異常の有無 （P.228 参照）

●保健調査等で心臓の疾病等に関する既往症，現症等をあらかじめ把握する。

●医師による聴診，打診，心電図検査その他の臨床医学的検査で行う。

Check! 6 尿

尿中の蛋白等・糖については試験紙法により検査する。ただし大学においては蛋白等を，幼稚園・大学においては糖の検査を除くことができる。

●保健調査等により腎臓の疾病，糖尿病等に関する既往歴，現症をあらかじめ把握しておく。

●前日夜に排尿させておき，起床直後の尿で行う。一番尿を排除させた後の中間尿から 10mL 程度，容器に採る。

●蛋白尿は６時間から 12 時間後に陰転することがあるので検査は採尿後約５時間以内が望ましい。

●検体は変質防止のため日影で通風のよい場所に保管する（保冷に注意する）。

Check! 7 寄生虫卵の有無（平成 28 年４月～必須項目からは削除）

寄生虫卵検査の検出率には地域性があり，一定数の陽性者が存在する地域においては，必須項目削除後も検査の実施や衛生教育の徹底などを通して，引き続き寄生虫への対応に取り組む必要があるとされている。

Check! 8 その他

身体計測，視力及び聴力の検査，胸部エックス線検査等の予診的事項に属する検査は，学校医又は学校歯科医による診断の前に実施するものとし，その検査の結果及び学校保健安全法施行規則第 11 条の保健調査を活用して診断に当たる。

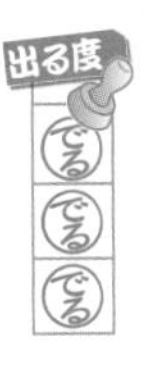

Action 83

健康診断票の記入

ここに注目！

健康診断票の保存期間を問うものや，記入の仕方について正誤問題が出題される。内容を理解しておこう。また，健康診断票に結果を記入させる問題や，歯科検診票の歯式の記入例をもとに歯の状態（歯数）の数値を記入させる問題が出題される。具体的に演習しておこう。

Check! 1 法的根拠

●学校保健安全法施行規則第８条

学校においては，法（学校保健安全法をさす）第１３条第１項の健康診断を行ったときは，児童生徒等の健康診断票を作成しなければならない。

２　校長は，児童又は生徒が進学した場合においては，その作成に係る当該児童又は生徒の健康診断票を進学先の校長に送付しなければならない。

３　校長は，児童生徒等が転学した場合においては，その作成に係る当該児童生徒等の健康診断票を転学先の校長，保育所の長又は認定こども園の長に送付しなければならない。

４　児童生徒等の健康診断票は，５年間保存しなければならない。ただし，第２項の規定により送付を受けた児童又は生徒の健康診断票は，当該健康診断票に係る児童又は生徒が進学前の学校を卒業した日から５年間とする。

Check! 2 健康診断票（一般）記入上の注意

①年齢：定期の健康診断が行われる学年の始まる前日に達する年齢を記入。

②身長・体重：測定単位は小数第１位までを記入。

③栄養状態：栄養不良，肥満傾向で注意を要するものは「要注意」と記入。

④脊柱・胸郭・四肢：病名又は異常名を記入。

⑤視力：裸眼視力はかっこの左側，矯正視力はかっこ内に記入。

＜視力検査結果の記入＞

1.0 以上であるときは「A」　　1.0 未満 0.7 以上であるときは「B」

0.7未満 0.3以上であるときは「C」　　0.3 未満であるときは「D」

⑥眼の疾病及び異常：病名又は異常名を記入。

⑦聴力

○ 1,000Hz30dB，4,000Hz25dB を聴取できない者は○印を記入。

○平均聴力レベルを検査したとき：4,000Hz の閾値はかっこをして記入。

⑧耳鼻咽喉頭疾患：病名又は異常名を記入する。

⑨皮膚疾患：病名又は異常名を記入する。

⑩結核

「疾病及び異常」欄	病名又は異常名を記入。
「指導区分」欄	別表の指導区分（P.227 参照）に準じて記入。

⑪心臓：臨床医学的検査の結果及び病名又は異常名を記入する。

⑫尿

「蛋白第１次」欄	検査の結果を＋等の記号で記入。
「糖第１次」欄	検査の結果を＋等の記号で記入。
「その他の検査」欄	蛋白か糖の第２次検査か，潜血検査等の検査を行った場合の検査項目名及び検査結果を記入。

⑬その他の疾病及び異常：病名又は異常名を記入。

Check! 3 健康診断票（歯・口腔）記入上の注意

歯列・咬合及び顎関節		異常なし：0，定期的観察が必要：1，歯科医師による診断が必要：2
歯垢の状態		ほとんど付着なし：0，若干の付着あり：1，相当の付着あり：2
歯肉の状態		異常なし：0，定期的観察が必要：1，歯科医師による診断が必要：2
歯式	現在歯	乳歯，永久歯とも該当歯を斜線又は連続横線で消す。
	喪失歯	むし歯が原因の永久歯の喪失歯のみ該当歯に△を記入する。
	要注意乳歯	保存の適否を慎重に考慮する必要があると認められた該当歯に×をつける。
	むし歯	乳歯，永久歯ともに処置歯（○）又は未処置歯（C）に区分。
	要観察歯（CO）	視診ではむし歯とは判定しにくいが，初期病変の徴候が認められるもの。CO を記入。
学校歯科医所見		学校でとるべき事後措置に関連して学校歯科医が必要と認める所見を記入押印し，押印した月日を記入する。

（P.104 参照）

Action 84
結核検診

ここに注目！

- 定期健康診断における結核検診の流れについて，適語補充の問題が想定される。キーワードを覚えておこう。
- 事後措置について，指導区分と内容について覚えておこう。

●小学校及び中学校の第１学年でのツベルクリン反応検査を廃止（学校保健法施行規則の改正（平成 15 年４月施行）より）。

●結核の早期発見・早期治療の機会を確保するため全学年で問診を行う。

●高等学校・大学，学校の教職員に対する結核検診は従来通り実施。

Check! 1 学校における結核対策の基本的な考え方

●結核対策において重要なことは以下の通り。

① 児童生徒への感染防止

② 感染者及び発病者の早期発見・早期治療

③ 患者発生時の対応

上記の三方向からの対策の充実・強化

※ 学校における結核対策においては，保健所をはじめとする地域保健との連携が必要不可欠である。

Check! 2 学校における具体的な結核対策

（１）児童生徒等への感染防止対策

○地域の結核流行状況や児童生徒の健康状況，生活状況の把握

（２）感染者及び発病者の早期発見・早期治療対策

○保健調査等による児童生徒等の状況の把握

○定期健康診断

○結核に関する健康相談の実施

○年度内に定期健康診断を受けていない転入生への臨時健康診断の実施，等

Check! 3 小・中学校の定期健康診断における結核検診の流れ

●**対象**：全学年

(1) 問診による情報の把握

① 本人の結核罹患歴

② 本人の予防内服歴
③ 家族等の結核罹患歴
④ 高まん延国での居住歴
⑤ 自覚症状，健康状態（特に２週間以上の長引く咳や痰）
⑥ BCG 接種の有無

⑵ 学校医による診察
上記①～⑥の問診結果及び学校医の診察の結果，必要と認められた者。

⑶ 教育委員会への報告
教育委員会は必要に応じて，地域の保健所や結核の専門家等の助言を受ける。

⑷ 精密検査

⑸ 事後措置

●学校保健安全法施行規則第７条第５項第３号

３　第1号の問診を踏まえて学校医その他の担当の医師において必要と認める者であって，当該者の在学する学校の設置者において必要と認めるものに対しては，胸部エックス線検査，喀痰検査その他の必要な検査を行うものとする。

※　学校保健安全法施行規則の一部改正（平成 24 年４月施行）により，結核対策委員会の意見を聞かずに精密検査を行うことができる（学校医が直接精密検査を指示することができる）こととした。

Check! 4 事後措置（指導区分）（学校保健安全法施行規則第９条）

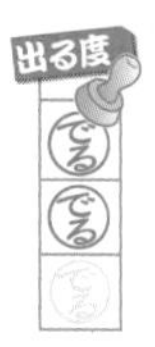

結核の有無の検査の結果に基づく措置については，当該健康診断に当たった学校医その他の医師が下記に定める生活規正の面及び医療の面の区分を組み合わせて決定する指導区分に基づいて行う。

区分	内容	
生活規正の面	A（要休業）	授業を休む必要のあるもの
	B（要軽業）	授業に制限を加える必要のあるもの
	C（要注意）	授業をほぼ平常に行ってよいもの
	D（健　康）	全く平常の生活でよいもの
医療の面	1（要医療）	医師による直接の医療行為を必要とするもの
	2（要観察）	医師による直接の医療行為を必要としないが，定期的に医師の観察指導を必要とするもの
	3（健　康）	医師による直接，間接の医療行為を全く必要としないもの

Action 85

心臓検診

学校心臓検診の目的についてや，事後措置に関する出題が想定される。要点を掴んでおこう。

Check! 1 心臓検診の目的と意義

○心疾患の発見，早期診断
○心疾患児に適切な治療を受けるように指示する
○心疾患児に日常生活の適切な指導を行いQOLを高め，生涯を通じてできるだけ健康な生活を送れるよう援助する
○心臓突然死を予防する

Check! 2 検査と対象

心臓の疾病および異常の有無については，調査票，心電図検査その他の臨床医学的検査によって検査をする。小学校第2学年以上の児童，中学校および高等学校の第2学年以上の生徒については，心電図検査を除くことができる。

Check! 3 心臓検診の流れ

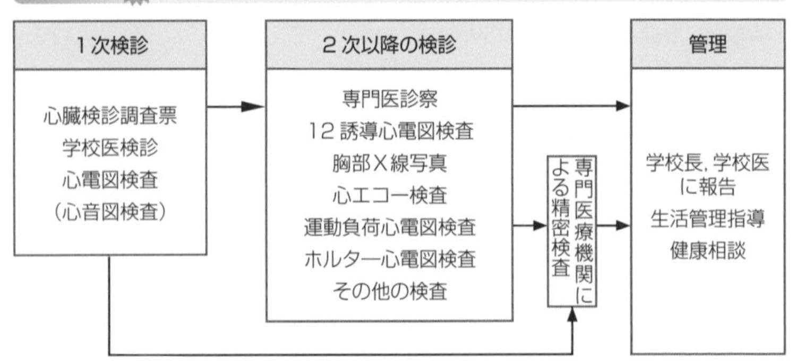

※　心臓疾患を有すると判断された児童生徒の大部分は，2次検診で診断が確定する。医療機関において診断が確定された場合，その医療機関にて必要事項（日常の生活の仕方について等）を記入した「学校生活管理指導表」が保護者を通して，学校に提出される。

Check! 4 学校生活管理指導表における指導区分

各々の疾患や病型等により，専門医の指導など個別対応が必要である。
指導区分は以下の通りである。

A：在宅医療・入院が必要（登校はできない）
B：登校はできるが運動は不可
C：同年齢の平均的児童生徒にとって軽い運動は可
D：同年齢の平均的児童生徒にとって中等度の運動まで可
E：同年齢の平均的児童生徒にとって強い運動も可

◎**軽い運動**：ほとんど息が弾まない程度の運動
◎**中程度の運動**：息が弾むが息苦しさを感じない程度の運動
◎**強い運動**：息が弾み息苦しさも感じる程度の運動

Check! 5 事後措置

- 心臓疾患児は学校生活管理指導表に基づいて生活管理や生活指導を行う。
- 病名や指導区分が同じでも個々に合った対応が必要。
- 学校生活管理指導表にもとづいて生活管理・指導を行うため，学校は家庭と連絡を取り，保護者や本人と話し合い，具体的な活動内容を確認することが必要となる。
- 確認した内容に基づき全教職員で AED の適正使用も含めた共通理解を図り管理・指導を行う。
- 心疾患児がより安心で安全な学校生活ができるよう支援するため，学校医，医療機関等と連携を図った支援が重要。

Check! 6 川崎病

- 心臓検診にあたり，あらかじめ保健調査票などにより確認することになっている疾患。
- 主として４歳以下の乳幼児に起こる原因不明の炎症性疾患。
- 発熱，発疹，結膜の充血，口唇および口の粘膜の発赤，四肢末端の変化，リンパ節の腫張などを認める。
- 心臓に後遺症を残し，突然死することもある。

Action 86

歯科検診

ここに注目！

- CO,GO の説明，また，CO,GO の児童生徒に対する保健指導についての出題などが想定される。要点を押さえておこう。
- 健康診断票への記入についての正誤問題が出題される。具体的な記入について演習しておこう。

Check! 1 目的

歯及び口腔の疾病及び異常の有無は，むし歯，歯周疾患，不正咬合その他の疾病及び異常について検査する。

Check! 2 CO,GO とは

CO	視診にて明らかなう窩は確認できないが，う蝕の初期病変の徴候（白濁，白斑，褐色斑）が認められ，放置するとう歯に進行すると考えられる歯。
GO	歯周疾患要観察者。歯肉に軽度の炎症症候が認められているが，歯石沈着は認められず，注意深いブラッシングを行うことによって炎症症候が消退するような歯肉の状態の者をいう。

Check! 3 歯科検診の記録（健康診断票への記入）

（1）歯列・咬合・顎関節

異常なし：0，定期的観察が必要：1，歯科医師による診断が必要：2

（2）歯垢の状態

ほとんど付着なし：0，若干の付着あり：1，相当の付着あり：2

（3）歯肉の状態

異常なし：0，定期的観察が必要：1，歯科医師による診断が必要：2

（4）歯式

○現在歯，むし歯，喪失歯，要注意乳歯及び要観察歯
⇒記号を用いて，歯式の該当記号を附する。

○現在歯
⇒乳歯，永久歯とも該当歯を斜線又は連続横線で消す。

○**喪失歯**

⇒むし歯が原因の永久歯の喪失歯のみ該当歯に△を記入する。

○**要注意乳歯**

保存の適否を慎重に考慮する必要があると認められた該当歯に×をつける。

○**むし歯**

乳歯，永久歯ともに**処置歯**（○）又は**未処置歯**（C）に区分する。

○**要観察歯**（CO）

視診ではむし歯とは判定しにくいが，初期病変の徴候が認められるもの。

（5）歯の状態

歯式の欄に記入された当該事項について上下左右の歯数を集計した数を該当欄に記入する。

（6）その他の疾病及び異常

病名及び異常名を記入する。

（7）学校歯科医所見

学校においてとるべき事後措置に関連して学校歯科医が必要と認める所見を記入押印し，押印した月日を記入する。

○保健調査の結果と視診触診の結果から必要と認められる事項

○歯垢と歯肉の状態を総合的に判断して

＊歯周疾患要観察者の場合：GO

＊歯科医による診断と治療が必要な場合：G と記入する。

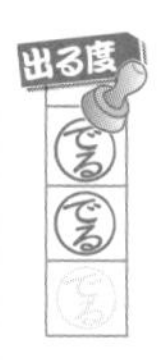

<歯科検診記入例>

<table>
<tr><th rowspan="3">年齢</th><th rowspan="3">年度</th><th rowspan="3">歯列・咬合・顎関節</th><th rowspan="3">歯垢の状態</th><th rowspan="3">歯肉の状態</th><th colspan="16">歯式</th><th colspan="7">歯の状態</th><th rowspan="3">その他疾病及び異常</th><th colspan="2" rowspan="2">学校歯科医</th><th rowspan="3">事後措置</th></tr>
<tr><td colspan="16" rowspan="2">現在歯 ――――（例――，6̸）
う歯 ――┬― 未処置歯 ― C
　　　　└― 処置歯 ― ○
喪失歯（永久歯）―――― △
要注意乳歯 ―――― ×
要観察歯 ―――― CO</td><th colspan="3">乳歯</th><th colspan="4">永久歯</th></tr>
<tr><th>現在歯数</th><th>未処置歯数</th><th>処置歯数</th><th>現在歯数</th><th>未処置歯数</th><th>処置歯数</th><th>喪失歯数</th><th>所見</th><th>月日</th></tr>
<tr><td rowspan="4">10歳</td><td rowspan="4">平成7年度</td><td rowspan="4">⓪
1
2</td><td rowspan="4">0
1
②</td><td rowspan="4">0
①
2</td><td>8</td><td>7</td><td>6̸
○</td><td>5</td><td>4̸</td><td>3</td><td>2̸</td><td>1̶</td><td>1̶</td><td>2̶</td><td>3̶</td><td>4̸</td><td>5</td><td>6̸
CO</td><td>7</td><td>8</td><td rowspan="4">4</td><td rowspan="4">1</td><td rowspan="4">2</td><td rowspan="4">19</td><td rowspan="4">1</td><td rowspan="4">2</td><td rowspan="4">0</td><td rowspan="4">要注意乳歯有</td><td rowspan="4">むし歯要受診
㊞
CO
GO</td><td rowspan="4">4月25日</td><td rowspan="4">歯みがき指導</td></tr>
<tr><td>上</td><td colspan="2" rowspan="2">右</td><td>E</td><td>D</td><td>C̸
×</td><td>B</td><td>A</td><td>A</td><td>B</td><td>C</td><td>D</td><td>E̸
○</td><td colspan="2" rowspan="2">左</td><td>上</td></tr>
<tr><td>下</td><td>E̸
○</td><td>D</td><td>C</td><td>B</td><td>A</td><td>A</td><td>B</td><td>C</td><td>D</td><td>E̸
C</td><td>下</td></tr>
<tr><td>8</td><td>7</td><td>6̸
○</td><td>5</td><td>4̸</td><td>3̶</td><td>2̶</td><td>1̶</td><td>1̶</td><td>2̶</td><td>3̶</td><td>4̸</td><td>5</td><td>6̸
C</td><td>7</td><td>8</td></tr>
</table>

Action 87

脊柱及び胸郭の疾病及び異常の有無並びに四肢の状態

ここに注目！

- 児童生徒等の健康診断において平成 28 年より必須項目となった「四肢の状態」の検査意義について確認しておこう。
- 四肢の形態及び発育並びに運動器の機能の状態に注意することが規定されたので把握しておこう。

Check! 1 検査の意義

成長発達の過程にある児童生徒等における脊柱・胸郭・四肢・骨・関節の疾病・異常を早期発見することで，心身の成長・発達と生涯にわたる健康づくりに結び付ける。

Check! 2 検査方法

（1）準備

○家庭での観察の結果，学校に提出される保健調査票の整形外科のチェックがある項目を整理する。

○日常の健康観察の情報を整理する。

○可能であれば，養護教諭は体育やクラブ活動の担当者と連携し，保健調査票でチェックがある項目について健康診断前に観察し情報を整理する。

（2）方法

①養護教諭は保健調査票や学校での日常の健康観察等の整理情報を，健康診断の際に学校医に提供する。

②保健調査等の情報を参考に，側わん症の検査を行う。四肢の状態については，入室時の姿勢・歩行の状態に注意を払う。保健調査でのチェックの有無等により，必要に応じて検査を行う。

〈留意事項（特に重点的に診る場合など）〉

＊背骨が曲がっている：肩の高さ・肩甲骨の高さや後方への出っ張り・ウエストラインの左右差の有無を確認。前屈検査を実施。脊柱側わん症等のスクリーニングになる。〔図1〕

＊腰を曲げたり，反らしたりすると痛みがある：かがんだり（屈曲），反らしたり（伸展）したときに，腰に痛みが出るか否か。後ろに反らせると腰痛が誘発されるかどうか。脊椎分離症等のスクリーニングとなる。〔図2〕

＊上肢に痛みや動きの悪いところがある：関節の可動性は，学校医が児童生徒等に関節を動かすように指示するか実際に関節を動かすことによって検査する。特に運動終末時の痛みの有無について注意する。肩関節の痛みや動きは野球肩等のスクリーニングとなる。〔図3〕

＊膝に痛みや動きの悪いところがある：膝のお皿の下の骨（脛骨粗面）の周囲を痛がる場合（腫れることもある）は，オスグッド病を疑う。

＊片脚立ちが5秒以上できない，しゃがみこみができない：立つ，歩行，しゃがむなどの動作がぎこちないか。左右それぞれに片脚立ちするとふらつかないか。骨盤が傾いたり背骨が曲がったりしないか。大腿骨頭すべり症，ペルテス病，発育性股関節形成不全（先天性股関節脱臼）等のスクリーニングとなる。〔図4〕

〔図1〕

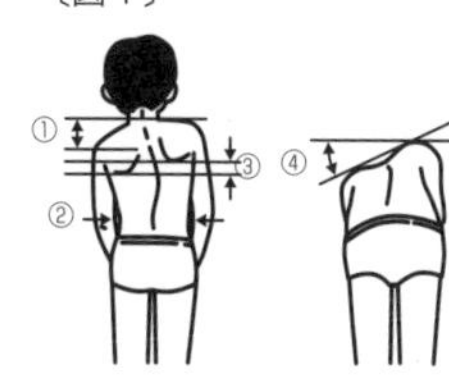

①肩の高さ
②ウエストライン(脇線)
③肩甲骨の位置
④肋骨隆起

〔図2〕

屈曲時の痛み　伸展時の痛み

〔図3〕

両腕を伸ばすと，片方だけまっすぐ伸びない。

〔図4〕

片足立ちすると，ふらつく（左右ともにチェック）。

ふらつく。後ろに転ぶ。しゃがむと痛みがある。

（3）判定

学校医による視触診等で，学業を行うのに支障があるような疾病・異常等が疑われる場合には，医療機関で検査を受けるよう勧め，専門医の判定を待つ。

Check! 3 事後措置

- 学校医が必要と認めた児童生徒等については，その結果を保護者に連絡し，速やかに整形外科専門医への受診を勧める。
- 専門医の指示内容を保護者から確認する。
- 指示内容はまとめて記載しておき，今後の指導に役立たせる。

Action 88

視力検査

ここに注目！

- 視力検査の目的と意義，検査の実際，健康診断票への記入について，適語補充や正誤の問題がみられる。キーワードを確実に覚えておこう。
- 色覚検査が必須項目から削除されたことに伴う学校での留意事項について，確認しておこう。

Check! 1 視力検査の目的と意義

（1）視力と弱視

○弱視：器質的病変がなく，視力の発育が不良な状態をいう。
○視力は出生後から発達するが，屈折異常や斜視などが要因となり発達が阻害されると弱視となる。
○視力が発達する６歳頃までに弱視を治療しなければ生涯にわたり矯正視力は改善しないため，幼児，児童期視力検査が重要である。

（2）学校における視力検査の目的と意義

○学校における視力検査は，学校生活に支障のない見え方かどうかの検査であるため，日常の学校生活における見え方を知ることが目的となる。
○0.3，0.7，1.0 の３視標により判定する視力検査は，学校での健康診断がスクリーニング（選別）であり，最終判断ではない。

Check! 2 検査の準備

（1）視力表

○国際標準に準拠したランドルト環の視力表「0.3, 0.7, 1.0」の視標を使用。

一般用・小学校高学年用	視標が２～３cm 間隔で並んでいる並列（字づまり）視力表を使用。
幼児・小学校低学年用	単独（字ひとつ）視力表が望ましい。

（2）照明

○視標面の照度は 500～ 1,000 lx とする。

（3）遮眼器

○片眼ずつ検査する時に眼を圧迫せず確実に覆うためのもの。直接眼に触れるものであるため，感染予防を心がける。

○眼鏡使用者の片眼遮閉用には眼鏡用遮閉板のほかガーゼ，ティッシュペーパーなどを使用。

（4）指示棒

○並列（字づまり）視力表の視標を指すための棒。視力表に手指などが触れて汚れたり傷つけたりすることのないように使用する。

Check! 3 検査の方法

①視力表から眼までの距離は5mとし，立たせるか椅子にかけさせる。

②眼の高さと視標の高さをほぼ等しくし，視線と視標面が直角に交わるよう，垂直に視力表を置くようにする。

③最初に左眼を遮眼器等で眼球を圧迫しないように，のぞき見しないように注意しながら遮閉する。右眼で眼を細めないで視標のランドルト環の切れ目の向きを答えさせる。

④0.3の視標が4方向のうち正答が2方向以下の場合は「判別できない」とし，「D」と判定。4方向のうち3方向を正答できれば「正しい判別」と判定し，次に0.7の視標にうつる。0.7の視標で同じく「判別できない」なら「C」と判定，「正しい判別」と判定されれば1.0の視標にうつる。1.0の視標で同じく「判別できない」なら「B」と判定，「正しく判別」できれば「A」と判定。

<判定基準>

	使用視標	判定の可否	判定結果	次の手順	備考
視力の判定	0.3	判別できない	D	終了	視力C，Dの場合は眼科への受診を勧める。
		正しく判別	−	0.7で検査	
	0.7	判別できない	C	終了	
		正しく判別	−	1.0で検査	視力Bの場合，幼稚園の年中，年少児を除く児童生徒等には受診を勧める。年中，年少児には受診の勧めは不要。
	1.0	判別できない	B	終了	
		正しく判別	A	終了	受診の勧めは不要。

※「正しく判別」とは，上下左右4方向のうち3方向以上を正答した場合をいう。

※「判別できない」とは，上下左右4方向のうち2方向以下しか正答できない場合をいう。

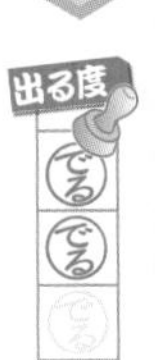

Check! 4 色覚検査について

●定期健康診断の項目ではないが，児童生徒等が自身の色覚の特性を知らないまま進学・就職等で不利益を受けないよう，必要に応じ個別に検査を行う。

●本人・保護者の同意を得て実施。学校での色覚検査はスクリーニング。診断せず「色覚異常の疑い」とし眼科受診を勧める。プライバシーの保護に配慮。

Action 89 聴力検査（耳鼻咽喉科検診）

ここに注目！

- **聴力の検査学年，検査の方法，難聴が疑われた者の再検査の方法などについて，適語補充や正誤の問題が想定される。**
- **平均聴力レベルの計算方法についても確認しておこう。**

Check! 1 難聴とは

●**音が聞こえる仕組み**：外耳道の空気を振動し，中耳で増幅されて内耳へ伝えられると，感覚細胞の働きで電気的な信号に変換される。聴神経に伝えられ，大脳の聴中枢で音として認識される。

●この聴覚経路に障害が起ると，聴力の障害（**難聴**）が起きる。

Check! 2 検査の手順

検査の学年	全学年が原則であるが，小学校4学年と6学年及び中・高等学校2学年は除くことができる。
検査の場所	正常の聴力の者が1,000Hz25dBの音をはっきり聞きとれるくらいの静かな場所で行う。
検査機器	オージオメータは日本産業規格（JIS）によるものを用い，定期的に校正を受ける（平成12年8月にJIS規格が改訂され，平成14年2月以降，旧規格のものは使用できない）。
検査の手順	①聞こえのよい耳から始める。どちらが良く聞こえるか分からないときは，右耳から始める。 ②受話器を被検査者の耳に密着させる。 ③はじめに1,000Hz30dBの音を聞かせ，聞こえるかどうか応答させる。応答がはっきりしない場合には断続音を切ったり出したりしてみる。明確な応答が得られたら，4,000Hz25dBの音を聞かせ応答をみる。 ④応答は応答ボタンを押すか手をあげるなどの合図で行う。
結果の記入	応答がない場合は難聴の疑いとして，検査の結果を健康診断表の聴力の欄にチェックを入れる。

Check! 3 平均聴力の算出方法

●聴力は**平均聴力**で示す。
●**平均聴力**は以下の式（4分法）で算出される。

> 500Hz の閾値 adB，1,000Hz の閾値 bdB，2,000Hz の閾値 cdB
> としたとき，平均聴力＝(a+2b+c) ／ 4
> （a は 500Hz，b は 1000Hz，c は 2000Hz の閾値を示す）

●再検査では全く聞こえなくなった時から音量を次第に強めていき，初めて聞こえた点を**閾値**と決める。

Check! 4 難聴の疑いの再検査

検査の結果，難聴が疑われた場合は，耳鼻咽喉科学校医の直接の指示の下に，再検査を行う。

（1）再検査の方法

①1,000Hz で十分に聞こえる強さの音を聞かせる。
②音を次第に弱めて，全く聞こえなくなった時点から再び音を強めていく。そこで初めて応答のあった dB 値を**閾値**という（これを仮に b dB とする）。
③更に 2,000Hz の閾値（c dB），4,000Hz の閾値（d dB）を検査で求める。
④今までの検査が正しく行われたかどうかを確認する。1,000Hz の閾値を再度検査して，b dB と同じ値であれば，500Hz の閾値を測定する（これを a dB とする）。

（2）留意事項

○低学年の児童では検査に不慣れで応答が**不明確**になりやすい。**難聴**を見逃すおそれもあるため，**保健調査票**等を参考に検査を慎重に進める。
○**選別聴力**検査の実施が困難な児童生徒等の中には，様々な程度や型の難聴も含まれる。学校現場で十分な対応ができない場合は，**精査機関の紹介**，**保護者の理解**，**協力**が得られるよう周知を行う。

Action 90 健康診断で対象となる主な所見名

眼科・耳鼻咽喉科の所見名，症状の空欄補充問題が頻出している。疾患の原因，症状，感染性の有無等について答えられるようにしておこう。

Check! 1 主な眼科所見名

所見名	内容
結膜炎	細菌性とウイルス性に大別される。ウイルス性結膜炎は感染性があり，接触での感染がほとんどで出席停止が必要。充血，流涙，痛み，目やに等の症状も強く，発熱やのどの痛みを伴うこともある。
アレルギー性結膜炎	目のかゆみ，充血，目やになどの症状のほか，まばたき，まぶしさ，視力低下等の症状がある。
眼瞼炎	目の周りのただれ，かぶれ，かさつき，切れ等で，かゆみや痛みを訴える。
麦粒腫	まぶたの急性の細菌感染。症状が悪化すると，眼の周囲に感染が広がる場合も。
霰粒腫	まぶたの慢性肉芽腫性炎症。麦粒腫と似ているが，炎症が治まったあとも，しこりが残ることもよくみられる。
内反症	さかまつげのことであり，異物感を訴え，目をこすることが多い。角膜（くろめ）に傷がつくことがあり，症状が強い時には，手術が必要なことも。
眼位の異常	常にどちらかの目が斜めを向いている斜視と，通常は両眼ともに正常だが視線をさえぎられた目が斜めを向く斜位に大別される。眼鏡やコンタクトレンズを使用しても視力が出にくいことがあり，詳細な検査が必要となる。

Check! 2 主な耳鼻咽喉科所見名

所見名	内容
耳垢栓塞（耳あか）	鼓膜が見えない程度にあかがたまっており，この状態でプールに入ると耳あかがふやけ，更に聞こえが悪くなったり外耳炎を起こしたりする。鼓膜が見えないので，中耳炎等の病気が隠れている場合も。
滲出性中耳炎	鼓膜の内側（鼓室）に水がたまり，聞こえが悪くなる。痛みがないため進行に気付きづらい。日常会話や学校生活に差し支える場合も。
慢性中耳炎	炎症を繰り返して鼓膜に穴（穿孔）があき，耳だれが続いたり，聞こえが悪くなったりする。そのままにすると難聴が進行するおそれもある。
アレルギー性鼻炎	原因となる物質（アレルゲン）を吸入すると発症し，くしゃみ・鼻水・鼻づまりの3症状を訴える。慢性的な鼻づまりは集中力の低下等学校生活にも影響し，鼻出血の原因になることもよくみられる。アレルゲンはホコリ・ダニ・花粉など（花粉の場合は季節によって症状が大きく変動する）。
副鼻腔炎	慢性的に粘性・膿性鼻汁がある。鼻づまりや嗅覚障害・鼻出血・頭痛・痰がらみの咳等，さまざまな症状の原因となる。
慢性鼻炎	慢性的な鼻づまりや鼻汁過多がある。集中力の低下など学校生活に影響を及ぼすと思われる。学校の健康診断のみでは花粉症等のアレルギー性鼻炎や副鼻腔炎と診断できないものも含まれる。要治療の場合も。
鼻中隔わん曲症	鼻中隔（鼻の左右の空間を仕切る壁）が強く曲がっているため，鼻づまりや鼻出血の原因となることも。
難聴の疑い	学校での聞こえの検査で，明確に聞き取れないところがあった。
アデノイドの疑い	鼻の一番奥にある扁桃組織の一つ。口を開けて呼吸をする，いびきをかく等，睡眠時無呼吸症候群の原因となる。また，中耳炎や副鼻腔炎を起こしやすくなる。
扁桃肥大	扁桃のはれ。大きくても心配ない場合もあるが，呼吸や嚥下の障害を起こすこともある。
扁桃炎	かぜをひきやすく，のどを痛めやすい原因となる。習慣性扁桃炎（高熱を繰り返し出す）や関節・腎臓・心臓の病気の原因になる病巣感染源となる場合もある。
音声異常	長期にわたる声がれや鼻声などの異常。小学校高学年以上では「声変わり」がうまくできないことも原因となる。
言語異常	話し言葉の異常。程度により専門機関での治療が必要。

Action 91

定期健康診断の事後措置

ここに注目！

- 健康診断結果の通知期限，健康診断結果の事後措置の基準について，キーワードを確実に覚えておこう。
- 健康診断の結果，養護教諭として行うことが考えられる保健指導等についてまとめておこう。

Check! 1 法的根拠

（1）学校保健安全法第14条（P.217参照）
（2）学校保健安全法施行規則第9条（下記参照）

Check! 2 健康診断結果の通知（学校保健安全法施行規則第9条）

健康診断結果の通知は，21日以内に，幼児・児童・生徒の場合は本人とその保護者に，学生の場合は本人に通知する。

Check! 3 健康診断結果の事後措置の基準

●学校保健安全法施行規則第9条では以下のように定められている。

1．疾病の予防処置を行うこと。
2．必要な医療を受けるよう指示すること。
3．必要な検査，予防接種等を受けるよう指示すること。
4．療養のため必要な期間学校において学習しないよう指導すること。
5．特別支援学級への編入について指導及び助言を行うこと。
6．学習又は運動・作業の軽減，停止，変更等を行うこと。
7．修学旅行，対外運動競技等への参加を制限すること。
8．机又は腰掛の調整，座席の変更及び学級の編制の適正を図ること。
9．その他発育，健康状態等に応じて適当な保健指導を行うこと。

●結核の有無の検査の結果に基づく措置については，当該健康診断に当たった学校医その他の医師が同法施行規則別表第一に定める生活規正の面及び医療の面の区分を組み合わせて決定する指導区分に基づいてとる。

項目別事後措置のポイント

身長	同一年齢集団の身長と比較して著しく低い者，又は著しく高い者，過去の測定値に比べ増加が不良な児童生徒については身長成長曲線を検討。
体重	＊発育期の児童生徒の過去の体重に比べて現在の体重が少ない場合は重大な原因があると考え，その原因を究明する。 ＊測定値のみ比較するだけでは正確に判断できないので，体重成長曲線と肥満度曲線を描くことが必要である。 ＊肥満，やせについては身長と体重の計測値を用いて，体重成長曲線を検討した上で事後措置を行う。肥満や思春期やせ症などに留意する。 ＊やせ型の場合は，児童生徒等の虐待を心にとめて観察すること。 ＊体重は，食事，運動，休養といった生活習慣に加えて，ホルモン分泌，腎機能，心肺機能，免疫，精神状態など多くの因子によって１～２週間という短い間でさえも過去の値より減少したり，急激に増加したりするので注意が必要である。 ＊思春期の体重の急激な増加は思春期成長促進現象であり，身長と同じく女子の方が男子よりも２年ほど早く始まり早く終わる。体重の思春期成長促進現象については個人差が大きいことを常に考慮すること。
栄養の状態	肥満度が－20%以下，肥満度＋20%以上の児童生徒については原因について体重成長曲線と肥満度曲線が有用となる。肥満度曲線が上向き（肥満）であるのに身長成長曲線が基準線に対して下向きである場合等は病気が原因であると考え医療機関の受診を勧める必要がある。
皮膚疾患	＊学校生活に対する配慮が必要な場合は，児童生徒や教職員にも理解を求め，協力体制をとる。 ＊学校感染症については，必要に応じて医療機関での治療を受けさせるとともに，学校保健安全法等に従って出席停止等の判断を行う。 ＊感染性皮膚疾患は完治させ他の生徒にうつさないように指導する。
尿	＊腎臓検診陽性者の専門医への紹介 一般に蛋白尿と血尿がともに陽性の時は，特に蛋白尿が強く陽性の時は，血尿のみの場合よりも腎炎が重いことが多い。 ①腎臓検診陽性者 活動性の病変がある腎臓病の子どもが激しく運動すると悪化するといわれる。 ②糖尿病検診陽性者 ○運動を積極的に行うよう指導する。 ○低血糖予防のため消費されるエネルギー量に見合うスナック等を運動前に与えておく。

チェックテスト

空欄〔　　〕に該当する正しい語句を答えよ。

Q１　歯科検診について，診断票に記入する際の記号を答えよ。

○むし歯の処置歯：〔　①　〕
○要注意乳歯：〔　②　〕
○要観察歯：〔　③　〕
○むし歯が原因の永久歯の喪失歯：〔　④　〕
○歯科医による治療と診断が必要な場合：〔　⑤　〕

→231ページ

Q２　次の文は聴力検査の要領を示したものである。空欄〔　　　〕に該当する正しい語句を答えよ。

○検査は，正常の聴力の者が〔　①　〕Hz〔　②　〕dB の音をはっきり聞きとれるくらいの静かな場所で行う。
○聞こえのよい耳から始めるが，どちらがよく聞こえるかわからないときは，〔　③　〕から始める。
○はじめに〔　④　〕Hz〔　⑤　〕dB の音を聞かせ，聞こえるかどうか応答させる。明確な応答が得られたら，〔　⑥　〕Hz〔　⑦　〕dB の音を聞かせて応答をみる。
○検査による平均聴力は〔　⑧　〕Hz，〔　⑨　〕Hz，〔　⑩　〕Hz の閾値を用いて算出する。

→236, 237ページ

Q３　以下は健康診断で対象となる眼科・耳鼻咽喉科の所見名の説明を示したものである。空欄〔　　〕に該当する語句を答えよ。

○〔　①　〕：さかまつげのことであり，異物感を訴え，目をこすることが多い。角膜（くろめ）に傷がつくことがあり，症状が強い時には，手術が必要なこともある。
○結膜炎：〔　②　〕性と〔　③　〕性に大別される。〔　③　〕性結膜炎は感染性があり，接触での感染がほとんどで出席停止が必要。
○〔　④　〕：鼓膜の内側（鼓室）に水がたまり，聞こえが悪くなる。痛みがないため進行に気付きづらい。日常会話や学校生活に差し支える場合もある。
○副鼻腔炎：慢性的に粘性・〔　⑤　〕鼻汁がある。鼻づまりや嗅覚障害・鼻出血・頭痛・痰がらみの咳等，さまざまな症状の原因となる。

→238, 239ページ

解答

Q1 ①○　②×　③CO　④△　⑤G　　Q2 ①1,000　②25　③右耳　④1,000　⑤30　⑥4,000　⑦25　⑧500　⑨1,000　⑩2,000　　Q3 ①内反症　②細菌　③ウイルス　④滲出性中耳炎　⑤膿性

実力確認問題

第1問 性暴力に関する次の各問いに答えよ。

（1）「性犯罪・性暴力対策の強化の方針」（関係府省会議 令和2年）からの抜粋文について，（ ① ）～（ ⑧ ）に入る適切な語句を答えよ。

○性犯罪・性暴力は，被害者の人としての（ ① ）を傷付け，心身に深刻な影響を与え，その後の生活にも甚大な影響を与えることが多いこと。
○被害者が勇気を出して相談しても，（ ② ）が生じ，被害を誰にも話さなくなり，社会が被害の深刻さに気付かず，（ ③ ），（ ④ ），（ ⑤ ）がそのまま温存されるといった悪循環に陥っている場合があること。
○加害者の（ ⑥ ）割が顔見知りであるとの調査結果もあり，特に子供は，親，祖父母やきょうだい等の親族や，教師・コーチ，施設職員等，自分の生活を支えている人や友好的だと思っている人からの被害を受けることや，被害が（ ⑦ ）することも多いところ，このような相手からの被害や，継続的な性被害を受けている最中である場合には，被害を他人には言えない状況があること。
○男性や（ ⑧ ）が被害に遭った場合，被害を申告しにくい状況があること。

（2）文部科学省が推進している「生命（いのち）の安全教育」では子供たちへのどのような指導を目指しているか答えよ。

（3）教職員の性犯罪が増加傾向にある。教育職員等による児童生徒性暴力等が児童生徒等の権利を著しく侵害し，児童生徒等に対し生涯にわたって回復し難い心理的外傷その他の心身に対する重大な影響を与えるものであることに鑑み，令和４年に施行された法律は何か。

第2問 次の文は「第３次学校安全の推進に関する計画の策定について」（中央教育審議会答申 令和４年）から「Ⅱ ３.学校における安全に関する教育の充実 (5)現代的課題への対応」の抜粋である。各問いに答えよ。

中央教育審議会答申においては，現代的な諸課題に対応して求められる資質・能力の一つとして（ ① ）に関する力を掲げており，学校安全の３領域に関する教育については教科等横断的に実施されることが必要とされている。学校安全の３領域に関する従来の学習内容に加えて，児童生徒等が被害に遭う

（ ② ）に起因する犯罪や，性犯罪・性暴力への対策については，現代的な課題として，安全教育の中で柔軟に扱うことも重要である。

特に，性犯罪・性暴力対策については，令和２年６月に決定した「性犯罪・性暴力対策の強化の方針」に基づき，児童生徒等が巻き込まれる性犯罪・性暴力の根絶に向けた取組等を推進しているところであるが，さらに，教育職員等による児童生徒性暴力等の防止等に関する法律の成立により，国，地方公共団体，学校の設置者，学校，教育職員等その他の関係者において，児童生徒等に対する（ ③ ）を含め，児童生徒性暴力等の防止等に関する施策を実施することが定められた。これらの趣旨も踏まえ，国は，児童生徒等が（ ④ ）を大切にするとともに性犯罪・性暴力の（ ⑤ ），（ ⑥ ），（ ⑦ ）にならないための「生命（いのち）の（ ⑧ ）」の一層の推進を図ることとする。（略）また，新型コロナウイルス感染症対策とマスクの着用による（ ⑨ ）リスクに関する安全対策との両立という課題も生じたところである。

（1）下線部「学校安全の３領域」として挙げられるものは何か。
（2）（ ① ）～（ ⑨ ）に入る適切な語を答えよ。

第３問 **次のア～オの各文の内容と関連のある法令等は，１～５のうちのどれか。それぞれ選べ。**

ア　学校には学校医を置くものとし，また，大学以外の学校には，学校歯科医及び学校薬剤師を置くものとしている。
　１　教育基本法　２　学校教育法　３　学校保健安全法
　４　学校保健安全法施行令　５　学校保健安全法施行規則

イ　学校において予防すべき感染症の種類，出席停止の期間の基準を示している。
　１　教育基本法　２　学校教育法　３　学校保健安全法
　４　学校保健安全法施行令　５　学校保健安全法施行規則

ウ　養護教諭は，児童の養護をつかさどるものとしている。
　１　教育基本法　２　学校教育法　３　学校保健安全法
　４　学校保健安全法施行令　５　学校保健安全法施行規則

エ　文部科学大臣は，学校における換気，採光，照明，保温，清潔保持その他環境衛生に係る事項について，児童生徒等及び職員の健康を保護する上で維持されることが望ましい基準を定めるものとする。

1　教育基本法　　2　学校教育法　　3　学校保健安全法
4　学校保健安全法施行令　　5　学校保健安全法施行規則

オ　就学時の健康診断について，実施時期や検査項目，保護者への通知などについて示している。

1　教育基本法　　2　学校教育法　　3　学校保健安全法
4　学校保健安全法施行令　　5　学校保健安全法施行規則

第4問　小学校学習指導要解説 特別活動編（平成29年6月）における「心身ともに健康で安全な生活態度の形成」に関する説明文について，（　①　）～（　⑨　）に入る適切な語句を答えよ。

心身ともに健康で安全な生活態度の形成は，教育活動全体を通して総合的に推進するものであるが，学級活動においてもその特質を踏まえて取り上げる必要がある。この内容には，保健に関する指導と安全に関する指導の内容があることから，学校における（　①　）の全体計画等と関連付けながら（　②　）及び（　③　）を作成し，効果的な指導が行われなければならない。

保健に関する指導としては，心身の発育・発達，（　④　），（　⑤　），病気の予防，心の健康などがある。これらの題材を通して，児童は自分の健康状態について関心をもち，身近な生活における健康上の問題を見付け，自分で判断し，処理する力や，心身の健康を（　⑥　）する態度を養う。

さらに，（　⑦　）等に関する情報の入手が容易になるなど，児童を取り巻く環境が大きく変化している。こうした課題を乗り越えるためにも，現在及び生涯にわたって心身の健康を自分のものとして保持し，（　⑧　）を送ることができるよう，必要な情報を児童が自ら収集し，（　⑨　）を育むことが重要である。

第5問　次の災害時における養護教諭の役割と対応について述べた文章から，正しいものを2つ選べ。

ア　災害発生時は，学級活動等において心のケアについて保健指導を実施し，子どものストレス症状の特徴を踏まえた上で，子どもが示す心身のサインを見過ごさないようにする。

イ　保護者に対してストレス症状についての知識を提供するのは主に学級担任の役割であるため，養護教諭は行うべきではない。

ウ　災害時の子どもの心身の健康問題の解決にあたっては，教職員等に医学的な情報を提供するなど，学校関係者との連携と調整を行う。
エ　ストレス症状を示す子どもに対しては，ストレスの対処方法について保健指導を行い，症状が和らぐように励まし続ける。
オ　子どもの症状から ASD や PTSD が疑われる場合は，養護教員はただちに受診を勧め，専門医を紹介する。

第6問　「今後の学校給食における食物アレルギー対応について 最終報告」（文部科学省：調査研究協力者会議，平成 26 年）に示された内容について，（　①　）～（　⑥　）に入る適切な語句を答えよ。

学校給食における食物アレルギー対応の基本的な考え方は，（　①　）を起こす可能性のある児童生徒を含め，（　②　）の児童生徒が他の児童生徒と同じように（　③　）を目指すことが重要であり，各学校，各調理場の能力や環境に応じて食物アレルギーの児童生徒の視点に立ったアレルギー対応給食の提供を目指すことである。
アレルギー対応の基本は，（　④　）である。児童生徒の状態について，（　⑤　）を踏まえて正確に把握すること，事故につながる（　⑥　）についての情報を収集することなど，日常からの情報把握が重要である。

第7問　「食に関する指導の手引－第二次改訂版－」（文部科学省，平成 31 年）に示された学校給食における窒息事故防止の内容について，次の問いに答えよ。

（1）　給食時に窒息事故を未然に防ぐポイントについて述べている次の事項について，（　①　）～（　④　）に入る適切な語句を答えよ。
○食べ物は食べやすい大きさにして，（　①　）よう指導する。
○（　②　）は危険であることを指導する。
○学級担任等が注意深く児童生徒の様子を観察する。
○（　③　）の能力は個人差があるため，個別の対応が必要な児童生徒については全教職員の間で共通理解を図る。
○（　④　）については，食事中必ず教職員が付き添い目を離さないようにする。

（2）　窒息事故発生時，救急隊が到着するまでに詰まったものの除去を試みる際に考えられる方法を２つあげよ。

第8問　救急処置について，各問いに答えよ。

（1）応急処置について述べた次の文章のうち，正しいものを1つ選びなさい。

1　ハチに刺されたときは，刺された箇所の周囲を強くつまんで毒を出し，流水で洗い，冷やす。

2　腕にガラス片が刺さった場合，ガラス片はすぐに取り除き，ガーゼで保護をし，医療機関を受診させる。

3　歯が抜けた場合，抜けた歯を元の位置に戻せない場合は，なるべく1時間以内に医療機関を受診させる。

4　つき指をした指は，強く引っぱってから冷やす。

5　衣服や靴などに化学薬品が付着した場合は，皮膚が傷む恐れがあるため無理に脱がせてはいけない。

（2）熱中症について，次の文中の空欄（　①　）～（　⑥　）に入る適語を書きなさい。

熱中症とは，暑熱環境によって生じる障害の総称で，大きく分けると（　①　），（　②　），熱射病に分けられる。

熱射病は，体温調節が破綻して起こり，（　③　）と意識障害が特徴である。（　④　）が背景にあることが多く，血液凝固障害，脳，肝，腎，心，肺など全身の（　⑤　）を合併し，（　⑥　）が高い。

第9問　疾病に関する次の問いに答えよ。

（1）学童期にみられる心疾患の名称とその説明文1～4の組み合わせとして正しいものを1つ選べ。

1　先天性心疾患のなかで最も多くみられ，軽度のものは運動制限の必要はない。

2　学童期では無症状で突然死の危険はないが，成人になると心不全や心房細動などの不整脈が起きる。

3　突然，特有の心室頻拍や心室細動が出現し，失神したり突然死したりする可能性がある。

4　動脈血の酸素濃度が低くチアノーゼを認める。手術が済んでいても軽度の肺動脈狭窄などがみられることがあるため経過観察が必要である。

ア　1：心房中隔欠損症　2：ファロー四徴症　3：ＱＴ延長症候群
　　4：心室中隔欠損症
イ　1：心室中隔欠損症　2：心房中隔欠損症　3：ＱＴ延長症候群
　　4：ファロー四徴症
ウ　1：心室中隔欠損症　2：ＱＴ延長症候群　3：心房中隔欠損症
　　4：ファロー四徴症
エ　1：心房中隔欠損症　2：心室中隔欠損症　3：ファロー四徴症
　　4：ＱＴ延長症候群

(2)「第４次食育推進基本計画」（農林水産省，令和３年）に示された内容について，（　①　）～（　⑦　）に入る適語を答えよ。

生活習慣病の予防や改善には，日常から望ましい（　①　）を意識し，実践することが重要である。しかし，エネルギーや食塩の過剰摂取等に代表されるような栄養等の偏り，朝食欠食等の食習慣の乱れ，それに起因する（　②　），（　③　），低栄養等，（　④　）につながる課題は，いまだ改善するまでには至っていない。

朝食をとることや早寝早起きを実践することなど，（　⑤　）づくりについて，個々の家庭や子供の問題として見過ごすことなく，（　⑥　）として捉えることが重要である。（　⑦　）づくりや生活リズムの向上に向けて，地域，学校，企業を含む民間団体等が家庭と連携・協働し，子供とその保護者が一緒に生活習慣づくりの意識を高め，行動するための取組を推進する。

第10問　医薬品について，次の問いに答えよ。

(1) 自分自身の健康に責任を持ち，軽度な身体の不調は自分で手当てすることを，世界保健機関（WHO）では何と定義しているか。

(2) 学校における医薬品の取り扱いについて，正しいものを次の１～５より１つ選びなさい。

1　学校が一般用医薬品を保管することについては法律で規制されている。
2　児童生徒が学校で医療用医薬品を使用する場合，原則として学校が預かり保管・管理する。
3　学校での一般医薬品の管理責任者は養護教諭である。
4　使用期限が切れた一般用医薬品は速やかに廃棄する。

5　宿泊学習などにおいては，どのような一般用医薬品を用意すればよいのか，学校医，学校歯科医の指導と助言に基づき学校薬剤師が判断して決める。

第11問　学校環境衛生に関する次の問いに答えよ。

（1）以下は，学校環境衛生基準について述べた文である。教室にかかわる衛生基準について，下線部のａ～ｌの中で誤っているものを選びなさい。

1　教室及びそれに準ずる場所の照度の下限値は，ａ300 lx（ルクス）とする。また，教室及び黒板の照度は，ｂ500 lx 以上であることが望ましい。
2　騒音レベルの定期検査は，毎学年ｃ１回定期に行う。
3　教室等のまぶしさは，児童生徒等から見て，黒板のｄ外側 15°以内の範囲に輝きの強い光源（昼光の場合は窓）がないこと。
4　換気の基準として，二酸化炭素は，ｅ1500ppm 以下であることが望ましい。
5　浮遊粉じんは，ｆ0.30mg/m³ であること。
6　二酸化窒素は，ｇ0.05ppm 以下であることが望ましい。
7　温度は，ｈ17°C 以上，ｉ28°C 以下であることが望ましい。
8　揮発性有機化合物の採取は，教室等内の温度が高い時期に行い，吸引方式では 30 分間でｊ２回以上，拡散方式ではｋ８時間以上行う。
9　気流は，ｌ0.2m/ 秒以上の気流を測定することができる風速計を用いて測定する。
10　定期及び臨時に行う検査の結果に関する記録は，検査の日からｍ３年間保存するものとする。

（2）学校環境衛生活動に関する記述として，適切なものを１～10 から選びなさい。

1　臨時検査を行う際は，定期検査と異なったその際により準じた方法で行う。
2　机やいすは，パラジクロロベンゼンの発生源の可能性がある。
3　まぶしさは，生理的，心理的な疲労に直接に影響することがある。
4　生徒数の減少等により水の使用量が減少すると，水質が悪化するおそれがある。
5　屋外プールで休日等で長時間プール使用しない場合も，その前日に通常の塩素濃度が保たれている状態であればよい。
6　水中で５m 離れた位置からプール壁面が明確に見えない場合は，循環ろ過装置の使用時間を長くするなどして，濁度が回復するまで浄化すること。

7　定期・臨時検査は，主として保健主事が行う。
8　定期における大きな検査項目は，教室等の環境，飲料水等の水質及び施設・設備，水泳プールの３つである。
9　学校環境衛生活動は，身の回りの環境がどのように維持されているかを知る保健教育の一環として，児童生徒等が学校環境衛生活動を行うことも考えられる。
10　暖房時には，温められた空気は上方へ，冷たい空気は下方へ移動するため，座位の頭部付近と足元付近の温度差は 10°C 前後になる場合もある。

第12問　健康診断に関する次の問いに答えよ。

（1）健康診断に関する記述として，適切なものを１～５より１つ選びなさい。
1　就学時の健康診断における栄養状態は，歯の状態，身長・体重の検査で行い，栄養不良または肥満傾向で特に注意を有する者の発見につとめる。
2　就学時の健康診断における知能の検査は，就学先を決める際の判断材料として使用するために行われる。
3　小学校低学年児童における聴力検査は，検査に不慣れなため応答が不明確になりやすいので行わない。
4　健康診断は，学校における保健管理の中核に位置し，児童生徒等の健康の保持増進を図るものであり，教育活動として実施されるものではない。
5　健康診断の結果は，心身に疾病や異常が認められなかった児童生徒等については事後措置等の通知はしなくてよい。

（2）次の定期健康診断について述べた文において，空欄（　①　）～（　⑥　）に入る適切な語句を答えなさい。
1　児童生徒等の発育を評価する上で，（　①　）や（　②　）を積極的に活用することが重要である。
2　視力検査における視力表は，国際標準に準拠した（　③　）を使用する。
3　小学校第（　④　）学年以上の児童は心電図検査を除くことができる。
4　蛋白尿は６～12 時間後に陰転することがあるので，検尿は採尿後約（　⑤　）時間以内に行うことが望ましい。
5　成長発達の過程にある児童生徒等の脊柱及び胸郭並びに四肢の状態に関する疾病及び異常を早期発見することにより，児童生徒等の（　⑥　）に結び付けられる。

（3）健康診断は児童虐待を発見しやすいとされている。健康診断時における虐待発見の視点を3つ書きなさい。

ICT 機器を利用する際の，健康面への配慮に関する記述として適切なものを1つ選べ。

1　端末を使用する際に良い姿勢を保ち，机と椅子の高さを正しく合わせて，目と端末の画面との距離を 30 cm 以上離す。
2　長時間にわたって継続して画面を見ないよう，50 分に1回は，20 秒以上，画面から目を離して，近くのものを見るなどして目を休める。
3　夜に自宅で使用する際には，昼間に学校の教室で使用する際よりも，明るさ（輝度）を上げることが推奨される。
4　睡眠前に強い光を浴びると，入眠作用があるホルモンの分泌が促進されるため，就寝1時間前からの ICT 機器の利用が適切である。

解答

【第1問】（1）①尊厳　②二次的被害　③無知　④誤解　⑤偏見　⑥7～8　⑦継続　⑧セクシュアルマイノリティ　（2）〈例〉生命の尊さを学び，性暴力の根底にある誤った認識や行動，性暴力の影響などを正しく理解した上で，生命を大切にする考えや自分を含めた一人一人を尊重する態度などを，発達段階に応じて身に付けることを目指している。　（3）教育職員等による児童生徒性暴力等の防止等に関する法律

【第2問】（1）生活安全，交通安全，災害安全　（2）①安全　②SNS　③啓発　④生命　⑤加害者　⑥被害者　⑦傍観者　⑧安全教育　⑨熱中症

【第3問】ア－3　イ－5　ウ－2　エ－3　オ－4

【第4問】①特別活動　②学校保健計画　③学校安全計画　④心身の健康を高める生活　⑤健康と環境とのかかわり　⑥保持増進　⑦性や薬物　⑧健康で安全な生活　⑨よりよく判断し行動する力

【第5問】ア，ウ

【第6問】①アナフィラキシー　②食物アレルギー　③給食を楽しめること　④正確な情報把握とその共有　⑤医師の診断　⑥リスク

【第7問】（1）①よく噛んで食べる　②早食い　③咀嚼及び嚥下　④特別な支援を要する児童生徒　（2）背部叩打法，腹部突き上げ法

【第8問】（1）1　（2）①熱けいれん　②熱疲労　③高体温　④脱水　⑤多臓器障害　⑥死亡率

【第9問】（1）イ　（2）①食生活　②肥満　③やせ　④生活習慣病　⑤子供の基本的な生活習慣　⑥社会全体の問題　⑦子供の基本的な生活習慣

【第10問】（1）セルフメディケーション　（2）4

【第11問】（1）c，f，g，h，m　（2）3，4，9，10

【第12問】（1）2　（2）①成長曲線　②肥満度曲線　③ランドルト環　④2　⑤5　⑥心身の成長・発達と生涯にわたる健康づくり　（3）〈例〉発育不全，不自然な外傷やあざ，ひどいう蝕，不潔な皮膚，口封じなどのため歯の外傷・口唇・舌など口腔軟組織に裂傷

【第13問】1

2026年度版　どこでも！養護教諭試験 要点チェック

（2023年度版　2021年12月24日　初版　第1刷発行）

2024年9月17日　初版　第1刷発行

編著者　TAC株式会社（次世代教育研究会）

発行者　多田敏男

発行所　TAC株式会社　出版事業部（TAC出版）

〒101-8383
東京都千代田区神田三崎町3-2-18
電話 03(5276)9492（営業）
FAX 03(5276)9674
https://shuppan.tac-school.co.jp

組版　株式会社　キーステージ21

印刷　日新印刷　株式会社

製本　株式会社　常川製本

ISBN 978-4-300-11243-4
N.D.C. 370

TAC出版

(2024年2月現在)

書籍のご購入は

1 全国の書店、大学生協、ネット書店で

2 TAC各校の書籍コーナーで

資格の学校TACの校舎は全国に展開!
校舎のご確認はホームページにて

資格の学校TAC ホームページ
https://www.tac-school.co.jp

3 TAC出版書籍販売サイトで

TAC 出版 で 検索

24時間
ご注文
受付中

https://bookstore.tac-school.co.jp/

新刊情報をいち早くチェック!

たっぷり読める立ち読み機能

学習お役立ちの特設ページも充実!

TAC出版書籍販売サイト「サイバーブックストア」では、TAC出版および早稲田経営出版から刊行されている、すべての最新書籍をお取り扱いしています。
また、会員登録(無料)をしていただくことで、会員様限定キャンペーンのほか、送料無料サービス、メールマガジン配信サービス、マイページのご利用など、うれしい特典がたくさん受けられます。

サイバーブックストア会員は、特典がいっぱい!(一部抜粋)

通常、1万円(税込)未満のご注文につきましては、送料・手数料として500円(全国一律・税込)頂戴しておりますが、1冊から無料となります。

専用の「マイページ」は、「購入履歴・配送状況の確認」のほか、「ほしいものリスト」や「マイフォルダ」など、便利な機能が満載です。

メールマガジンでは、キャンペーンやおすすめ書籍、新刊情報のほか、「電子ブック版 TACNEWS(ダイジェスト版)」をお届けします。

書籍の発売を、販売開始当日にメールにてお知らせします。これなら買い忘れの心配もありません。

書籍の正誤に関するご確認とお問合せについて

書籍の記載内容に誤りではないかと思われる箇所がございましたら、以下の手順にてご確認とお問合せをしてくださいますよう、お願い申し上げます。
なお、正誤のお問合せ以外の**書籍内容に関する解説および受験指導などは、一切行っておりません。**
そのようなお問合せにつきましては、お答えいたしかねますので、あらかじめご了承ください。

1 「Cyber Book Store」にて正誤表を確認する

TAC出版書籍販売サイト「Cyber Book Store」の
トップページ内「正誤表」コーナーにて、正誤表をご確認ください。

CYBER BOOK STORE TAC出版書籍販売サイト

URL:https://bookstore.tac-school.co.jp/

2 1の正誤表がない、あるいは正誤表に該当箇所の記載がない ⇒ 下記①、②のどちらかの方法で文書にて問合せをする

★ご注意ください★

お電話でのお問合せは、お受けいたしません。
①、②のどちらの方法でも、お問合せの際には、「お名前」とともに、
「対象の書籍名(○級・第○回対策も含む)およびその版数(第○版・○○年度版など)」
「お問合せ該当箇所の頁数と行数」
「誤りと思われる記載」
「正しいとお考えになる記載とその根拠」
を明記してください。
なお、回答までに1週間前後を要する場合もございます。あらかじめご了承ください。

① ウェブページ「Cyber Book Store」内の「お問合せフォーム」より問合せをする

【お問合せフォームアドレス】

https://bookstore.tac-school.co.jp/inquiry/

② メールにより問合せをする

【メール宛先 TAC出版】

syuppan-h@tac-school.co.jp

※土日祝日はお問合せ対応をおこなっておりません。
※正誤のお問合せ対応は、該当書籍の改訂版刊行月末日までといたします。

乱丁・落丁による交換は、該当書籍の改訂版刊行月末日までといたします。なお、書籍の在庫状況等により、お受けできない場合もございます。
また、各種本試験の実施の延期、中止を理由とした本書の返品はお受けいたしません。返金もいたしかねますので、あらかじめご了承くださいますようお願い申し上げます。

TACにおける個人情報の取り扱いについて
■お預かりした個人情報は、TAC(株)で管理させていただき、お問合せへの対応、当社の記録保管にのみ利用いたします。お客様の同意なしに業務委託先以外の第三者に開示、提供することはございません(法令等により開示を求められた場合を除く)。その他、個人情報保護管理者、お預かりした個人情報の開示等及びTAC(株)への個人情報の提供の任意性については、当社ホームページ(https://www.tac-school.co.jp)をご覧いただくか、個人情報に関するお問い合わせ窓口(E-mail:privacy@tac-school.co.jp)までお問合せください。

(2022年7月現在)